送给爸爸妈妈，感谢你们的爱与信任。

À Julien, mon amour ...

流言 ◎ 著

五个人七种爱情

CHERISH THE SUNSHINE ALONG THE JOURNEY

当代世界出版社
THE CONTEMPORARY WORLD PRESS

图书在版编目（CIP）数据

一路惜阳 / 流言著 . -- 北京 ：当代世界出版社，
2019.8

ISBN 978-7-5090-1432-5

Ⅰ．①一… Ⅱ．①流… Ⅲ．①长篇小说－中国－当代

Ⅳ．① I247.5

中国版本图书馆 CIP 数据核字（2018）第 174150 号

一路惜阳

作　　者：流言

出版发行：当代世界出版社

地　　址：北京市复兴路 4 号（100860）

网　　址：http://www.worldpress.org.cn

编务电话：（010）83908456

发行电话：（010）83908409

　　　　　（010）83908377

　　　　　（010）83908423（邮购）

　　　　　（010）83908410（传真）

经　　销：全国新华书店

印　　刷：北京楠萍印刷有限公司

开　　本：710 毫米 ×1000 毫米　　1/16

印　　张：20

字　　数：283 千字

版　　次：2019 年 8 月第 1 版

印　　次：2019 年 8 月第 1 次

书　　号：ISBN 978-7-5090-1432-5

定　　价：45.00 元

目　录
CONTENTS

典　礼

昨天试礼服的时候，莫惜阳就觉得奇怪了。

毕业典礼虽然是大事，她也知道程望会代表优秀毕业生发言。但即使这样，母亲三个月前就来定做了礼服，还是过于夸张了吧。

她已经很久没有在母亲面前换衣服了。她甚至也不记得这样的事情是否在她二十五岁的人生中出现过。

但这一次，母亲斜靠在门上，硬要站在私人试衣间门口看着她。

惜阳就不好意思去伸手关门了，只能转过身来，背对着。

"你这项链和礼服不配，妈妈给你摘下来吧？"母亲说着，就伸手要解开她脖子上的结。惜阳背着身猛地一闪，不由自主地护着项链。

"是死结，打不开。"母亲悻悻垂下手去，只能帮她拉了拉裙摆。

惜阳隐约地觉得不安，这不安的预感已经五年没有出现过了。

现在，她陷在学校礼堂的座位里走神，轻轻抚摩着脖子上的小矿石。本来可能也就是普通的石头，被摸得多了，竟发出墨玉般的光泽。

台上，作为优秀毕业生的程望正在发言。

"今天，能够代表勒内·迪卡尔医学院本年度毕业生站在这里，我感到非常荣幸。

首先，请允许我感谢父母，他们给予我深切的希望。并且，作为医生的他们对我言传身教，使我从小就仰慕医学事业的伟大。"

这是六月里阳光明媚的一天，年轻的发言人身姿挺拔地站在台上，他微昂着头，做着恰到好处的手势并扫视全场。当他说到重点处，冲观众席这一边点头致意。

人们或许不知道，这一招一式，都是程望演习过许多次的。

礼堂高达二十米，惜阳盯着天顶壁画，猜亚里士多德在哪里。

她坐在第二排正中央家属席上，前面是自己的母亲。

为了今天的毕业典礼，母亲专门去巴黎春天百货买了一顶帽子。她不时点头，帽子上的羽毛也跟着飘动。这时候，她一定觉得这一切都是值得的，因为讲台上的人正提到了她的名字。

"感谢我所有的老师……尤其是伟大的华裔教授季鸿离先生，以及他的太太——美丽善良的丁薄言女士，他们对我无私的支持和帮助我将永远铭记。"

掌声随后响起。

母亲头上的羽毛抖动起来，她身边另外几位毕业生的妈妈纷纷对她说："祝贺您。"

母亲应该满足了。

"程望这孩子，一看就是大家子弟。"

"人品可靠，学问一流。"

"我要有个这样的儿子该多好。"

母亲几年前就把这话讲给继父听，讲了多次之后，继父也软下来。假装没有看到，让母亲划掉了他其他的博士候选人，只填进了程望的名字。

这时候，继父作为学校领导代表，笔直地站在讲台右侧。他和大家一样，安静地听着演讲。

深红色的幕布并没有遮住他，他侧着身体，深灰色西装露出来的这部分，也足够显示他私人裁缝手艺之精妙。他交握着双手，正好看得到手表上的时间。阳光反射在他侧面镶钻的名表上，他体面地暂时让出了舞台，却又掌控住全局。

程望又翻了一页演讲稿，显然还没有打算结束演讲。

惜阳想闭上眼睛休息一会儿，却被后面几个声音打扰。

"运气真好，临床科多少年没有出过外国毕业生了。"

"也不只是运气吧，这人也很努力的。"

"努力什么？努力追求教授的女儿么？"

"这么说的确是运气好，教授的女儿非常美，有一次我在图书馆看到她，简直呼吸要停止了。后来才知道是程望的未婚妻。"

"你们都是嫉妒，程望博士也很英俊嘛。"这是一个女孩嬉笑的声音。

除了他们的议论之外，周围很安静。

可笑。

这时候，她的手机震动起来，是一个不认识的号码。她按掉电话，抬头对上程望的目光。他看到她，依旧铿锵有力地做着演讲，表情却明显温柔下来。

一阵掌声响起，她听到台上的优秀毕业生说："在演讲的最后，我祝福全体毕业生前程似锦。另外，请允许我的自私，第二排那位黑色长发的女孩是我的女朋友，在我眼中她是这千人会场里，也是世界上最美的姑娘。我要在这里向她求婚，请各位老师同学作为见证。"

莫惜阳有点儿震惊了，惊讶于被突然求婚，然而更惊讶于程望的自以为是，在这个重要的场合，居然完全把毕业典礼变成了家庭舞会。

台下响起雷鸣般的掌声，法国人爱起哄，虽然夹杂着些许"哼""哧"的杂音，大多数人还是起立鼓掌欢呼。程望做了一个"请"的手势，继父微笑着走向舞台中央，从口袋里拿出一个小丝绒盒子。母亲回头来叫她："快上去啊。"

原来他们都是一早就知道的。

"真浮夸"，莫惜阳心想，她不喜欢被人注视，何况是这么多人。

然而既然穿了白色长裙来，那么这时候还有什么理由不走上台来配合他呢？程望来牵她的手，屈膝低头，动作夸张地亲吻一下，随即给她戴上了戒指。

母亲在台下早就拿出照相机来拍下了这一幕。

一切都那么顺理成章，她还没有来得及说："好。"

她用余光看到程望，额头上渗出汗珠，用可怜又深情的目光看着她。

她心软了，鼓励地笑笑。

程望一下子就高兴起来，拉着继父说："老师，伯母，我们合影吧。"一群人赶紧走下台去，来到丁薄言身边。

他们都知道莫惜阳的妈妈有多敏感，即使旁人很难看出一点儿端倪来，她也尽量避免用受过伤的腿多走一步。

母亲挽着继父的手臂，程望搂着莫惜阳的肩膀。

拍照的人提议丁薄言把帽子摘下来，省得羽毛太高无法完整入镜。

她大声说没关系的，你好好拍，我要把这照片洗出来挂在壁炉上面。

这时候电话铃又急急响了，莫惜阳看了看好像还是刚才那个不认识的号码。

她接起来，那边传来一个急匆匆的声音："亲爱的，好久没联系了，你干嘛呢最近？"她想了想才听出来是曼联旅行社的调度赵漫漫。

莫惜阳几年前曾经是曼联旅行社的金牌导游，那时候和赵漫漫走得很近，彼此的电话号码能倒背如流。后来赵漫漫突然就离开了曼联，有传闻说是结了婚，两个人却也就渐渐断了联络。

"是漫漫么？怎么换电话了？"

"咳，新生活新号码。哪天出来吃饭我再详细和你说，现在我正发团呢，就问你一句，荷比卢德南线大团你来吗？"

莫惜阳看看等着她拍照的家人，小声回答道："漫漫，我马上就要离开法国了，不带团了。"

程望站得最近，听到了她们的谈话，他靠近些拍拍莫惜阳的肩膀，顺势搂着她，小声说："别拒绝，再带最后一个团吧，就当自己去玩了。"

莫惜阳看他一眼，好像觉得她肩膀上的手用了一些力气。

赵漫漫继续飞快地说："我和你说，这个团特好，国内旅行社和我反复说了，客人都很有实力。所以我才留着给你，一般导游我还不愿意把这块肥肉给他们呢。你放心，绝对不会让你后悔的。"

　　莫惜阳还是觉得奇怪："多长时间没联系了，你又不是没导游，怎么想起我来了？"

　　那边沉默了一下："惜阳，说实话，这次挺奇怪的。一是客人指明要你带，二是……二是路线你也比较熟吧。"

　　莫惜阳心里有疑惑，但还是问："几天呀？"

　　"连接带送十三天。"

　　"不对呀，光去荷比卢德哪儿那么长时间。"

　　"我再看看，哦，对了，最后从西班牙送。"

　　莫惜阳听到"西班牙"这三个字，太阳穴嗡得一声，再听到那边赵漫漫啰啰嗦嗦的声音就像是隔了一层窗纸。

　　她说："我接了。"

行　装

今晚的月色真好。

从家里的玻璃暖房看出去，满天的星星像深蓝丝绒上的钻石，低低地垂下来，仿佛伸手就能触碰到。暖房的角落里有一张棕色皮沙发，是惜阳从旧货市场淘来的，只花了不到三十欧元。母亲早就嫌它老旧要丢出去，说和她重新装修的别墅风格不符。

惜阳也不反驳，只是每天晚上这个时候就盘腿坐在这里，看远处的天空。

从镶着水晶顶灯的客厅，能看到她寂寞的背影。

这个时候，她就是一个人。

为了庆祝程望毕业以及和惜阳订婚，母亲一早就订了米其林三星的饭店，一家人吃了一顿漫长的晚饭，然后又回到家里来喝咖啡。

大家都喝得有些多了，母亲翻出早年的照相簿手舞足蹈地讲给程望听，继父则在一边端着教授的架子循循教导。

除了晚宴最后的冰淇淋蛋糕还可口之外，莫惜阳觉得一切都很无趣。

其实自从接到下午的那个电话，她的心已经乱的像被猫抓过的线团，理不清头绪。

趁着没有人注意到自己，她走进楼上的房间收拾行李。

后天，她就要走十三天，接职业生涯中最后一个旅游团。

她没有开灯，月光洒在牙白色的丝绸床单上。她坐了一会儿，站起来从床底下用力抽出一个深棕色皮箱，狠狠地放在地上。

灰尘嘭地漾开，在月光下游荡在空气中。像古老的回忆和轻吟的咒语，升起，升起，又慢慢落下来。

她没有动，想起关于这皮箱的一些事情。

自从全家搬到北郊富人区这栋带游泳池的三百平的别墅之后，她以前的很多东西都被母亲扔掉了。她有了崭新的卧室、书房，塞满了新衣服的更衣室。

母亲问她高兴吗？她只是低着头。

然而只有这个箱子，她坚持要留下来。就放在床底下，但快两年了才第一次打开。

这里面，是关于那个人的一些东西。

衬衣、围巾、背包、护照夹、话筒套、刚开封的青草味道的剃须水、从嘉年华会赢来的一对厚瓷杯子、一大摞注满笔记的地图、他从世界各地寄来的情书和明信片、一盆无论如何都不会死的仙人掌，总之衣食住行什么都有的。

当然，这里面并没有那个镶了钻石的银戒指。

那个银戒指是惜阳的，她一直戴在身上。有一阵子是戴在手指上的，后来母亲不许，和她吵架抓起戒指从窗户扔出去。莫惜阳一向不愿意和她争执，那一次是真的被伤了心，她跑出家门在草丛里找了大半夜，最后找到了，握在手心里哭了好久。

那是她第一次离家出走。

后来，她就找了一根红绳子系在脖子里，白天晚上都不摘下来。绳子收得很短，收口处烧成死结。

她和这银戒指一直生活了很久，直到红绳都逐渐磨白。

谁都不能让她摘下戒指，除了，那个人。

他说要借她的护身符，带团去荷兰。

回来之后，她的戒指依然在绳子上，只是不再是发暗光的银。他伸开手掌的那一刻，手心中绽放出耀眼的光芒，像一道阳光下的彩虹。

上面被镶上了钻石，梨形的很大一颗，恰到好处地落在戒指正中间，汇集了周围所有的光芒。

银是一种质地很软的金属，工艺师们都不愿意用这样一种材料做镶嵌。也是他在荷兰钻石厂跟熟识的技师再三请求，才有这独一无二的一枚。

他又给她带回手指上，尽管没有一句话，但她相信这个是一个承诺。

然而，老工艺师们当然说得很对。这样软的质地怎么承得了坚硬的钻石呢？就像她和那个人之间，那么孱弱的一见钟情，承不起珍贵的天长地久。

皮箱躺在地上，边角都已经磨白了。和这屋里精致的摆设格格不入。

莫惜阳本来仔细收着那个人的东西，直到收到那个短信。那年在下着大雨的巴塞罗那港，她疯了似地开车冲向海滩把他所有的东西都扔进地中海。

只剩下了这个箱子。

现在好了，她又要去西班牙了。她可以把这个箱子也一起扔在那里。对于他的回忆至此就可以一滴不剩了。

莫惜阳从回忆中惊醒，脚步声正好停在她的房间门口。

门开了，程望站在门口冲她笑，月光洒在他高大的身影上。

他脱掉了西装，尽管看得出疲惫，但白衬衣的领子还是一丝不苟地挺拔。他的笑很柔和。

"在收拾行李啊。"他走进卧室，当然看到了这个不同寻常的箱子，但却自然而然地蹲下来，检查她的背包。

充电宝、地图、一面红旗是常备在里面做路标的、最简单的衣服和鞋子、一小本电话号码、备用手机，程望把它们都一一放好。又打开抽屉，熟门熟路地把急救药盒放进去。他想了想，跑下楼，回来时候手里是一包红枣。

他坐在床边，就着月光把红枣去了核，放在一个小盒子里面。

"你贫血，每天都记得吃一些。"

"哦，对了，"他打开刚拿上来的一个小袋子，里面有一双黑色平底鞋：

"前几天给你买的鞋，就是你经常穿的那个牌子，旧的就不要了吧。"

莫惜阳看着他，自从在一起以后，她每次出行程望都不乐意，嘴上不说，但每次来收拾箱子都不大情愿，话也很少，这一次好像特别尽心。她有些感动，在他旁边蹲下来，轻轻说："谢谢。"

程望转过头，笑着看着她，又说："惜阳，我们就要离开法国了，这可能是你最后一次带团。你好好带，我结束了之后去西班牙接你回来。"

他怎么知道我从西班牙结束行程？莫惜阳心里打了个问号，又想到可能是接电话时候自己说出来了，就没有在意。

程望跟着站起来，搂过她的肩膀问："惜阳，今天开心吗？"她点点头。
突然间，他就在她面前跪下来。

莫惜阳吓了一跳，听他缓缓说道："惜阳，你知道，我有多爱你吗？"
惜阳微微闭了一下眼睛，她想她是知道的吧。

"我想给你个浪漫的求婚，在毕业典礼上那么多人，别人都在鼓掌，我却不知道你心里在想什么。我太笨，怕这次又搞砸了。我总是不知道你想要什么。惜阳，你愿意嫁给我么？"

一瞬间，惜阳心中闪过许多画面，夜晚罗马教堂空旷的广场、卢森堡峡谷中有雄鹰飞过、乡村的土路上尘烟弥漫、高速路遇到暴雨，雨水打在车窗上噼里啪啦地响。

这些风景像在高速行驶的列车车窗上飞速变化，却越变越暗，越变越暗。只有一双眼睛，是那个人，那个人闪亮的眼睛。

光芒直刺进她心里。

那光芒太刺眼，她看不到别人。

她绝望地闭上眼睛，那人不是眼前人。

回过神来，面前的人还跪着。她觉得非常疲倦，想尽快结束这一切，好一个人呆着，就点点头说："好吧。"

跪着的人高兴地快要哭出来了，握着她的手更紧："惜阳，我会一辈子对你好。"

她抬了抬眼睛，表示相信。

两人的对话被敲门声打断，程望刚起来站稳丁薄言就走进来。顶灯啪地打开，刺眼的灯光照亮房间的每一个角落。

"伯母。"程望打招呼。

"两个孩子在说什么这么开心？"丁薄言轻轻巧巧地说，像一个真正慈爱的母亲。

"我在和……"

"没什么。"莫惜阳打断程望的话，他正赶忙搬来一张椅子。又忙着去倒了一杯水。

丁薄言随意坐在床边，指指椅子让程望坐下，顺手把水递给他说："程望，多久没回家看过父母了？"

"有一段时间了。"程望坐下，双手捧着水杯。点头微笑着说。

"好长时间了吧，记得你自从读了你伯父的研究生就没有请过假。"丁薄言改口快，以前说起自己的丈夫都是自称季教授。

"刚才呀，我们商量过了。"丁薄言弯着眼睛，鲜红的嘴唇一张一合的。"由我们开邀请函，请你父母来巴黎做做客，一来是你博士毕业，二来，你知道的，"她说到这里转头看看女儿："也是商量一下你们的婚事。"

程望手里的水杯一下子掉在地上，洒在地毯上一片湿却没有发出一点儿声音。他急忙低头捡起杯子，抬头慌慌张张对丁薄言说："伯母，好的，好的。"

她欣慰地点点头，看程望去找了吸水纸来擦干地毯。

时钟响了一声，不知不觉已是午夜。

程望要走了，和丁薄言道过晚安之后对莫惜阳说："明天早上你多睡会儿，我有个研讨会，结束要到晚上了，你记得给我发短信。"

莫惜阳点点头，程望关上门出去了。

气氛瞬间冷下来，母女俩无话可说地坐了一会儿。

丁薄言低下头看地上被程望收得整整齐齐的箱子，欣慰地深深叹了一口气："前些年路易神父来巴黎，人人都争着见他，你爸爸和他一起吃饭，之前问我要许个什么愿。我想了半天，说我这大半辈子没什么遗憾了。只是替女儿求一个人真心待她吧。你爸爸还笑我，你看，路易神父是真的神准。"

莫惜阳没有回答，她只是小心把箱子合起来。

"母亲应该不知道这个箱子的来历。"她这样想着。

"诺，给你吧。"丁薄言掏出一个小本子，拿到惜阳面前。那是一本红色封面的护照。

惜阳不可置信地看着母亲，自从出国以来，母亲都把自己的护照锁起来，每次带团出去，她都只拿出一个复印件。

"家里复印机坏了，你现在也大了，这次就拿着护照去吧。你看。"母亲翻开一页，上面是红色抬头的一张纸，印着 CANADA 几个字母，这是一张长期签证。

"这次回来以后，我们全家安心去加拿大。"母亲摩挲着护照说。

莫惜阳还是没有答应，如果放在以往任何一个时刻，她应该会随便答应一声。然而此时此刻，面对这个深棕色的旧箱子，她什么都不想说，也不想勉强自己说。

母亲见她不答话，站起来走到门口："我是想说，五年前的那些事情，我和你爸爸约好了谁都不许提一个字。你自己，也就忘了吧。"她说完这句话，推开门走出去了。

她没有关灯，屋子里很亮，莫惜阳看着对面的镜子。"是的，忘了吧。"
她对自己说，然后关上灯。

归　程

巴黎戴高乐机场，西欧航空交通枢纽。

路与昂站在 2F 出口前，大屏幕上显示，离飞机着陆的时间还有半个小时。

他想抽根烟，刚点燃又想起机场禁烟。自动门不停地开开合合，他胸口隐隐作痛，走进大厅想接一杯水吃止疼药。

此刻，一只手从后面伸过来，递上一瓶依云矿泉水。

一个穿着黑色制服的，面无表情的男人。朝他点点头，不说一句话转身走了。

路与昂看到他胸前写的"四海一家"红色标志。和水瓶上印的 LOGO 一模一样。

没想到老贾的速度这么快，路与昂想。

这个新修的大厅，建筑材料的干涩味道还没有散尽。

人们在这里等待、尖叫、拥抱、亲吻。虽然这些与他毫不相干，然而这些送别和迎接的场面还是一下子刺激了他的神经，记忆回温，包围上来。

对了，这就是机场的味道，混合了消毒水和空气清新剂，还有各式皮箱，人们从世界各地带来的味道。

做导游这行的，有时候会厌恶这气息，可能和嗅觉关系并不大，而是每次闻到这味道。就意味着马上要见到那些陌生人，接受他们的审视；要马上开始裂开嘴微笑，说些言不由衷的"欢迎"，似乎为了见到他们高兴地彻夜难眠，假装非常期待和他们开始一段奇妙旅程的样子。

这旅程，路与昂已经走过了数百次。

他喜欢这味道，迎来送往的这几年来，即使是一样的路线。也总能够看到四季的不同风景，和不同的人上路碰撞出的刹那间的灵感，以及旅途上呼吸到的新鲜空气。

甚至连讲解词，每一次也都是不一样的。

他几乎都要忘记这感觉了，就深深吸了几口气。

路与昂对戴高乐机场很熟悉，就好像西欧的大部分首都机场一样。

他在这里的椅子上睡过觉，每个出口接过人。虽然这个 2F 是他离开法国以后翻修的，但是那有什么关系，他想，什么样的行程都难不倒我路与昂。

这时候广播响起来，法国航空北京到巴黎 AF168 航班就要降落了。

"路导，您的接机牌。"他刚站定，后面就有人递过来一道黑底红字的条幅，上面写着"热烈欢迎望财煤炭国际有限公司牛总一行"。他吃了一惊，转身发现还是那个黑西服。

路与昂摆摆手表示用不着举牌子，他早就练就了一样本领，根据发团名单上客人的名字、职业、人数、人员构成，总能第一时间在人群中把他们认出来。

他从未出过差错，何况不举牌子显得亲切，客人惊讶于他的职业素养，信任感也就建立起来了。

"路导，这是协会规定。请举接机牌。"男人依然面无表情。余光里，身边已有不少人举着相同的牌子。路与昂不想难为不相干的人，就拿了过来，卷在手里。

正想着，身后有人拍他肩膀。他刚扭过头，就被一个人紧紧抱住。

"哥，你终于回来了。"那人激动地说。

路与昂眼眶一热。

面前是一个理着寸头的年轻人，腊月的天气里额头上还挂着汗珠。他穿着牛仔衣裤，手里拎一个大包。是从德国慕尼黑一路飞车赶到的。

几年没见，小周还是像一个莽撞少年。算算今年也有 25 了，和惜阳同龄的。

惜阳，想到这个名字，路与昂的心就像一个被锈得坑坑洼洼的铁块，瞬间被融化了，变得又柔软又光洁。

路与昂拍拍小周的肩膀："又飙车了吧，和你说了明天到就行。"

小周嘿嘿笑着摸摸头，看着路与昂，笑着笑着眼圈就红了。"哥，你瘦了那么多啊。"

路与昂没有答话，大屏幕上他等的航班已经开始传送行李了。

门开了，推着行李车的人们一股一股涌出来。他拿起手里那张纸，严肃地盯着出口。小周站在他身后，像一堵坚实的墙。

门开了，先走出来的是一群老人，他们互相用家乡话聊着天，推着行李走得很慢。路与昂一眼就看出他们是第一次出国，一律带着黄帽子，代表了旅行团的特色。这些老人年纪都在 70 岁上下，满脸的疲惫大于兴奋。

领头的白发老人穿着一件灰色呢大衣，质地不错但很古旧，围巾讲究地叠在大衣里，像早年间的归国华侨。只是头上和别人一样的黄帽子打破了这优雅。

老人们紧张地看着来接机的人们，一双双眼睛从栏杆外的人们脸上划过去。好像没有找到他们的目标，又重新划过一次。随即紧张起来，互相探寻地看着。

灰大衣走到前面，和他们说："大家往前走，在旁边歇一歇，不要堵住通道。"

老人们不甘心地一边继续搜寻着一边缓缓向前移动。

灰大衣让其他人坐在一起，他又走回来，用询问的目光扫视人群。

他走向一个戴鸭舌帽的人，小心翼翼地问："请问是来接桐乡老年团的吗？"

"不是不是。"那人不耐烦地说。

"哦，对不起。"老人点点头，又走向下一个人询问。

"嘿，夕阳红团。不赚钱事儿又多，谁挨上谁倒霉。导游不会是躲起来了吧。"戴鸭舌帽的年轻人一边从口袋里掏出一张皱皱巴巴的纸，上面是要接的人。一边油嘴滑舌地和旁边的小周说道。

小周厌恶地看他一眼，本想回他句话。但看到路与昂扭过头严肃的表情，又止住了。

鸭舌帽看到没人搭理他，无趣地玩着手里的车钥匙。

老人家还在四处张望，团队里有几位已经坐不住了。一位老太太靠在椅背上张大嘴打着盹，一位老爷爷喝掉保温杯里最后一滴水，还仰着杯子使劲看。穿灰大衣的老人家也渐渐着急起来，他解开大衣的扣子，从贴身的口袋里拿出一支很旧的手机，戴上眼镜看了半天，然后按下几个按钮。他对着光看了半天，又贴在耳朵上喂喂说了几声。最终失望地挂断了。

这是一部没有开通国际长途的电话。

这时候，路与昂的手机响了。

"喂。"

"路，到机场了吗？"旅行社调度的声音，路与昂觉得好笑，多少年不见了，这姑娘语速还是这么快。

"放心吧。"等了等又说："漫漫，谢谢你。"一句没头没脑的话，对方倒是听懂了，笑了一下说："路天王，多少年不见还是摸不透你，就算你在欧洲导游界消失了，再重新出马也还是江湖上一个神话。名气没有一点儿减少，反而越传越邪乎。圈子里这几天都传疯了，说路天王今天出山，想带个有钱人的团开开杀戒。这团算是能入得了你的眼，真赚了大钱，来旅行社结账的时候别忘了给我带盒蛋糕来。"

路与昂被她逗笑了："真是几年不见，说话越来越老辣了。"

她岔开话题："说正经的，我想和你商量点儿事。我有一个老年团也是今天到，导游是个新手，好死不死今天在路上车被查了。一时半会儿找不到人，你能帮我带一天吗？和你那个团路线完全一样的。"

路与昂没有说话，小周在旁边早听到了电话那边的声音。小声对他说："哥，别管。"

导游这一行，没人是来学雷锋的。这种事儿，放在以前，别说路与昂不会答应，即使他答应都落不到他身上。

他一出道就直接拿了"欧洲之峰导游"奖，比赛那天各大旅行社的头儿都到了。别的导游一窝蜂扑过去递名片敬烟。他一开始坐在旁边不言不语，等轮到他上场，拿出准备好了的欧洲八国历史政治、风土人情。流畅生动地娓娓道来，演讲没有一个字废话，人又一表人才。

头儿们都停住了点烟的手，互相打听这人的来头。

除了业务过硬，后来又知道他为人正直周到，从未被投诉过。客人填的意见表全部五星，有夸张些的还送来锦旗。

更难得的是他对客人购物需求的灵敏，推包推表推钻石又快又准，旅行社人人都乐开了花儿，很长一段时间里，调度们的奖金都是路与昂给发的。

那几年，旅行社老总们点名要把高端团抢着塞给他。

然而，现在是他路与昂人生中最后的一次旅行。

他不想赚钱，他也不怕麻烦。

可是，他有更重要的事情要办。

"路天王，算我求你了行不？你就给我带一天，我明天保证找人接。"调度还在那边喋喋不休。

路与昂看看老人们，他们已经停止了吵闹，仿佛被眼前这无法处理的情形吓呆了。灰大衣老人显得很疲惫，却安静地看着落地窗外起飞降落的飞机，他离路与昂很近，他听到老人喃喃自语："到法国了，我到法国了。"表情平静深刻，眼中似乎有泪。

路与昂突然就做了决定："行，我接了。"

"谢谢啊，路天王。我不白让你帮我，给你准备了一个大惊喜呢。"赵漫漫得意地说。

"什么惊喜？"

"你这个团，客人点名要两个导游，另外一个，可是个大美女。"路与昂哭笑不得，匆匆挂了电话。

他大步朝着老人们走过去，朗声说："各位爷爷奶奶久等了，大家旅途辛苦了，我是您的导游小路。"

老人们等到了救星，哗地站起来，过来和他握手。

背后，穿制服的黑衣男子一挥手，走过来三个人。一模一样严肃的面孔，一模一样别着"四海一家"标志的黑制服。他们中有人举起相机拍下了这一幕，有人打着电话，有人在一个本子上刷刷记录着。

李　生

　　李生在飞机上闭目养神，他想起临行前老婆小娟儿说的话："你们老板这次请客出国考察，还真是大白天出月亮了。小心他别憋着什么坏吧。

　　李生嘴角歪了一下，女人家心思就是浅。

　　可又转念一想，能有谁比小娟儿更了解牛望财呢？虽然年初望财煤场改名叫了国际有限公司，可是牛望财那一分钱里也要养出头猪来的财迷劲儿一点儿都没有改。

　　小娟儿在镇上读完高中回来给牛望财当秘书三年，深得此人信任。那时候还没有什么总经理、董事长的称号。牛望财就一个人带着个会计，公司里大小事儿都要和小娟儿商量。

　　小娟儿长得美，又在镇上几年更是学了几分妖媚回来，她和李生从小青梅竹马。本说好高中毕业就结婚，流言却在村里传开。父母叹着气说，你就别想着娶她了，早晚被别人占了。他心里也知道，这个"别人"是指谁。

　　没想到牛望财却把他叫去了，让他在厂子里干，给的工资是原来他当邮递员时候的三倍。而小娟儿却安稳地和他结婚，怀孕以后辞了职。

　　飞机开始下降，他紧紧安全带在椅背上靠好。恰好回头对上了牛望财的目光，他瞪大一双三角眼，一路没睡，坐在后排紧张地盯着前面的人看。这也是他第一次坐飞机。

　　李生没来由想到村里人说的话，又嘴角一歪。

别人都以为牛望财这人品行不好，但都没有料到他怕老婆这一出。牛望财的老婆人称牛嫂，是一个又黑又壮的女人，她不是本地人，在乡里说起话来对谁都不客气。激动的时候口不择言，多脏的话都泼得出来。

对自家男人却只有一句话："我把你当年的丑事抖出来，告到公安局去。"

因为小娟儿的事，牛嫂来闹过。牛望财照常在被牛嫂跳着脚威胁告密后蔫下来，跟着那黑壮女人回了家。

李生想，到了这把年纪，谁年轻时候没有点儿荒唐事呢。

他在煤场已经做到副总，这次出国却没有带总经理带了他。出来以前他被叫到办公室去问话，牛望财憋了半天却没有说出什么来，只是拍拍他的肩膀说："小李啊，我信得过你，到时候看我眼色吧。"他不知道这话什么意思，要放在什么场合里理解。

但牛望财文化水平低，他也就没往心里去。

可是到了启程那天他就有点儿奇怪了，这一程只有六个人。除了他和老板以外，还有老板的侄子小牛、老股东老黄，更奇怪的是还有两个不认识的，一个头发蓬乱目光迷茫的老妇人，以及搀扶着她的年轻女人。

这两个人是谁，老板没有解释一句。李生私下问了小牛和老黄，他俩都摇摇头没有回答。

李生开始觉得，这次旅游不像想象中那么轻松了。

飞机缓缓降落，他看看周围的人。旁边的老妇人从起飞开始就一直在沉睡。这时候醒来了，惊惶地扭动身体四处寻找。坐在她身后的年轻女人，看似已经很疲惫，还是赶紧推推椅背小声说："我在这儿呢，我在这儿。"

老妇人没有因此平静下来，双手抓着安全带向外扯。这时候后排的牛望财三步并作两步走过来，小声问她："你要干啥？是不是要上厕所？"

老妇人瘪着嘴，委屈地点点头。

牛望财急躁地对年轻女人说，你带她去，快点儿。

这时候空中小姐走过来请牛望财坐回座位上，他指着老妇人说："她要去上厕所。"空中小姐礼貌地说："先生对不起，飞机降落期间卫生间暂停使用。"

老妇人好像也听到了，在座位上上下颠着身体，狂摇着头，嘴里大声喊着："去，去，去，去。"乘客们都回过头往这边看。

牛望财叉起腰和空中小姐说："这不是还没有落下去吗？憋死人你负责？"空中小姐指着指示灯上红色的卫生间标志摇摇头。

这时候老妇身后的年轻女人站起身，她走到老妇身边蹲下，双手放在她腿上，在她耳边轻轻说着什么。老妇人慢慢安静下来了，李生只听到她说："妈，别急。"

他仔细看了一眼，这母女俩一点儿都不像。

飞机平稳地落了地，这次旅行才刚刚开始。

相　逢

莫惜阳在咖啡厅门口坐着，正对着卢浮宫。

多云天气，乌云沉得要触到屋顶，古典式的楼群美得像一幅油画。

服务生看她身边带着箱子，以为是来参观的游客，怪声怪气地用中文说"你好"。

她笑一笑，要了一杯双倍浓缩咖啡。她想让自己再清醒些。

接团第一天往往是最累的，导游和客人之间的感情还没有培养起来，要一刻不停地说话：讲解风土人情是为了表现专业，背诵行程安排为了取得信任，最好是能有一两个能聊天的，几句话一问一答下来就大概知道这团人的底细了。

莫惜阳没有加糖，一口喝下咖啡，这时候电话响了。

是旅行社的赵漫漫："亲爱的，到了么？"

"到了，卢浮宫门口发呆呢。"莫惜阳一边说着一边从包里掏出零钱。

"我和你说啊，车牌是 HH3266，红色大车挺好认的。"赵漫漫依旧语速很快。

"行，司机什么样啊？"

电话那边明显顿了一下，干笑了两声："惜阳，你，你可别怪我啊。"

莫惜阳笑了，转身走进咖啡厅结账。"干嘛呀，是不是又给我塞新手司机了？"

"不是，那个人，你认识的。"莫惜阳刚听出赵漫漫语速突然变慢，刚想问问是哪个熟人，她回头就看到一辆红色的大客车开入对面的马路，然后慢慢停下来。

男女老少这一车人，依次走下车。

一个男人最后出来，却站在大车第一道台阶上看下面的人。他在心里默默数着人数。

一道阳光从乌云后面猛地刺过来，正打在他头顶散开万道金光。

突然间，他像是有第六感一样猛地回过头来，和惜阳四目相对。

莫惜阳一下子就懵了，一声响雷在头顶炸开，把她轰地一声劈成两半。

时间，一下子过得很慢。

她像一只被琥珀封住的小虫，从某一天起，她所有的感情：尖利的、柔软的、丰富的、鲜艳的、悲伤的……所有这一切都被封锁住了。从某一天起，她时常觉得疲惫，然而连这疲惫都是模模糊糊的。

从某一天起她不再说"不"，而只是淡淡地对所有人说："好吧。"

她失去了自己，失去了这一部分的记忆，偶尔翻出从前的照片，上面的她居然有一双灵动的眼睛。

从某一天起，那双眼睛不再转动了。

她有时候从睡梦中惊醒，会伸手摸摸心脏的位置，不知道自己是否还活着。

还活在这个，没有他的世界里。

她被这响雷劈开，面前这男人的光芒万丈直射进她的心里。把她燃烧、照亮得无处可逃。

她捂着伤口，清晰地回忆起来。

她自己死去的那天，就是眼前这个男人不告而别，离开她的那一天。

她感觉到身体在猛烈颤抖，她紧紧抱住自己，像进入了冰窟，冷得失去知觉。

第一个想法就是拿出手机打给赵漫漫，同时伸手拦住一辆出租车。

她打开出租车门，这时候赵漫漫的手机也接通了，那边说："喂。"

突然之间，惜阳发现自己手里当作标杆的红旗还没有合上。

路对面走过来一群老人，他们先是看见了她，看到她手里的红旗，露出开心的笑容互相招呼着走过来。突然之间又发现她不见了，老人们站在马路中间，像一群迷路的孩子不知道向前走还是向后退。

来往的汽车都停下来，使劲按喇叭。开车的人们探出头用法语发着牢骚叫骂。

老人们乱成一团，彼此撞在一起。

惜阳突然之间醒过来，这是她职业生涯的最后一个团。

作为导游，标杆举起就是旗帜。冲锋号都吹响了，她又怎么能临阵脱逃。

何况，她为什么要跑？上一次不告而别，从人间蒸发的人又不是她。

想到这里，惜阳跳下出租车，咬了咬牙，人还是颤抖着，也尽量挤出一个笑容迎上去。

小周把大巴停稳，检查了一下车况，等到他下车的时候客人们已经都离开了。

刚下车他就觉得有什么不对劲，他一回头，就看到了靠在车上的路与昂。

认识他这么多年，圈子里都知道路天王是个钢铸铁打的人。即使三天三夜不眠不休，即使日行万里，也是声音洪亮、站得笔直。

而现在他半个身体靠在大巴车上，像被抽空了力气。

他双眼血一般红，一动不动地目视前方，像是不相信眼前的景象。他右手摸索着，想伸进口袋找止痛药。

小周被吓了一跳，刚想问，顺着路与昂的目光看过去，一个女孩正招手喊着后面的客人。她扎着马尾辫，轻快地甩着头和周围的人聊着什么。

她额头光洁，嘴角有一个奇妙的弧度。这张完美的侧脸，似曾相识。

小周使劲瞪着眼睛看，赶紧回头，不敢置信地问路与昂："不会吧，这是……这是……"

回答他的是沉默。

路与昂点点头，硬撑着走到车后面隐蔽处，靠着车慢慢蹲下来，额头上的汗水落进土壤。

"你一开始就知道她要来吗？"小周接着问，这时候女孩已经带着客人们走过马路，往卢浮宫建筑群深处走去。

路与昂终于一口吞下止痛药，长叹了一口气。"我这次走得急，中间又有事情要脱团。OP 帮我的忙，说是找个已经成行的高端团，让我带 AB 团，有另外一个导游。"

他顿了顿："没有想到是她。怎么会是她呢？"路与昂扭过头去，狠狠用袖子擦了几下脸。一声叹息从胸腔深处传出。

"小周你帮哥一个忙，这一路，咱们不能让惜阳跟着。"

迷　失

　　牛望财从机场里出来的时候，本来满心打算好了。这一趟是六个人，应该会有一辆九座车来接。这种车空间小，导游和司机坐前面，彼此都离得近。

　　他早就想过了，自己要坐最后一排中间。

　　"望财国际公司"这个团规格非常高，旅行社找了几个导游给他选，有的会讲各地方言，包括他们平旺镇的；有的据说业务能力强，应变快，人品好的；有的得过不少奖，全欧洲都有名气的。

　　他早就拿到了这年轻貌美的叫莫惜阳的女孩的照片，点名要她来接。

　　看着照片，他不禁在心里狠狠唾了一口，老程家脂粉运还真好，程家小子他妈当年就是镇上有名的美人，小子长大了，找的这个女朋友更是美得让他侄子小牛对着照片，口水就流了满地。

　　"媳妇，媳妇。"小牛指着照片说。

　　牛望财一把抢过照片，冲他头上猛拍了一下。

　　但心里想得却是，两个人还没结婚，并不是铁板钉钉的事，说不定这一路回来，人家姑娘看上小牛的家大业大了呢。

　　最后出发日期都订了，旅行社为了讨好他，硬要另外插别的男导游，他怕别人碍手碍脚。但是又想到这样一来，姑娘能专心陪着他聊天，其他什么粗重活就留给那个不知名的小子来干吧，所以也没有拒绝。

迷

失

谁想到旅行社越发过分，不仅派了辆大客车来，55座的。还有个毛头小伙子专门来当司机，这么大的车，无论是他还是小牛，都不能挨着那姑娘坐了。

　　他心里的算盘马上落空。正想给旅行社打电话要求换车，那边的调度先打电话来："牛总啊，真得对不起，这次要给你们合团了。"

　　合团？这时候他才看清楚面前三十几个头戴黄帽子的老头儿老太太，本来在候机大厅摊开坐了一片，看他们走出来，都由一个穿呢子大衣的老头儿招呼着站成一队。

　　牛望财马上急了，提高嗓门一顿大骂："你们这么个小破旅行社，一年也接不了老子这么一个豪华团，我每个人出七八万欧，顶那些老不死的几百个人。你就把他们扔半路上，死了人算老子赔。但是不把我们几个伺候好，你就等着关门吧。"旅行社千般万般赔不是，最后把团费都折半他也无动于衷。最后，调度也失去了耐心，对他说："牛总，我最后一个解决方案就是让路导把你们先接走。您指定的那个女导游，要把老年团安顿了再过来陪您。"

　　牛望财一听这话，想到人在国外身不由己，不能因为这点儿小事儿坏了他一锅粥，就泄了气，又骂了几句就挂了电话。

　　车停在卢浮宫门口，老人们一个招呼着一个走下车，刚站稳就赶紧拿出照相机来拍照。

　　冬天太阳出来得晚，天刚刚亮起来，干净的街道上还没有什么行人。这时候，看着眼前这气势恢宏的皇家建筑楼群。每个人心里都做梦一般地想，我们这是在巴黎了。

　　牛望财本来凡事都怕落后，这次却最后一个才下车。

　　在他前面的是在飞机上发疯的老太太，搀扶着她的女孩一路没有睡，加上时差颠倒，已经看得出非常疲惫了。她一直低着头小声叮嘱着老太太走路小心。当她下了车抬起头的时候，在这金色玻璃的建筑物前愣住了，愣了好久。

作为奥古斯都的皇宫，这三千平微徉着尘土的广场，自十二世纪以来就受人敬仰。就好像历来各国艺术青年，他们背着画板、穿着破洞的牛仔裤，可以在雕塑馆里坐一整天。

但是却有一个人，特别在乎衣着。他来卢浮宫参观过很多次，每次都要换上自己最好的衣服。

有时候是在旁边的礼堂开会，有时候是陪同参观与讲解。

哪怕是十年前刚来到巴黎，他第一次来排队，选了免费的参观日，甚至找不到入口的时候，他就穿了一身西装。

那是他二十欧元从一个印度人那里买来的，料子不透气，穿一天衬衣被染成深蓝，再也洗不干净。

虽然他早就知道了，在卢浮宫参观不用穿着古板，虽然他那次回去一边在肥皂水里洗衬衣一边后悔，但还是在心里给自己立下了规矩。

以后也要穿自己最好的衣服进出卢浮宫。

这个人，就是程望。

然而今天，他却破了这个规矩。

他裹着一件黑色旧羽绒服，戴着黑帽子低头走进入口处。

他背着一个大包，里面其实空无一物。

过安检时被人用怀疑的眼神看了一眼，他已经觉得后背出了汗。

尽管是淡季，游客还是很多。他被人群挤着往前走，走到里面反而宽敞了。

人们拿着导游图仔细看着每一件藏品。

时光在这里停驻了，一只只手抚摸着精美的雕塑，多少时间都不够用。

然而，此时此刻总是有那么一群人和别人不一样。

他们从遥远的中国来到这里，被一个油头滑脑的人领着，那人一面走一面说："咱不懂艺术的人，看这些就是走马观花，我给你们说，来卢浮宫就是看'三无'女人。"

"什么'三无'啊？"有个人问。

"嘿，无腿的蒙娜丽莎，无头的胜利女神，无臂的雅典娜呗。我领你们看一圈儿，你们和'三无'女人合个影咱们就走。"那人一边说，一边笑着往前走。

后面的人一路小跑，跟着他哈哈大笑。

程望厌恶地看了一眼这些人，他不敢在一地久留，闪进了游客暂时较少的近东文物馆。

他拨通一个号码，响了一声那边就接起来，互相说了名字之后那边懒洋洋地说了所在地点。

为了这次碰面，程望早已把卢浮宫地形摸透，他几分钟之后就和一个男人接上了头。那人身高将近一米九，非常魁梧，他带着墨镜，这墨镜黑得像一块煤板，似乎不只是为了遮阳。

程望心里虽然直发毛，但还是挤出一个笑脸迎上去："是黄叔吗？"

那人嘴角扯了几下，不知道是不是在笑。他并没有回应程望的寒暄，只是迅速把一个信封交到程望手里。

程望拿着信封的手布满冷汗，低下头不再看对面的人。只是小声问："牛叔还满意吗？"

"你就放心吧，你不点点信封里的？"那人粗声粗气地问。

程望有许多话，但是一句都没有说出口，他只是摇摇头。

"老牛说了，这比当初给你说的多，事成之后还更多。"那人面无表情。"老牛说了，两天以后把支票给你。"

他又想起什么："那，我妈……她……她还好么？"程望犹犹豫豫地问。

"挺好，我们都给照应着呢，你就放心吧。"

"那我能……我能见见她……见见她照片吗？"他低下头，越说声音越小。

"以后有你见的时候。"那人说完这句话转身就走了。

分开之后，程望把信封装进腰包，手伸进信封搓了一下。

他本该就此离开了，但还是忍不住跟着那男人，远远地看到一大群人缓缓移动。

　　他离得太远看不真切，但心里知道是惜阳在做讲解。眼前的汉谟拉比法典是她的最爱，她通过了卢浮宫讲解员考试，每次带了团队都讲满两个小时。

　　程望不敢靠近，远远看了一会儿就被人群挤开。

　　他们越走越远了。

无　言

冬天的欧洲，天黑得很早。

游船缓缓行驶，两岸已灯火辉煌。

那光芒有明有暗，明亮的比如铁塔顶端的探照灯，扫向四面八方，像一道闪电划破夜空；暗的比如亚历山大三世桥的栏杆，使人无法辨别究竟是人工的灯，还是金色浮雕反射了皎洁月光。

还没有倒过时差的客人们已昏昏入睡。

时间在旅途中总是过得特别快，小周开着车慢慢行驶在晚上八点半的市中心。

余光里莫惜阳依旧坐得笔直，面带微笑做讲解。她已经高昂着头讲了整整一天。

虽然小周早就听说了，从前几个故人分别后，惜阳她一意孤行做了这份工作。

风餐露宿，不分昼夜。

娇生惯养的教授女儿竟什么苦都受得了，在行业里名声渐响。

然而这一整天里，她也努力得有点儿过头了，从一个景点走到另一个景点，没有看到她喝一口水，吃一口饭，坐在角落里哗啦啦翻着行程表。

小周从后视镜里也看到坐在后排的路与昂，他皱着眉头，裹紧大衣看向窗外。专注地像一个从未来过这里，并且以后也不再会来的游客。

在香榭丽舍大街上，有一辆摩托车横穿出来，小周一个急刹车。惜阳正站着发矿泉水，刚走到路与昂身边。他在 0.1 秒之内，跳起来护住她。

当导游几年，身体平衡能力都不错，惜阳没有摔倒，但是水撒了他一身，她头都没有抬一下，转身走开了。

小周不能明白了，路与昂一路上铁青着脸，但是隐蔽地看向惜阳的一眼，是刹不住的温柔。路哥还爱惜阳吗？他是想不通了，既然那么爱，为什么还处处和她作对呢？

早晨刚一碰面，惜阳走过他们的时候，还是停顿了一下。

然而她却听到，这男人冲着电话里面冷冰冰地说：“我路与昂从来都不需要地陪，你们不用派个人跟着我们，反而碍手碍脚的。”惜阳加快脚步走了，但眼中微小的期望刷地像火苗一样熄灭。

这些年，他就没有一句解释。

他们甚至，都没有互相问一声好。

中午订餐，惜阳给旁边的团餐馆打电话，已经订好了座位。路与昂却半路命令小周掉头：“不去那家，那是人吃的地方吗？这么多老人，在巴黎的第一顿饭给吃的好点儿，去荣军院旁边吃。”

惜阳强忍着怒火，拿出行程单，指着上面的字说：“就给了这么点儿餐费。”

“不够的，我补。”他摆摆手说，看都没看递过来的单子。

车路过皇家路，毫不起眼的建筑物本不必多说。莫惜阳却还是拿着话筒，轻快地说道：“前方我们看到的新古典主义建筑是玛德莲娜大教堂，为了纪念拿破仑时代军队的荣耀而建造。教堂建于 1806 年，周围的 52 根科斯林圆柱来自希腊……”话刚说到一半，路与昂突然上前一步，走到副驾驶位置把话筒一把抢走，语速很慢却不容置疑地说道：“教堂于 1757 年开始设计，始建于 1763 年，后来于法国大革命时期被摧毁，再由拿破仑将军主持 1806 年重新开工。”还嫌说得不够清楚，又补充：“可能有人觉得，这些日期不重要，随便讲讲算了。但是每一行有每一行的功夫，功夫不到就还得练着。"

他说完以后在客人的掌声中，把话筒塞回她手里，头也不回地走了，嘴角含着一个冷笑。

莫惜阳被吓了一跳，恶狠狠地瞪着眼前这个男人。

她这才觉出受到了侮辱。她觉得冷，从骨头里渗出的寒意遍布每一个毛孔。她一直在说话，她不能停止说话，她怕一闭上嘴就会忍不住哭出来。

这个高姿态走过来纠正他的男人，曾经承诺爱她一生，也是她在很多年里曾用尽全身力气想要忘记的人。

自从他走后，她开始失眠，在每一个吃着大把安眠药却无法安静的夜里，她狠狠诅咒："路与昂你去死，你一定是死了吧，只有化成灰才忘了我。"她变成了一个无欲无求的人，不再期待，不再索求，也不再拒绝。

但是每年圣诞她都去教堂祷告，每年旧历初一都抢头香，那时那刻她都无比虔诚，拜向这四面八方的神仙，拔山超海只替他求个平平安安。

然而，这个男人他却没有死，也没有成妖成仙。在莫名消失了五年以后，突然间又出现了。没有一句解释，没有一个道歉，像个失去了记忆的机器人。她一度以为他是真得失忆了，直到他冲上来和她抢话筒，因为一栋300年前建筑的年代在众人面前纠正她。她才发现他是带着恶意的，这恶意不是陌生人之间的那一种。

他没有忘记，他是故意的。

这时候路与昂的电话响了，旅行社的人在那边问他，因为临时合并了两个团，旅馆房间已经满了，是否可以给他和小周合并一个双人间。

路与昂回答："双人间没问题。"一边抬头和小周示意。莫惜阳听出了端倪，走过去拿下路与昂的手机，和那边的人说："不用给我留房间了，我今天晚上回家住。"没等那边回答，她又把手机塞回去。

小周追过来问她："哎，惜阳，一起叙叙旧吧？"

"我和他，还有什么好说的吗？"她冷笑一声，用手势让他在一个地铁站前停车，然后头也不回地走进夜色中。

她不知道身后，有人一直凝视着她。

直到走上回家的路，莫惜阳才觉得浑身酸疼。一天紧绷的神经放松下来，她靠在地铁车厢，看着来来往往的人群，觉得心里空得难受。正是下班高峰，眼前的人们走马灯一样进进出出。她觉得什么都不对了，就仿佛是一场背熟了的电影。每个场景都精准，人物对白一字不差。

但是，主角却消失得无影无踪。

她按着头，想不清楚今天的事儿。地铁上还有座位，她却靠着柱子坐在地上。

莫惜阳回到家中，吃完晚饭才听到门铃声。程望穿着一身崭新的西装进来，一点儿都不像刚开完一天会的。一进门就冲她笑，惜阳空荡荡的心里踏实了一些，但好像一颗鹌鹑蛋扔进饿了三天的胃里，饱足感相对饥饿微不足道。

程望走到她书桌边坐下："今天过得顺利么？"说完不等她回答就自顾自地说："我今天开了一天会，一整天都在学校里，直到一个小时以前才结束。幸好今天商场关门都晚，我给你买了个好东西。"

他从口袋里掏出一个小盒子，打开来是一条项链。纤细的白金链子，中间挂着一颗水滴型的钻石。钻石虽然不大，但惜阳看看包装，也估算出项链的价格了。

她把项链就着他的手挂在指尖端详，问程望："当了副教授这也要你半年的工资，哪儿来那么多钱？"程望一向节俭，她并没有提到他还要还银行的助学贷款以及欠继父的一笔钱，怕伤了他的自尊。

程望握一握她的手，小心地拿起项链走到她身后："哦，拿到一笔刚发的科研奖金。惜阳，我从没买过什么像样的东西给你。作为未婚夫太不称职了。"

惜阳觉得脖子里一凉，程望正把项链戴在她脖子里。

她动了动身体，对这突然的亲昵感觉到不适应。程望马上察觉了，停下了动作。

惜阳有点儿不忍心，主动撩起头发，示意他把项链系好。一边问他："程望，等我带完这个团，咱们去海边玩几天吧？"

程望没有回答，只是问："今天的客人好吗？他们难为你了吗？"

惜阳想了一下："没有，客人大部分都是爷爷奶奶。何况旅行社这次规格高，不到三十人的团还从国内跟了一个领队来。说不定，说不定我到半中间就没有必要跟下去了呢。"

程望吃了一惊，牛叔只说一行六人，除他以外都是他公司里的帮手。哪里来的爷爷奶奶，又怎么会多出来一个领队吗？好在他站在惜阳身后，没有被表情出卖："一般的领队不都是来折腾导游的吗？是不是他就会不懂装懂，乱添麻烦。"

"这领队不一样。"惜阳说："我就是累了。"

脖子里的钻石项链碰到了她一直带在脖子里的小石头，发出很轻的一声。程望还是停下了手里的动作，"这个项链带了很久了。"

有那么一瞬间，惜阳想把石头摘下来，但是又不自觉地把手伸向锁骨，紧紧护着。

只轻轻回答了一声，"嗯。"

程望走回到床前，坐下来拉着她的手说："惜阳，我正好想和你说件事。本来你这次带团也不为了赚钱，一切都由你说了算。但是今天会上刚宣布了，我……我……我们学院要接一个挺大的项目，让我负责。这一段时间，可能十几天我都在呆在实验室里，没有办法陪你了。你知道，我这个人没出息。平时上课总想着你，想着给你打电话。这几天你出去，就当散散心自己玩玩，我也能安心把这个项目交代了。你答应我，带完这个团。要不然，要不然知道你还在巴黎，我没办法安心工作。"他背光坐着，低着头。惜阳只能看到他领口露出的一点脖子上的肌肤红红的。

惜阳听了淡淡地说："好吧，就当散散心。"又想起来问他："是什么项目？"

程望沉吟了一下回答："研究的课题是，非直接暴力颅脑损伤。"

贾　老

　　城市北边正是热闹，巴黎像一个多变的女郎，白天一颦一笑都婉约端庄，夜深了便换上艳丽晚装，在灯火辉煌处万般轻佻。

　　红磨坊名不虚传，巨大的风扇叶，像炽热的宝石，红到极致就成了萎靡。

　　这里永远人声鼎沸，用酒精迷醉自己的人们，东倒西歪地哈哈大笑，互相拍着肩膀，再从对方口袋里拿出一些来历不明的烟草；各种肤色的女人穿着暴露廉价的衣服，她们疲惫地浏览人群。衣服看似紧小的可笑，在买主们心中正是最好的价标。大街上的失败者们伸长脖子，在隐秘的门洞中寻找一晌欢颜。

　　路与昂和小周站在队伍的中间，他们前面是牛望财一行人。

　　团里的老人们都已经回去休息了，老人家们知道，这些自费项目是导游们赚钱的门路，临走时候还挺不好意思地和他们打招呼："路导，真不好意思啊，实在是年纪大了，晚上看了歌舞表演怕失眠。"

　　"歌舞表演"？用词真含蓄。不来也好，上了年纪的人总是回避看这世界堕落成什么样子。路与昂无所谓地挥挥手。晚上，他有更重要的事情要做。

　　牛望财六十岁左右的年纪，肤色是一种毫无光泽的深灰色。应该是早年矿下生活煤灰刺进了皮肤纹路。听说他自从那些年发了大财以后就再不下矿了，又天天进出各大洗浴中心，但还是没有把一张脸洗出肉色来。他个子很矮又很胖，浑身的肉长得横七竖八，一咧嘴满口牙深浅不一。

小牛名叫牛红山，是老牛二哥的儿子。哥哥早年下井丧了命，老牛拿了抚恤金也接手了他的两个儿子。他留着挺长的刘海，又三七分到两边，梳得服服帖帖。身上穿着这次出国专门买的蓝白条纹西装，还在上衣口袋里塞了一条手帕，露出的一个角软趴趴地耷拉下来。

他处处显示着小城镇年轻人自以为是的时髦，总是在别人不说话的时候突然嘿嘿嘿一阵笑，又在热闹的场合缩在一个角落里，手伸进口袋使劲扣。有时候突然会把上衣掀起来大叫，这时候老牛就会马上大声骂他或者狠狠打他的头。

这时候一群女郎从排队的人群中穿过，人群中出现了暂时性的沉默。她们像一群普通的少女，挽着手说说笑笑。衣着很普通，不过是街上随便一个巴黎女郎的深色呢大衣、平底芭蕾鞋。然而谁都看得出她们将要从后门走进去，然后仔仔细细地画上绯色口红，踏上十二寸高跟鞋。

人们贪婪地用眼神把她们的呢大衣剥掉，这是他们今晚歌舞盛宴的餐点。

老牛伸长脖子，用目光跟随这群少女一直走进大门里去。

直到看不见了才舔舔嘴唇，裂开嘴对股东老黄说："嘿，这趟巴黎没白来。"

老黄身高足有一米九，膀大腰圆却总是戴着一副墨镜。不知情的人都以为他是个保镖。可近看他也上了年纪，背有些佝偻，五官也松松垮垮的。

不管什么时候，他都是一副苦大仇深，要和人干架的模样。眉毛耷拉，眼角垂着。

他不愿意摘下墨镜，因为有一只眼睛是残的。

老黄听到老牛的话嘿嘿嘿地笑，一边笑一边拍李生的肩膀。

李生是这里排队的人中最心不在焉的一个，倒不是说他对举世闻名的歌舞秀不感兴趣，而是今天一路上发生了太多怪事。

他本来也是个心思缜密的人，却想来想去也算不出个头绪来。

这时候开始入场了，李生一边想着这些事一边被带到一张桌子前坐下来。

大厅内金碧辉煌，而四面墙壁却包了厚丝绒。四面皆暗，只有舞台上明亮如白昼。

大厅外面的门厅分成两半，一边做衣帽间，另外一半本是从前贵族客人们饮茶的地方。现在给带客人来的导游们休息聊天。

路与昂和小周刚坐下，就听见有人叫"小路"。

两人回头，看到门口走进来一个中年人，路与昂本来就在等这个人，却看了一分钟才把他认出来，这果真是他在等的人。

他赶紧站起来拍那人肩膀，高兴地说："贾老，真是好久不见了。"他把后半句话咽下去，心想他怎么老成这个样子。

贾老穿一件深绿色风雪衣，胳膊底下夹一个 LV 包，戴一副金属框架的方形眼睛，胡子拉碴的。他一坐下要了罐冰可乐，咕嘟嘟先喝了半听，然后才仔细打量路与昂。"听说你后来回国了？"

"嗯，家里有点儿事。你呢？最近团旺么？"导游间的江湖情谊，互相浅显地关心却也不往深处聊。

"嗨，说来话长啊。"

贾老本是路与昂出道时候旅行社指派给带他第一段路的导游，本来叫他贾老师，后来看他人和善，几个刚出茅庐的年轻人就都叫他贾老了。

小周这些入行晚的年轻人如果看到他，一定会觉得这是个运气不怎么好的人，一般导游到了这把年纪早就赚够了钱收手了，不是开家中餐馆就是开起了车公司。

而这个半老人还满脸疲惫地奔波着。

然而他可不知道这贾老当年的风采。

十年前，他多么风光。当时他老婆是欧洲最大旅行社的经理，有什么肥团都紧着他先挑。他挑剩下的就指派给别人，那时候，导游们把他当菩萨一样捧上了天。

旺季的时候，求他能给好线路，淡季的时候，求他就能给口饭吃。

任何人闲在家里吃了上顿没下顿了，只要给他开口说声"贾老"，马上能拎着箱子上团。旅行社听说了他的名字，工资小费都给得高。

他在业界留下个仗义的名号，渐渐呼风唤雨。

小周突然想起来这人是谁了，在他们这一代导游那里，眼前这人的身世是另外一个版本，是别人当做笑话和他讲的。

巴黎有一个最迷恋红磨坊的人。

就像从前旅居这里的名流一定要住在蒙马特高地的阴影中，他对红磨坊的爱无比强烈却无人能理解。他不断地在每周三骚扰司机、导游和旅行社，请别人让出位置，让他在这一天晚上能够带客人走进红磨坊。

他把自己放得极低，无论是声音还是身段。轻声在电话里说："你歇歇，让我带过去吧。中间赚的钱照样给你，你还省得给司机加班费，让我开车把他们送回去吧。"

一开始，别人顾及他当年的好意，也就让去过一两次。后来发现客人看演出的时候他不老老实实在门口等着，不知道溜到哪里去了。有时候回来得晚，场子都散了，客人自然满腔埋怨。

大家一开始没有觉得奇怪，坐在一起喝酒才被当做笑话讲出来。

一方面觉得这人蹊跷，另一方面几年过去，老导游看他一蹶不振早就榨不出什么甜头。新导游们和他不相识，更是不买他的面子了。

小周算算今天是星期三，应该眼前这个就是笑话中的"红迷"了。他在旁边冷眼看着，这究竟是怎么样一个人，怎么从荣耀的顶峰突然间跌到谷底。

路与昂继续有一句没一句地问："嫂子好么？"

"老样子，生了老三身体就虚着，断断续续吃了好几年中药了。你看，我这不是就走不开了吗？"贾老摇摇头，语气轻得像一声叹息。

路与昂看他一眼，他知道这个故事的全本。

多年前，贾老和一群新入行的一起吃饭，那时候他多风光，器宇轩昂地抽出一叠钱扔到柜台后面叫搬了五箱啤酒，大家喝得热闹，起哄让他给讲讲课。

他一口咬掉酒瓶盖和大家说："要当导游，第一课，第一课是什么？就是别他妈的相信客人说的任何一句鬼话。"

"你，比如说你，"他指着一个戴眼镜的年轻男孩："别相信他们是什么大官，手眼通天，只要你回国就能安排成公务员。"男孩脸一下子红了。

"你，还有你，"他指着一个光头黑胖子："别相信他们能联系亲戚朋友相关部门，每年发十个富豪团，导游全部指定你。"黑胖子赶紧低头假装玩手机。

"尤其是你啊小姑娘，"他随手指一个刚进门的短发女孩："千万千万别相信爱情，谁说出来玩个十来天，爱上你了，回去马上办材料过来娶你，这些都是彻底的放屁，放，狗，屁。"他咕咚咚喝下一瓶啤酒，继续说："这一行就是这么回事儿，他糊弄你，你糊弄他。他跟你信口开河说一顿，自己当着多大官，给多少钱都别信。他问你家住哪儿多大了干这行多久了，你也别说实话。不过有一条，就是自己要牢牢记住编的这一套，别今天说是河南人，明天又跑黑龙江去了。像我自己，本来一北方人，但学了一口广东话蒙骗过大江南北。居然后来都说我是香港人，还有传言是爵士的后代。"旁边的人笑着围着他鼓掌。

他领袖一样扫视了一下全场，发现刚才进来的那个短发女孩没有说话，只是坐在挺远的地方有一搭没一搭地看着他，面前也放了一瓶酒。

她一个人坐着，突然冲他笑一下，有点儿嘲讽的意思。

他突然，觉得自己很傻，就后悔说了刚才的一番话。

导游这一行，都是命长在脚上，脚长在车轮上的人，他们之间有没有爱情呢？

这就好比问，候鸟们应有几个巢穴。这就好比问，同样是无法停留的命运，蝴蝶是否会爱上海浪。

这样的故事层出不穷，看同行带出来的女孩用不着记名字。反正换一个城市、换一个时间又是不同的人。

按照月份、日期和行程表来换床单的颜色，他们有七彩的床单。

明知道孤注一掷、明知道飞蛾扑火。可是老贾却毫无征兆地一头扎进了和这小姑娘的爱情中。开始只是顺路一起回家，老贾喝多了，跌跌撞撞下了出租车，回头看见小姑娘拿着他的大衣也下来了，默默跟着他走到家门口才转身去坐地铁。

后来他在行业内打听出来，她是好女孩儿，大学里面读着正正经经的历史系，只有寒暑假才做导游。她并不是很美，然而自有一种浑然天成的勇敢。在路上见过一次，她甩着短头发拿着名单，一个一个点着客人上车。

那种不为名利一心只想把事情做好的劲头把老贾感动了。

老婆一开始不知情，还分了几个团给她。

有一次碰到客人刁难，她半夜哭着给旅行社经理打电话。是老贾接了，连夜就飞车赶到德国。帮她把团带下来，最后在意大利的一晚上，姑娘和老贾坐在楼下的餐厅里，已经打烊了还是不回房间，也互相不说一句话，只是默默看着。

他们彼此都知道，这要么诀别，要么，就是一段孽缘的开始了。这火在两人心中点燃，是无论如何熄不灭了。

一周以后，只有老贾一个人回了法国。

姑娘留在意大利，在罗马租了一间小房子。老贾从此只带从北到南的常规行程，从巴黎出发，每个月的五号和二十号都在罗马停留两天。

旅馆里给他订的房间空着，他住那间小房子。

这样的日子，整整过了两年。

后来，有一次旅馆的火灾警报器坏了，大半夜响个不停。客人们都移到另外的酒店去住。而老贾居然毫不知情，他老婆马上明白了。

毕竟是见过世面的女人，言语中已经猜到老贾和那姑娘感情多深。她没有过多问，只是等老贾回到法国后，默默辞去了旅行社经理的职务。

并且，马上怀了一个孩子。

从此以后，她变成一个彻底的家庭妇女。因为月子里弄坏了身体，常年伤病不断。欧洲其他旅行社调度照顾他们一家人，都给老贾一些周边的团。然后她又拼命生了老二、老三。

而老贾，再也没有到过那两千里外的罗马城。

内场歌声响起，女郎们应该穿着水钻编成的闪亮衣服从天而降："和我金发上的钻石相比，月亮太苍白；和我裙摆上的花朵相比，春天太冷漠；和我的眼睛相比，星光太淡薄。今夜你来到红磨坊，我让你忘记所有的不快乐，不快乐。"

这时候门口喧哗起来，有一个油头滑脑的年轻人带着三个土里土气的人闯进来。保安说现在已经开场不许进去了，年轻人和保安吵架，也吵不出个所以然来，一句话里五个字，还夹了一点儿英语和法语。没有一个词是用对的。

保安推着他们往外走，年轻人挥着手喔喔地叫，也不敢动手。

路与昂和小周看着好笑，老贾皱皱眉头，走上去对着保安说了几句话，他们被放进来了，被领坐员悄悄带到最外边的座位上，没有影响到别人。

年轻人抹着汗走在他们旁边坐下，左右看了看发现一罐没有打开的可乐，拿起来就咕咚咚喝下去。喝完打着嗝冲几个人笑："谢谢谢谢，要说今天还是碰见贾大叔，要不然这几个狗腿子肯定不能让我进来。"

老贾挥挥手，没说话。

"嘿，要说也是这帮穷鬼够讨厌的，带他们去买表吧，楞和人家磨了三个小时，把我那点儿提成都快磨没了，结果还是嫌贵没买。妈的三两千块钱的钢表还嫌贵，弄得我实在没面子。"

路与昂本来就看他眼熟，他说完这番话抹了抹汗，从包里掏出个鸭舌帽戴上，才发现是今天接机时碰见的人。

他也同时注意到了路与昂和小周，笑着说："呦，哥们儿，今天夕阳红也来看表演啦？真难得哈。"

没人搭话。

老贾过了一会儿才说："小隆，你知道这是谁？他叫路与昂，是你前辈。"

叫小隆的鸭舌帽上下打量了半天眼前的人，马上掏出烟来，递到路与昂面前。

"路与昂，你就是那个路与昂？对不起对不起，不知道这是大名鼎鼎的路天王。我……我太……太崇拜您了。早就想和您认识了，没想到今天给碰见了。"

路与昂没有接烟，倒是小周说："哥，你走的这几年，这行变得太乱了，什么不学无术的、坑蒙拐骗的都能进来。"鸭舌帽想要辩解，却张张嘴说不出什么来。

江湖上本没有法律，人心一把尺，规矩就是江湖的法律。

有关于他的传说在江湖上流传，他如何在西班牙诈骗集团跟踪游客时带警察出现在酒店门口一举截获。如何在阿姆斯特丹钻石厂偷梁换柱时偷拍下全部过程，并迅速印成光碟满城发放。有司机在大雪封山的峡谷肆意抬高价格，他开55座大巴一路冒雪飞奔而来把人全部拉走。有人拿了团费就消失，不论躲到哪里，三天后路与昂都能拿到一张有那人签名的支票，数额翻倍。有导游要三倍小费不成，威胁客人扔在深夜的火车站自己出去抽烟。在长椅上打盹半个小时后人们全部消失，也包括这导游自己的钱包、机票和护照。此人自己也在旅游界消失，传说他进了路与昂的黑名单。

这本黑名单没有人见过，但是他能够让你从此在江湖上留下恶名。人人见而避之，恶名如影相随。即使你不再做导游，做了中介、开了饭店、成了酒吧老板、出租车司机或者邮递员，都会有人在不久后知道，你曾经是个不够诚恳的人，你曾经是个骗子。

然而，此时此刻在红磨坊外的等待厅，路与昂却没有说什么，反而站起来拍拍鸭舌帽的肩膀。他有更重要的事情要做。

路与昂这次出团以前突然接到了老贾的电话，他说和朋友成立了一个小机构，叫做"四海一家"。

路与昂问，名字挺好，具体是干什么的？老贾叹口气说，咱做导游这一行的太苦太累也太危险了。一个人一辆车，带着几十个陌生人几千公里地跑。遇上通情达理的好客人还行，遇上几个混蛋这一路都提心吊胆。谁旅行箱里不常备着防身武器，谁没有三个手机五个紧急联络号码。

咱们这个公司："四海一家"就是为了导游服务的，从此以后不需要那些武器、后备手机和联络号码了。只要在咱们这儿一登记，这一路就等于是带了个秘书加保镖出去。

他说得夸张。路与昂这一次来做更重要的事情，不打算和谁打架。就笑一笑拒绝了。

谁能想到飞机从北京出发之前接到一个电话，是一个机器人一样的声音，说您的行程已经录入"四海一家"资料库。后来才听旅行社的人说，贾老还是和路与昂客气，其实这个机构早就在半年间控制了百分之九十的欧洲旅行社和导游。

路与昂虽说昨天才接到团，但是几个小时里面已经感觉到这组织的不同一般。接机时候出口等待的几个导游，手里都有一模一样白底黑字的牌子。几点接到人带上什么车的，全部都有人在后面仔细记录。

景点门口、餐馆里面甚至沿途的收费厕所都会不知道从哪里蹿出几个

贾
老

穿着黑色制服的，面目不清的男人们。

路与昂渐渐觉得事有蹊跷。

今天有这个机会，他问贾老："看见你那组织里的人了，根本不像导游们的保镖，倒像是黑社会。"

贾老笑着叹口气："咳，还不是尚大志搞的，一派虚假繁荣。"

路与昂吃了一惊，站起来走到贾老面前，不相信似地盯着他问："贾老，你怎么和这个人搅到一起去了？"

"贼船好上不好下啊。"贾老夹起公文包，示意路与昂和小周一起出去走走。

尚大志这个人小周不认识，像他这个年纪，出道晚的人们都没有听过这个名字。老导游也闭口不提，在行业内几乎是个忌讳。

此人外表是个文弱书生，戴副眼镜见谁都带三分笑。这笑容中含义复杂，听人说他是在东北犯了事，逃出国来，加入了外籍军团，拼上性命拿了法国国籍。

他孑然一身，做事又下得了狠手。他和其他导游抢客人，价格压得不像话，只要每天能赚 10 欧就答应。旺季订不到酒店，他就干脆和旅行社说省了房费，把箱子当枕头，在公园里、街上的长椅睡上一半个月。

几年下来，人脉和钱都攒了一些。尚大志才露出自己的真面目来。他成立了一个"导游保护协会"，把旧社会收保护费那一套用到了欧洲大陆。他派人在春天百货商场蹲守，按人头强行收钱。如果有人不服气，先是警告，如果还不听话的，旅途中就会遇到一些莫名其妙的阻碍。订的餐厅总是没有位置，购物提成被人拿了假护照冒领，旅行社接到假冒客人的投诉。最可怕的是，大巴车的车轮莫名其妙被扎坏，有一次一辆车在高速路上轮子松动，差点儿侧翻。客人中有几位老人说什么不愿意再往下走了，硬是改了机票回国。

尚大志这个时候，见人再也不笑了。他总是戴着一副墨镜，坐在奥斯曼大街的和平咖啡厅，看着来来往往的人，从牙缝中发出得意的叹息。

可是这"导游保护协会"好景不长，不到一年，他雇的几个小弟一夜之间莫名消失了。没有人帮他收钱、扎轮胎、打匿名电话，尚大志马上乱了阵脚。

好不容易在一个餐馆找到了其中一个小弟，那人看见尚大志吓得直哆嗦，扭头就跑，被他一把抓住，战战兢兢地说："大志哥，你饶了我吧，你在国内犯的事儿，现在旅游界都传遍了。你随身带着的那个公文包，里面放着枪，这咱们也都知道了。我刚谈了个女朋友打算结婚，就不伺候你了。"

尚大志这才觉得事情没有那么简单，不只是失踪的小弟们，所有旅行社都对他关上了门，别说压价格，就是赔钱也不再给他一个团带。刚租的写字楼，就收到房东的挂号信，要马上收回租约。

尚大志不明白发生了什么，落魄地走在街头。打开公文包，里面只有一瓶依云矿泉水。

这也都是几年前的旧事了。

时间过了挺久，巴黎却没有变。

虽然已经入夜，大街上依旧人声鼎沸。

借着夜色，一双双白日里看不到光的眼睛却变成了灰暗的星星。右转福勒斯特街是一条五米长的小路，好像一个博物馆逼仄的走廊，仔细看才发现这走廊的墙上都半掩着门。

小周和路与昂都没有说话，贾老也没有解释，直接走向一扇门。

大红色的木头门，上面的雕花已经剥落了不少。门吱吱呀呀地被打开，里面是桃红色的纱帘，放着莫名其妙的音乐："喂啵喂，喂啵喂，在森林深处，最深的深处，狮子今天要死掉；人们都在安静地睡着，没有人知道，可是狮子今天要死掉。"

吧台上放着血一样鲜红的鸡尾酒，标价800欧元一杯。买一杯酒请这里穿着超短皮裙的女士们喝一口，可以在飘着香水味的小房间里和她共享一首歌的时间。

房间没有墙，都用屏风隔开，五米高的天花板上，红纱祥云一般落下。

少女们便就着这云彩肆意舞蹈，手里的鸡尾酒一口倒进嘴里，极力扭动着身体劝看客们再买一杯来助兴。她们被劣质酒精迷乱了大脑，被浓妆掩饰了本来面目。

这是所有人的狂欢夜，她们大笑着为自己舞蹈。

音响里女人们捏着嗓子孩子般唱着："喂啵喂，喂啵喂，不可驯服无法征服，狮子今晚要死掉；我亲爱的小羚羊，快来看呀，狮子今晚要死掉。"

贾老停在一个房间门口，透过薄纱的纹路，看到里面只坐了一个人。她穿着齐地长裙，斜靠在沙发角落里望着什么出神。

她吸一口嘴里的香烟，又用了很长很长的时间慢慢吐出去。烟从她嘴里无力地散开，像一声由来已久的叹息。

贾老撩开帘子进去，里面的人对他微微笑一下，算是原谅了一个迟来的赴约者。

"你坐在这儿，吧台没人了，老板该说你了。"他说些不相干的话，也用眼神示意小周和路与昂——她不过是 BARMAID，并不是这些热舞女孩中的一个。

"我今天休息。"女人又吸了一口烟，同时轻轻说道。又看看门口愣着的两个男人，用眼神示意他们进来坐。

"那你怎么？"门口的两个男人走进来，小周试着和她说话。

"今天星期三。"女人平静地说。

小周突然想起了那个传说，关于贾老对身边每一个导游的请求："求你了，周三让我去红磨坊。"周三，红磨坊，有人在这里等他。

路与昂也终于看出了这个人是谁，多年前那个脂粉不施的短发女孩，即将毕业的历史系高材生，贾老忠贞不渝的情人。

她不能再躲在罗马，于是躲在了这迷幻的福勒斯特街。

只要能够看到他，这世界上哪一处不是一样？

女人抽完了烟，起身去吧台调了三杯酒。不同于其他，冰凉的白葡萄酒倒进绿柠檬丝的酒杯，雾气冲上来像一朵云消失在酒杯口。

小周进门时候看过价格，伸手在口袋里摩挲。

女人看到了，把酒递到他手里说："不用钱，干一杯吧。"于是大家碰碰杯子。

"这酒叫冰洞，是我自己刚刚发明的。昨天听到一个俄罗斯的大车司机说，马德里山上新开发的一个山洞，里面都是陈年的冰霜。本来想改造成旅游区，谁知道里面像个迷宫，进去了两组探险队都差点儿出不来。还没有人能找到诀窍，于是就先封了。"女人擎着酒杯娓娓道来，路与昂一口把冰酒喝下，胸腔里一阵战栗。

"你说这个地方，在哪儿？"他问。

"就是以前的布兰卡洞穴。"女人转眼看着贾老，向他举了举酒杯："那么冷，走不出来会冻死在里边的。但听说又很美，人人都想进去看看。"女人咯咯咯地笑了，仰头靠在沙发上。

贾老看看她，眼神很深，也没有说什么，只是伸出手去覆住她的手。

女人笑着笑着，眼泪就出来了。

贾老清清嗓子，回头和路与昂说话，嗓音却变了。

"小路啊，那年的事儿，你做得对。尚大志太想赚钱，犯了忌讳。我知道是你在后面给他造的案底，及时把他阻拦住了。这欧洲旅游界才又清净了几年。"

路与昂喝一口酒，没有否认。

"那几年真好啊，行业景气，你路天王在圈子里主持公道。我也还没有那么老。"贾老说着，笑了一声："可是这几年不行了，旅游团量是以前的三分之一，客人的要求却是高了几倍。多少人另谋出路，留下的导游们都被当驴用，那也得给驴一路上补给是不是？我知道你讨厌尚大志，这人以前做事不讲究。但是你也把他打回原形，他落魄了好一阵子，差点儿睡了马路。"

路与昂不动声色。

"他现在也改了，还信了佛。去年他求我和他成立个'四海一家'的协会，我同意了，说实话，是为了赚点儿钱，但也是为了给咱们这个圈子再聚聚人气。"贾老说着话，看看又给自己倒上一杯酒的女人。

"小路啊，我老贾行走欧洲快二十年了。见过多少人，服气的只有你一个，你人品好，能力强。即使都知道你回国了，还有多少兄弟不愿意给我四海一家这个小摊子签字，就是问我，路天王签了吗？你不点头，我很难办啊。"

小周回头看路与昂，他沉着脸，不置可否。

"还有，前几年新入行一个女孩，和咱们圈子里的女孩都不一样。我听人说了，她是你认识的人。这孩子和你一样，心善，肯吃苦。咱们也都在后边帮衬着她呢。这是两件不一样的事儿，但是你这次点个头，咱们就不只是我和尚大志两个股东。给你三分之一干股。你和这姑娘分开两地，要想照应着她，也得经济上宽裕点儿，你说是不是？"

路与昂心里一动，他说的是惜阳。这两个字是他心里的净土，他无法在这迷乱的场所想到她的名字，但又无时无刻不能不想起她。

贾老说这番话的时候没有看谁，只是拍拍身边女人的手，她很知趣地走开了。"你想想，咱们成天一夜一夜地开车，孙子一样伺候人，是为了什么呢？还不就是，拼了命想把身边的人照顾好么？我不瞒你说，我平时赚的钱都给了家里，而'四海一家'，我是一分钱都不拿的，用了她的账户。人家跟我这几年，一辈子也算是搭上了，我总不能不干点儿人事儿吧。"

不知道是不是酒精的缘故，路与昂微微动了心："贾老，我想想。"

夜很深了，铁塔的灯也熄灭了，繁华渐沉静。

躺在酒店的床上，路与昂想起在酒吧里，那女人的笑声，觉得有点儿难受。

他们曾经一度是熟识的，他记得在某一次同带一个团的时候，并肩坐

一
路
惜
阳

052

在同一排座位上。那时候她多开心，一路给他讲些历史典故，只记得她脚上一双网球鞋，粉色和黑色相间的。随着她开心的笑声前后晃着，一车人都听得见的笑声。

现在算起来，那应该是贾老和她刚刚开始这段爱情。

他在黑暗里想着这些，不由叹了一口气。

"哥，还没睡么？"小周在旁边的床上问。

"嗯。"

"哥，我想问你，"他在黑暗中翻身正对着路与昂："你今天看到惜阳……你今天对她的态度……你是变了吗？还是她变了？还是，咳，我也问不好。"

路与昂沉默了好久，小周差点儿以为他睡着了，突然一阵急促的呼吸声，他伸手在旁边的床头柜上用力摸索，打翻了水杯咣一声砸在地毯上。

小周连忙开灯，看到路与昂挣扎着坐起来，一只手捂着胃，一只手抓着药瓶。他冲过去，拿下他手里的瓶子，帮他拧开倒出两片止痛药。

路与昂吃了药，啪地关了灯。

即使是兄弟，他也不想让人看到自己狼狈的样子。

小周躺回床上，很久很久他的呼吸声才渐渐平稳下来，他说："我现在这样，别让她看到最好。我欠她那么多解释。之前的事说不清，何况这一路，我拿什么照应她？"

小周在黑暗中看到路与昂的轮廓，他并没有躺下，依然捂着胃靠在床上。

"那我就再问你一件事，你今天看见她，高兴么？"

"高兴"，路与昂等了一会儿又小声说："我他妈的真高兴啊。"

事　端

城市另一边的夜晚同样也不平静。

惜阳睡得不安稳，半夜模模糊糊地醒来。她下楼倒水，看到厨房旁边的小房间有灯光，原来程望并没有走，他正低头翻着一摞资料，看一会儿又低下头飞快地写。他那么专心，直到惜阳喝了一口水才被发现。

他有些慌乱，急忙抬起头问："怎么醒了？"

"和我说说你要研究的这个课题吧。"惜阳突然对他的事情有了一点儿兴趣。

"你想知道我的课题？哦，哦，好。"他手忙脚乱地打开一本大书，翻到里面的图给她看，是两个不完全相同的大脑横剖图"你看，左边这个，是正常人的大脑。而右边这个，看到了么？有什么不一样？这是一个得了脑萎缩的人的大脑。从病理角度来说，通过脑部 CT 可以看出一个得了脑疾的人的严重程度，然而，这不是全部。"他语气慢下来，很沮丧地合上书。

"有一些人，和脑萎缩的症状完全相同。可是，惜阳你知道吗？他们的大脑和正常人是一样的，也就是说，他们其实是正常的，却被一些事情阻隔了神经。现在，医学界还没有人能够给出正确的说法。"

"有什么可以促使他们的变化呢？"惜阳问。

程望想了一下说："往往是很沉痛的事情，战争，大规模的自然灾害，人们有时候甚至集体失忆。"

"这几年我都跟着伯父研究这个课题，我就是想知道，究竟是什么原因让一个正常人，突然间就失去了整个世界，把自己关在一个非正常的监狱里，这太可怕了。太可怕了，不觉得这太可怕了吗？"

程望一字一句地说着，声音都有些颤抖，惜阳有些被他吓住了，但同时又想，继父招他做博士生也是有些原因的，他是多么热爱医学事业。

书里夹着的一张纸应声落地，程望飞快地捡起来。

他用余光看看惜阳，她双手握着杯子若有所思。

然而，她其实还是看清楚了，照片很旧了，上面是一个模样清秀的中年女子，她从未见过的。

这一夜，惜阳睡得极不安稳，很多很多的梦，却又看不清楚梦中人。

第二天睁开眼睛已经八点了，离和团员们约好的集合时间只剩下一个小时，是程望的电话把她吵醒。她从床上跳起来，飞快地换了衣服就跑出去。

尽管一路狂奔，到酒店已经九点过五分了。

她刚从地铁站跑上来，一路狂奔向红色的大巴车，而就在她即将赶上来的时候，那辆车却突然启动，飞快地绝尘而去。惜阳像被人猛地在头上扇了一巴掌，一下子蒙了。

不是因为迟了五分钟，而是因为那辆车和她擦身而过，她能想象路与昂在车窗里看到她，皱着眉头的脸。

他等过她那么久，在最严寒的冬夜里，在最危险的雷雨下，他都站成一棵树，纹丝不动地等着。

如今，却连五分钟都等不了了吗？

惜阳想到这儿越是不服输，她咬牙跳上一辆出租车，在一个红灯处赶上了大巴，她跳下来不管后面的车流喇叭狂响，她追上去使劲敲车门。

就在十分钟前，早晨九点的绿苑酒店门口。路与昂正在清点人数，小周叫他："你看惜阳。"他就看到她了，穿着宝蓝色羊绒大衣，黑色小羊皮靴子。蝴蝶一样向这里跑来，她的长发在风中飞舞。他一时看呆了。

多少个夜晚，他在她身边难以入睡，出神地盯着她美丽的脸，舍不得移开视线。

但这一次他马上转过身来，让所有人上车。强硬地要求小周马上开车，广播报时，九点整。

小周这次不想听他的，打了几次火，车都没有着。看着女孩在后面一边喊一边跑，寒冷的天气里被冷风呛得直咳嗽。

"开车。"路与昂说。

小周看看后面，假装没有听见。

"开车。"路与昂走过来。小周抬起头为难地看着他。

"不会踩油门么？那你走开，我来开。现在就启动，马上走。"路与昂一字一句地说道。小周向来敬畏他，听到这么严肃的语气，犹犹豫豫地启动了大巴。

惜阳终于在红灯处追上了车，小周赶紧打开车门。

惜阳上气不接下气，裹紧大衣跌坐在第一排，咳得说不出话来。恶狠狠地瞪着路与昂。

"今天是我们正式行程第二天，我们既然是一个团队，天南海北走到一起，就要有一个团队精神，首先第一点我要强调的是，绝对不接受迟到，到时到点团队准时出发，集体行动，如有延误绝不等待。"

路与昂话音未落，惜阳刚刚停下咳嗽，就拿起驾驶座旁边的话筒和大家打起了招呼："各位爷爷奶奶叔叔阿姨，昨天晚上还休息得好吗？我来给大家介绍一下今天的行程安排。"尽管气息还没有均匀，她甜蜜的声音很快在车厢里回响，老人们喜欢这个漂亮的女孩子，一边听她讲一边点头说好。

牛望财一行坐在最后，他侄子小牛正从座位上使劲伸出脖子来往前看，前面美貌的女导游每说一句，他就诶诶地答应着。

他的头快要擦上坐在前面的老牛的胳膊了，被他一把拍回来："滚回去，看你那个死样子，口水流到地上都不知道。"小牛悻悻地缩回脖子，他身边坐着毫不相像的母女俩。女儿拿着从酒店餐厅偷偷带出来的鸡蛋，正掰成一小块一小块的放在手心里给母亲吃。

老太太顺从地张嘴，每吃一口就用手绢蘸蘸嘴角。

他们身后是面无表情的老黄和李生。

汽车发动了，路与昂一路不再说话，只是在惜阳不注意的时候偷偷吞了一把药。

今天的气温是零下五度，巴黎少有的寒冷。租来的大巴车关不严，冷风吹打着车窗呜呜地响。惜阳却觉得没有昨天冷了，她扭头看到车窗的缝隙被一些灰白相间的格子布堵着，冷风一丝一毫都钻不进来。这布条有点儿眼熟，她后来想起来，这是路与昂昨天脖子上的名牌围巾。

心里猛地一动。从后视镜看他，他正看着窗外毫无表情。

莫惜阳做导游和其他人不一样，别人都爱带豪华团，集团公司的大老板，供货商邀请的大客户。

运气好的时候，赌博一样，十几天能赚别人几年的工资。

而惜阳她却喜欢带那些朴实的人，带老人她记得每个人的年岁，什么不能吃，几点该吃药，几点要准时入睡。带学生她的讲解比历史课还丰富，临走送他们一个小钥匙扣，彼此都能高兴好几天。

她是从心里高兴，这些游客是第一次出国，或许也是他们人生的唯一一次。他们的行程往往不好，八国十天，一大半时间都在大巴上睡觉。他们把钱包缝在内衣里，他们时刻拿着被茶垢熏的乌黑的保温杯，到哪个景点都要先找厕所和热水。他们把欧元一张张放在鼻子下面看清楚，在心里一边换算成人民币一边数好几遍，却要给每个亲戚朋友都带一点儿小礼物，他们不懂什么西方社会个人隐私，把自家的事和你家的事都问个底朝天。他们不认识你的时候怕受了欺负，而一旦认识了，会把自己珍藏的泡面榨菜辣椒酱都塞给你。这些点点滴滴让她想到一个人，因为这深刻的想念，让她时常赚不到什么钱，却觉得特别值得，她能把这一点点温暖藏在心里很久。

这个人，是与她分别了很久的，爸爸。

最后一次做导游，带了老人团她心里是高兴的。注意力完全没有放在一直坐在最后的几个人身上，直到在埃菲尔铁塔下面排队。

战神广场是路与昂最喜欢的地方，他们曾经在广场中间伫立的铁塔顶层吃饭，昂贵的餐厅里穿着体面的服务生无声地穿梭着，透过古老的银制餐具，食物的香气溢满了整个大厅。

那不是他们第一次来这里了，只是新年钟声敲响的时候，铁塔四周绽放出绚烂的烟花，如云霞般升腾，久久不会散开。他们在顶层最靠窗的位置，仿佛世间所有的色彩，所有的喧闹就从他们身边很近的地方飞翔。

惜阳从来没有这么近地看过烟花，她躲在路与昂怀里，小孩一样目不转睛地赞叹。路与昂却只看着她，他把她搂得紧紧的："小惜，我们每一年，都去一个城市的最高处跨年。"

她点点头。

那是他们的第一次跨年，却没有想到也是最后一次。

想到这里，莫惜阳裹紧了羊绒大衣。

虽然太阳已经出来了，但是排了半个小时的队，团里的老人们还是经不住原地踏着碎步取暖。尽管冷，却无法掩饰他们激动的心情。大家轮流站到队伍外面拍照，负责取景的老爷爷几乎要趴倒在地上，别人一个劲儿地叮嘱，一定要拍到塔尖儿啊。

这时候牛望财几个人上完厕所摇摇晃晃地回来了，他们直接挤开后面的人插进队伍里。

后面讲西班牙语满脸胡子的男人，马上跳出来抗议。惜阳用英语和他们解释，说他们是一起的，一个团队，和他们道歉。牛望财几个人像没听见一样，横起脖子紧贴着前面的人往前走。

西班牙人声音越来越大，完全不理会惜阳的话，走过去抓牛望财的肩。牛望财被抓了一下，马上跳起来大叫："他妈的还敢动老子了，你个一脸毛都没退干净的洋鬼子，老子这是不和你一般计较，这要是在平旺镇，你来平旺镇你动老子试试。不用我开口就找人弄死你。"

西班牙人步步紧逼，他却一边叫着一边躲到惜阳身后。"导游，导游，我要投诉，快点保护我，我是客人，快点保护我。"

惜阳夹在两个人中间，心里对这个一脸乌黑的胖子早就唾骂了千百遍，恨不得有人能教训教训他。但又不想团里的客人真的有什么闪失，只好在比她高一个头的男人面前站稳，继续和他道歉。

"您少说两句吧。"惜阳小声对牛望财说，后面有几个人小声议论着，说他躲在一个小女孩身后，说着笑着。牛望财更生气了，从惜阳身后比出中指。"老子为啥要变哑巴，告诉你们，我出了国我就代表人民代表党，欺负我就是欺负全中国人民了，中国人民团结起来弄死他。"

西班牙人看到比中指彻底爆发了，他像抓一只小鸡一样抓起惜阳推到旁边，没想到牛望财紧抓着她的大衣，她重心失衡，脚下一滑，眼看就要头着地狠狠摔下来。

她绝望地闭上眼睛，心里一瞬间闪过一个念头，如果她摔破了头该有多丑，她不能再往前走了，程望和母亲会来接她回家。母亲会看到路与昂，路与昂会看到她的未婚夫。

她心里一片灰暗，就在这灰暗中往下沉，下沉。

突然，她跌入一个怀抱。脸颊的皮肤碰到微凉牛仔布衣料。这并不柔软的衣料擦痛她的皮肤。然而她闻到熟悉的气味，带着青草香味的洗发水混合着柠檬剃须水。他体温偏高，两种气味混合蒸发，只有离得这样近才闻得到。

在他走后很长时间，她走遍他们一起来过的大街小巷，一边走一边使劲呼吸，想找到一点点他这气味留下的痕迹。哪怕一点一点细微的相同，她都会停下来循着走过去。

经常走着走着就迷了路。

有一次实在走不出来，她蹲在一条小巷尽头失声痛哭。

而此刻，气味虽相同，但他已不似从前。

那一秒钟的时间里，惜阳在这气息里，眼泪唰地涌上来。

她马上抬起头，对上路与昂的眼睛，只有一秒钟的对视，她确信自己从对方的眼神里看到了和从前一样的深情。然而也只有一秒钟，路与昂移开眼神，把她推向旁边安全的地方。

此刻，西班牙人已经揪起牛望财的衣领，路与昂跑过去，站到比他还高半头的西班牙人面前。

余光中，他看到几个黑衣人，齐步向这里走来。他们手背在后面，路与昂知道，是拿着防身的武器。这是"四海一家"的安保组，在铁塔前执勤的。

路与昂冲后面举起右手，小周马上上前拦住了黑衣人。

路与昂直视着西班牙人，指指地下又指指牛望财，小声却坚决地说："Discúlpeme"，意思是道歉，但是语气却没有退让。你已经威胁了他，我不计较，我们打平了。你把他放下。

西班牙人恶狠狠地看着眼前突然出现的这毫不畏惧的男人，松开提着牛望财领子的手。但眼神并没有软下来，依旧狠狠地看着他们。

"GLAZIAS."路与昂拍拍男人的肩膀，从口袋里掏出已经买好的登塔票，撕了五张给他。他已经数过这男人一家五口。

西班牙人愣了一下，盯了路与昂又看了看，最后慢慢伸出手，握了握路与昂，却并没有拿他手里的票。

黑衣男人们迅速消失了，像从未出现过一样。

但是路与昂知道，今天的这一幕会一字不落地传到老贾和尚大志耳朵里。

牛望财被放下来以后，迅速躲到路与昂身后，还小声嘀咕着："奶奶的，反了你们这些王八蛋了，老子在平旺镇去哪儿都不排队，都有专用通道。都怪你们让老子排队。"

路与昂听到"平旺镇"这三个字，回头狠狠地盯着牛望财看，好像他的脸上有什么了不起的秘密一样。

直到小周来了，他才收回目光，指指惜阳说："你和她站到最前面去，我在后面。"他表情纹丝不动，甚至不往她站的地方再看一眼。

惜阳不动，小周左右为难地看着他们，她说："我不走，我就站在这儿。"路与昂听到这句话，自己快步往前走去。

牛望财一行中其他人这时候才陆陆续续站出来，小牛牛红山蹭到惜阳旁边："这就铁塔哈，有多高呢？"

"四百多米。"

"嘿，才这点儿，我们镇上的望财大酒店比这高，一眼看不见头。"他手舞足蹈地说，看惜阳不搭话，继续说："看不到头你知道吧，这酒店是咱家的，咱家盖的。"

前面有个老年团的团员听不下去了，问他："那你还来巴黎看什么铁塔啊，你在家看酒店不就行了吗？"大家哄笑起来，牛红山满脸通红，梗着脖子说："谁想来，谁稀罕来？还不是我叔说有重要事儿非要我来。我叔说了，这趟的事情如果我不来就不行。万一他回不去了，还能带着我给他要一口饭，唔唔……"他话没说完，就被老黄塞了一嘴面包，噎得直翻白眼。

大家继续笑着，笑他说话颠三倒四。只有两个人听到耳朵里有些不祥地预感。

一个是导游莫惜阳，还有一个是老牛的秘书李生。

李生是在今天一大早接到他老婆小娟儿电话的，他当时正在餐厅里吃早饭。老婆打过来电话直接问："老牛呢？"

李生看看在旁边摆了一桌子食物正大口嚼着火腿的老牛，有点儿不高兴地说："在旁边呢？你找他？"

小娟儿不等他话说完就回答："那我挂了，等你一个人了打给我。"

李生觉得太古怪了，她甚至都没有问让他带的化妆品和 LV 买好没有。他马上借口上厕所先回了房间。

拨过去只响了半声就被接起来，小娟儿在那边急着说："老李，我这几天老做噩梦，心慌得不行。"

李生觉得她妇人之见，安慰说："嘿，我还以为有啥大不了的，做梦挺正常，你乖哈，我过几天就回去了。"

小娟儿打断他："呸，你以为我是想你了。告诉你，矿上这几天出了些怪事。"

"啥怪事？"

小娟儿的话让李生心里猛地一惊，她说，王寻烈失踪了。

王寻烈是年前毛遂自荐来到矿上的一个中年人，别人注意到他一是因为他在矿工队里最白，别人下了十年井脸上的灰就再也洗不起来，他据说也是下了十年井，却白白胖胖像个米店老板。二是他干活真拼命，快五十的人了，下井绝不和大家聊天偷懒，一头钻进去就是使劲挖，挖得人都累倒瘫下才出来。刚来几个月每次出井后，两只手都鲜血淋漓，粘在铁锹上拉不下来。

他话不多也不多事，矿上几次罢工他都坐在办公室门口劝人家别进去。

老牛喜欢能给他卖命的人，就在有一次工人家属闹事，王寻烈挡在老牛前面被打破了头，从此他就成了老牛的亲信。他不再下井了，在办公室里帮矿上招人，座位就在李生对面。几个月前矿上正好缺人，他一下子招了二十几个人来。都是说自己下了十年井，都是白白的、话也不多。

小娟儿说，王寻烈失踪了，和他一起失踪的还有矿上的二十几个人。下矿的互相不知道名字，只知道长得白的几个，一夜之间都不见踪影了。

小娟儿说："你不记得有一次，八月十五那次，你们一起喝多了，他和你说的话了吗？"

李生记得很清楚，那是今年的中秋节。那之前有些工人吵着回家，就让他们加班加点地干，后来其中有一个人在井里晕倒被送到医院。

王寻烈和李生一起去处理了这件事儿，那天是小娟儿妈妈的生日，因为李生回家晚被老婆和丈母娘一顿埋怨。最后老婆说："既然七点之前回不来，那你今天就别回来了，酒和菜都没有你的份了。"就气呼呼一个人回了县城的哥哥家。

李生知道赶不及，干脆不走了，留在办公室和也是一个人过中秋节的王寻烈一起喝酒。几口上头之后，他埋怨起来："也就是这几年，上面管得严了，说是检查团就要来了，才破事情一大堆。"

王寻烈和他碰碰杯子，又斟上一杯。

"今天这人，直接给他灌一顿糖水保管醒了。还折腾到送医院。这要放到以前，就是死在矿里面，也就地埋了。"

王寻烈说："啥地方都是个这，以前我在的那几个矿还要次。就怕被人举报。"

"谁举报？那些家属一辈子没有看见过那么多钱，抚恤金扔到他眼前都乖乖拿走签字。从此像家里从来没有出过这个儿子一样。"李生声音越来越高。

"那没爹没娘的和谁说呢？"

后面的话，李生之前并不记得自己说过了，直到这一刻，他和老婆相隔着千万里打电话，在酒店的房间里，他才想起来，那天喝到睡倒之前，他好像和王寻烈说："告诉你老哥，牛总为啥能发那么大的财？就是因为……就是因为几十年前，矿上多是这没爹没娘的小孩。"

"那咋能那么巧，我不信。"王寻烈似笑非笑地说。

李生急了，他一边说一边摇摇晃晃地站起来，从上了锁的柜子里拿出来一个本子，他甩着这个本子说。

"你看看，你看看，这上面密密麻麻写的名字，都是签下的生死书。有爹娘的不给签，不签了这个工资就少一半。自从走了要下井这条路，还是没爹没娘没老婆的好。"这是他记忆中的最后一句话，第二天早晨醒来，他躺在办公室的沙发上，王寻烈趴在办公桌上鼾声震天，文件柜的锁好好地挂在上面。

李生现在早已是一身冷汗，拿着电话的手不住地颤抖。

小娟儿问他："王寻烈和二十几个人失踪，我妈天天买菜路过牛嫂家，说是大门紧闭几天都没有人影了。可是老牛自己却带着你们这几个出国潇洒了。你觉得这事不蹊跷吗？"

何止蹊跷，李生已经在脑子里闪电般地想到一个人，去年老牛招了个年轻人，说这人白净带出去也好看些。听说还是个大学生。后来，他再也没有见过这个大学生。他记得这个大学生叫"王烈"。

王寻烈——寻找王烈。

程　望

　　一出电梯，人们置身于巴黎的顶端。

　　游客们都拿出相机四处拍照，老人们最爱看景点，他们仔细俯瞰城市美景，抚摸每一根栏杆，小心翼翼地绕着走一圈。

　　只有几个人没有动，穿灰色呢大衣的老人已经被大家任命为团长。他在眺望台正前方，紧紧抓着铁栏杆，目光延伸到深不见底的远方。

　　天气晴好，他却和老式的灰色呢大衣一样，充满了黄昏的气息。

　　莫惜阳看到了，走过去轻轻问："您还好吗？"

　　老人听到声音像从大梦中惊醒，转过头看了惜阳一眼，是自言自语地说："原来就是这里，姑娘，觉得铁塔美么？"

　　惜阳笑着说："爷爷，美与不美都在人心。"

　　老人叹了一口气，用苍老的手摩挲着冰冷的铁架，上面的纹路经历了一百年的风霜雨雪，莫惜阳来过这里许多次，只有第一次才仔细看过这座钢铁巨人。但即使是那一次也没有这老人目光的深与沉。她听到老人喃喃自语道："机枪就架在这里么？"

　　惜阳是知道的，铁塔初建是为了世界博览会。

　　1900 年世界还是一片祥和。

　　那年春天，法国报纸上最大的事情应该就是这城市最高建筑的诞生，某月某日，居斯塔夫埃菲尔从几百方案中脱颖而出，成为唯一设计师人选。

　　某月某日，铁塔开工，而这座和巴黎奥斯曼建筑完全不同的怪物吓坏了当时的名流。莫泊桑上街发反对传单，小仲马整日在顶楼餐厅吃饭，只为了不从其他窗口里看到它。

它被人羞辱，谩骂。

然而巴黎人只不过是在被文艺宠坏的情绪下无病呻吟。

真正的灾难从铁塔异议声渐淡而起，一次世界大战的战火，在那年春天响雷一般炸起，巴黎人的铁塔，因为在城市正中的至高点，变成了发射塔，在1914—1918年之前，巴黎没有游客，也没有等待登塔的这些人群。

这段历史过去了很久，因为久远与沉痛，许多本国人都已经忘却，更不要说来走马观花的游客了。

然而，这位老人清晰地自言自语道："是这里吗？机枪就架在这里吗？"莫惜阳觉得他不像是旅游团里平凡的游客，应该是一个有故事的人。

她正想多问一些，隐约听到身后一个熟悉的手机铃声，一首百转千回的《船歌》。

路与昂在身后接起来，这么多年，手机换了，号码换了，难道手机铃声还是多年前的那一个吗？

她本不想听，然而他的声音还是随着风传入耳中。

"是我，没有关机，还有什么事吗？"那边该是个女人。

"我不回去了，你不要再问。我不会再回去了，房子和其他东西你都卖了吧。不用经过我同意。"他语气冷得像冰。

"好，你就当我已经死了。"他挂断电话，大声招呼人们集合。他往惜阳站的方向看了一眼，她用余光看到了，却假装没有。

那个人是谁？他的女朋友还是妻子？是离开她以后才认识的人，还是先迷恋了她才从红房子不告而别？

她心里的问题搅在一起变成一团理不清的雾气，她想穿过这雾气仔细看看他，又觉得挣不开。她想抓住他问个究竟，又一想到问题的开端就撕裂般地疼痛。

刚走下楼梯，惜阳就收到短信："我在埃菲尔像后面。"

是程望来了。

程望穿着一身深灰色西装大衣，不是他平时的装扮。虽然熬了一夜眼睛血红，但他看到惜阳还是很开心。

"你怎么来了？"她问。

"下午你要出巴黎了，我来给你送点儿东西。"他拿出手里拎的一个大袋子，有洗好的水果，零食还有一整套新的，她平时用惯牌子的护肤品。

惜阳摇摇头，心里有轻微地不舒服："这些我都带齐了，就要出发了，你快走吧。让客人们看见又要问长问短了。"程望想拉她的手，被她一把甩开。

又马上觉得不合适，毕竟已经和这个人订了婚。

两个人的手僵在半空中。

最后还是程望先拍拍她说："惜阳，你要小心。"

"好了，回去吧。"惜阳笑着冲他挥挥手："惜阳。"程望又叫住她。

"怎么了？"今天他怎么那么唠叨？

程望几步上前，一把抱住惜阳，她没有动，是他自己整个人扑上去紧紧抱住。"咱们回家吧，你别带团了，咱们回去结婚。"

惜阳推开他："我过几天就回来了，时间很短。"

他看着她，欲言又止。

"快走吧。"他才依依不舍地走了。

可是，程望其实并没有走远，走了几步以后，躲在茂密的树丛后面，远远地看着。

登塔的电梯有多大他不知道，只觉得从里面"轰"一下走出几十人来。

昨天晚上，他一夜未眠。口袋里揣着的钱，他数了不知道多少遍。最后他把钱放在桌子上，一动不动地盯着看了半宿。

他从来没有过那么多钱，本应该睡得踏实，却看着那些紫色的 500 欧面值的欧元，心里越来越没底。他突然在实验室里再也坐不住了，抓起外套就跑出来。

这时候，他却看到一个人。

那人手指前方，领着大家从电梯里走出来。那是一个和他年纪差不多的男人，他看不清楚那个人的脸，但是却有刀光一样的眼神从他面孔上射出来。

这眼神，他在什么人身上看见过的。

是谁呢？

回忆瞬间翻滚到小时候。

那时候有个人十岁不到。他在矿前的土堆上站得笔直，指挥着在下面打成一团的小伙伴们，几个人站左边，几个人站右边。

程望从小就戴眼镜，打架跑步都落在后面。还记得他被分到右边的第二组，而土堆上的人带领第一组。

小朋友里叫"倔头"的一个打着滚跑到前面说："昂子，昂子，凭什么让我带第二组啊，眼镜分到我们队，我肯定输啊。不干不干。"他领的那组人回头看看排在最后面的程望附和着说："不干不干。"

那人一点儿都没有犹豫的，从一米多的土堆上跳下来，拍拍手说："倔头咱俩换，我带第二组。"一边说一边往右边有程望的队伍走过去："眼镜主意多，能给咱出主意，咱准赢。"

小伙伴们半信半疑，打仗游戏中一组进攻二组伏击，武器就是煤核。谁被打到了身上一个黑印子就算牺牲了。二组打一会儿换一个地方，把一组的人打得够呛。大半个上午过去了，眼看一组还剩下三个人，二组还有八九个人的时候，组长领着大家悄悄躲进一个鸡窝里。大家高兴地小声说："倔头那组完了，咱们一等他们靠近就使劲打。"

这时候，倔头领着还剩下的两个人走过来。二十米，十米，五米，组长就要下命令猛攻了。程望在这时候突然跳出鸡窝，捂着胸口呆呆地望着三百米远的地方。

倔头和他的人都被吓了一跳，反应过来之后就是拿着煤核往鸡窝里冰雹一样地扔过去。二组无法探出头回击，都灰头土脸地走出来。他们只有认输。

倔头那些人放声大笑，笑得躺在地下打滚。

二组一个性子刚烈的孩子跳出来揪着程望打："眼镜你这个叛徒，眼镜你这个傻蛋，谁和你一组谁倒霉。都是因为你老子才牺牲了。"程望被打得站立不稳，摔倒了。可尽管躺在地上了，他还是捂着胸口看西南方。

孩子们越打越气。越气打得越凶，组长掸掉身上的煤灰，从鸡窝里爬出来跑过来拦着别人说："打啥打，本就输了，自己人还打自己人。"

煤厂上闹成一团，童年的下午总是过得很慢。

然而却没有人知道彼时的程望感觉到一种从未有过的，巨大的疼痛。这疼痛并不尖刻，但是却蔓延致全身，紧紧扭住心脏，使他不知所措，使他无法呼吸，使他不能言语和分辨。

这时候，就在他全神贯注看着的西南边炸起一声巨响。漫天遍野的煤灰被抛向空中，形成一团黑雾。孩子们惊呆了，他们还没有反应过来。倔头和几个孩子就疯了一样往爆炸的方向跑："俺爹在里面。"孩子们哭喊着拼命跑。矿上的大人们也赶到了，他们一边冲下去救人，一边拦起一座人墙阻止孩子们靠近。

程望仍然呆呆地站着，他被那股疼痛钉在原地了。他爸爸是出货工，也正在井下最危险的地方。

孩子中有个叫小牛的，都传说他脑子不太清楚，他跑过程望的时候狠狠地推了他一把，说："你爹死了，俺爹也死了。"

想到这里，程望渐渐握紧了拳头，眼眶干涩地要滴出血来。他站在蓝天白云都格外清晰的巴黎铁塔下面，想起那年漫天烟尘的他在平旺镇灰色的少年时光。

现在一切都好了，他安慰自己，他不再是被人推来推去的小眼镜了，他是名牌大学临床专业的程望博士，他是即将要娶莫惜阳的幸运男人，他是名师季鸿离的上门女婿，他是未来的蒙特利尔大学教授。

想到这里，他已经是满脸泪水。他不想承认自己哭了，狠狠擦了一把脸。

人群朝这边走过来了，三十米，二十米。人们越来越近，他在树丛中，离他们只有十米的距离了。突然间，年少时候那种让人窒息的疼痛，又毫无征兆地袭击了他的胸口。

他听到咚的一声，耳膜震裂，胸口像开了一个大洞。

他看到了一群人走出来，身高近两米的黄叔戴着墨镜，他身后有一个胖子，那应该就是牛叔了。胖子不时回头说几句话，他看着的，是一个瘦小的老年女人。年纪和苦难使她早早驼了背。

程望不得不承认，如果女人没有和黄叔一行人走在一起，如果他不是这么近距离地等着。他在人群中，已经认不出她了。这个想法让他羞愧，甚至从羞愧中生出恨意来。

他居然不再认得出，自己的母亲。

他们把她带来了，把从没有出过村的母亲带到了巴黎。他浑身冰冷，大脑和血液一起凝固。

母亲当年多美，婶婶是村里的裁缝，给人裁好了衣服都先拿给母亲试。母亲总是扭着腰身从屋里走出来："腰围这里还是大一圈。"母亲一边比划一边和婶婶说。

婶婶笑着在她身上量："按你这小身材量，村里没有第二个人能穿得下了。"

母亲总是咯咯笑着。

二十年，风霜是一刀刀割在母亲脸上，身上，心里了。

眼前的老妇人满头蓬乱的白发，佝偻着背。一个年轻女孩搀着她小声说些什么，离得很近的时候，女孩突然一回头。他又看到一张熟悉又陌生的脸。

叔叔的最后一封信里说："你妈很好，不用惦记了。小艾这孩子真正难得，毕竟是咱们老家的女子，即使还没有过门，也尽了做儿媳妇的孝心。"又说："我和你婶婶年纪大了又不会写字，以后给你写信会少了。"后来，就再也没有来过信，那是四年前。

这四年，再加之前的六年，小艾这个人在他心里像一颗干枯的种子，早就想不起来。只有她的十八岁生日上，母亲拿出20块钱让她去镇上照相馆拍了一张半身像。就是那种脸上涂得又红又白，然后扶着一张椅子的所谓艺术照。

照片后面用很小的字写着："送程望哥"，她叫他哥，像小时候一样没有什么像样的称谓。而他也像小时候一样并不理睬她，把相片夹进信封赶快扔掉了。

他从未想起过她，但此刻他确信自己的判断，和母亲走在一起的女孩就是小艾，他还未出生就定了要娶的人。

平旺镇一年四季都刮风，风里掺着煤渣，镇口上种着柳树、杨树。叶子也都染了煤灰。

自那年爆炸之后，从此每个春天来临，母亲就站在杨柳树中间，疯狂地挥舞着树枝嘴里还不停地喊着："杀，杀，杀死他。"柳絮漫天飞扬，春日的太阳特别长，日光从树叶的间隙透进来，母亲从前的风姿早就不在了，她仿佛一夜之间老去。十岁的程望无法把她关在家里，只有每天黄昏以后来接她回家。他躲着村里人斜视的目光，有一天他站在离柳树丛几里外的地方，居然发现挥舞着树枝的她脸上出现了一种光芒。她大喊着："杀，杀，杀死他。"这光芒是他长久未曾见到，已经随着父亲死去的母亲。他出神地看了一会儿，才匆忙去拉她："妈，回家吧。"

他从未问过母亲在怨恨谁，然而他从那时就知道，母亲的余生是要靠仇恨才能发光了。

树枝在母亲黑色的衣服上留下斑驳的影。

在失去父亲的那一年，程望的母亲再也不穿彩色衣服了。

在心里，他知道自己已经成了孤儿。

村里几个孩子都被这场灾难改变了人生。小牛的爸妈都死了，他过继给了叔叔。倔头的舅舅瞎了一只眼睛，他家花了所有积蓄才保住另外一只眼睛。倔头就没有再上学，初中毕业就去了外地打工。

喧闹的煤厂院里安静下来，孩子们胳膊上别着白布。在七天以后的一个夜晚，一起跪在平时打闹玩乐的大院里。那个目光如箭的孩子点燃火把，火点燃在西面，孩子们扔进自己叠的纸钱跪在地上放声大哭。披挂着白衣的大人们也哭晕在旁边。

只有那点火的孩子站着，程望那时候已经知道这个小名叫昂子的男孩是组长路大庆的儿子，比他小一岁，他叫路与昂。

他的父亲并没有在这场灾难中丧生，他只是被炸断了浑身的骨头，缠满绷带躺在家里。孩子们越哭越痛，喊着失去的亲人扑在地上。天空乌云密布，狂风吹乱了火苗，又借着风力燃烧的更旺，呜咽的风声遮盖了哭声，又把这哭声传的更远。

路与昂紧紧抿着嘴，看着很远很远的地方。

仇恨就是从那一刻开始的，他说不上来是因为什么。也许因为他还有个完整的家，也许因为此刻他卑微地跪着，而他却站得笔直像一杆铁锹。也许因为再以前他因为打仗的游戏挨了打，而他是孩子们眼中的战斗英雄。

也许都不是，他只是恨，在那一刻，仇恨瞬间毫无预兆地在少年心中如泼天洪水一样涌过来，像千古盘桓的恶只有一个树洞的出口，最终却把参天大树连根拔起，他无力控制或者找出原因，这感觉像面前越烧越旺的火堆炙烤着他的心。

他恨他有一双这样的眼睛。

二十八岁的程望博士，偶尔在巴黎八区舒适的公寓里想起十岁时的那个拜头七的晚上，心里还是空得没有找落。

那天是小艾来找他，她也不敢走近。远远地不知道看了多久，直到人群都走散了。她才怯生生地过来叫他："哥。"她叫他哥："我姊早睡下了，回家吧。"

程望从未认真看过这个瘦瘦黄黄的女孩，但那天心里有一个大洞，想把好多东西都装进去。他看到小艾满脸泪痕，眼睛红肿，知道她也在后面陪着哭了很久。他跟着她回家了，路上天黑，风声鬼一样吼叫。

他就拉着她的手走。

此时此刻，程望觉得浑身发冷，衣服却全都湿透了。他也曾经怀疑过，可是当一大笔钱沉甸甸地拿在手上，那些怀疑都被生生压了下去。他感觉自己正在陷入一个很大的圈套里，这里面的人想要抓住他，他都干了什么？他因为侥幸把惜阳也带进了这个圈套里。

现在眼前的老妇人和女孩不是别人，正是他的母亲和老家的未婚妻小艾。他们被老牛一行带来了欧洲。

人群已经走远了，他听到咔咔咔的声音，才发现是自己的牙齿在互相碰撞。

他想扑上去，把母亲和小艾从人群的视线中拉走，让她们消失。

又想抓住惜阳，让她不要再当什么导游了。

和她回家去，去海边度假，然后再去加拿大。去一个没有人找得到他们的地方。

可是，他徒劳地知道，这行不通，现在他已经无法脱身了。

他努力地把自己拉回到现实中来，一切都开始于两个月前的凌晨。

他接到一个陌生的电话。那边说自己是老黄叔叔，和他爸爸是旧相识。

他奇怪这个人怎么得到他的电话号码，他和家乡早就没有联系了，更是不认识什么老黄叔叔。

但是那边说，眼镜你这孩子从小就聪明，早就看着有出息，只可惜了，你爸走得早。要不是路大庆那个混蛋，老程看到他儿子的今天该多高兴。

程望听到父亲的名字，又听出来是当年的知情人。心一下子就软了，想挂电话的手缩回来。

那边又说："老黄叔叔和你老牛叔叔就要去巴黎了，去玩一趟，你有没有啥要带的？"

他没啥要带的。

"咳，孩子你客气啥。叔和你爸当年可以说是砍头的交情。叔啥也不给你带了，但是要给你带笔钱过去。这几年矿上发展地不错，叔手头挺宽裕了。要不是，算了，不说了。你爸当年比我们都能干，孩子你这几年过得不容易，要是你爸在，哪儿能让你吃这些苦呢？"他熟悉的乡音把程望带回到千万里外的平旺镇。

他在电话里态度和善，他说："孩子，黄叔和你牛叔这次去巴黎，是有重要的事情办。第一次出国，人生地不熟，你一个人在那里应该也难，可是除了你这个亲侄子，叔又能求谁呢？"

其实也是好差事，黄叔请他给找个办事利落、口风紧的导游。

程望虽然没有明白过来这两个条件有什么必要关联。但一说到导游，他马上想到惜阳，她漂亮又热情。

但是关系到惜阳，他还是打算想想再回答。

但是，黄叔马上接着说。

"钱你别担心，只要这人口风紧，人机灵些。钱咱有的是，一半给导游，一半给你。"程望没有回答，那边的人，就把钱的数目说了一下。

"叔，别提钱的事了，我女朋友是导游，她带你们玩一趟吧。"程望回答。

老黄显然没有想到有这么合适的人选，马上一迭声地说："太好了太好了。"

"不过，"程望突然觉得自己答应得太急，紧张起来："惜阳她，她不知道我妈的事，她，她以为我父母都还在。"

那边好像猜透了程望的疑虑，痛快地答应了："明白，孩子这几年在国外不容易，叔啥也不说，都不说认识你。"

老黄赶快答应："那当然那当然，还不止这，这件事办成之后，等我们从巴黎回来给你妈治病。把她的疯病治好，还是咱村当年的一枝花呢。"程望是因为最后这句话，才下定了决心。

这个电话，从漆黑的夜晚打到天色发白。

这一年，程望就要从医学院毕业了。他这些年来咬碎了牙努力，在餐馆洗盘子到手指甲都脱落，第二天缠着绷带还要泡进热肥皂水里。钻心刺骨地疼，他一个大男人，一边洗着碗一边咬着嘴唇不哭出来，眼泪不停滴进水池里。

周末还要再打一份工，帮人搬家。回家以后胳膊酸得抬不起来，还得用枕头架在课桌上，把作业连夜写完。

他刻苦，知道这是人生的最后一条路，只能蒙头走到黑。在考上博士之前的那半年，他几乎没有在床上睡过觉，都是趴在桌子上睡一会儿，醒来再接着看书。

谁能想到，有一天他就这样突然转了运。

季鸿离是系里的名人，先不说他是唯一一个华人博士生导师，就只听说他每年拿的课题都是高难度，新科技，挑战极限。

能够做他的博士生，等于就往国际医学领域迈了一大步。

有一次季老师带硕士的课程，临时忘了带批改的作业。程望坚持在酷暑中往返一个小时，去了老师在郊区的家取作业。

就是那一天，他的命运发生了翻天覆地的改变。

季老师家的门没有关，他敲了几下听到里面有人说，进来。

那时天已经暗了，只有一个女人坐在客厅里，双腿交叠坐得脊背挺得很直。逆光，他看不清楚女人的样貌，但看年纪气质知道是师母，他说了来意，女人用下巴指指北面一间："喏，就在他书房桌子上，你自己去拿吧。"

这是一栋古朴的奥斯曼建筑，天花板很高，房间绕着天井，夕阳从几间屋子的中间铺上来。

他路过一间半掩着门的房间，不由自主地往里看了一眼，一个很瘦弱的背影披着长发坐在床上，看着窗外。

程望曾经听别人说过，季老师有一个很美的女儿，他想多停留几秒看个究竟。又觉得不妥，他知道客厅里妇人的目光没有一秒钟离开过他。

他匆匆拿了作业，和师母告辞。

妇人点点头，按着额角就算是答应了。但是，当他就要走到大门口的时候，突然听到屋里的人说："小伙子，你叫什么名字？"

"程……程望。"

"哦，真是好名字。家里人对你有很多期望，父母一定都是知识分子吧。"里面的声音幽幽传来。

"我……是的。父母都是当地最大医院的主治医生，父亲马上要做院长了。"程望不知道怎么回事，脱口而出，连犹豫都没有。

"好，好。真是好孩子。下次再来老师家玩吧。"师母还是没有走动，只是声音略欢快了一些。

这是五年前。他从那时候撒了这个谎，一直到现在。他以为这个谎言会像落叶一样被风吹走，没有想到，师母对他上了心。把其他博士候选人名字从老师的名单里划掉，他不止做了老师的门生，更成了他未来的女婿。

在卢浮宫门口，他拿了黄叔他们的钱。那真是一大捆欧元，都是500块的面值。程望一边数一边发晕，他一年的工资也没有这么多。

更没有料到的是，老黄自从见了惜阳，脾气大变，脸上的墨镜也没有摘下来过。他隔着墨镜实在看不清楚是否是少年时的旧相识。

程望正想着，口袋里的手机响了。

"喂。"黄叔沙哑的声音传出来。程望看惜阳早就走远了，小心地挥挥手。那个将近两米的高大身影逼近了。

老黄还是戴着墨镜，被遮住的脸没有一点儿表情。

"钱数过了？"他问。

"嗯，十分之一就这么多。替我谢谢牛叔。"程望头上渗出汗水。

老黄用力拍了拍程望的肩膀，从口袋里掏出一个信封。打开来，在程望眼前晃了一下。

信封里面是两张国际支票。他以博士的智商，只扫了一眼就算出，比当时牛叔在电话里随口说的那个数，要多一倍还多。

这是一笔多大的数目呢？程望眼前的天空，尽管还被老黄挡着阳光，但也比刚才晴朗的多了。

他心里时常没有底，在人生的很多个时刻，在需要思前想后的时候。他都没有办法往后想，他是一个失去了家乡的人，自此以后他就活在沉默和谎言中。

这种虚幻的感觉，一直强压着他。

每当这个时候，他就强迫自己往天上看，往远处看。

他需要这笔钱，他可以用这笔钱还给老师借他的助学金，在加拿大买一栋房子，给惜阳一个体面的婚礼。

甚至，他可以用这钱买两个人，让他们假扮成自己的父母。他要把他们从头到脚打扮成自己和惜阳家人说过的样子，大城市里专业人士，中心医院的主任医师，受人敬仰的伉俪。

程望伸手，想要拿那张支票。黄叔突然一闪，他的手尴尬地停在半空中。

"多少年没见，先和叔聊聊天吧。"老黄靠着一棵树，在一块石头上坐下。

程望也只好陪着蹲下来。

"你从小学习就好，镇子里的人都知道。现在是读了啥书？"老黄问，程望奇怪，这些话他在电话里是已经问过一次了。

"学了医，读到博士了。"

"学医好，能治病，能把你妈的疯病也治好不？"老黄问。

程望往后靠了一下，叹了口气："叔，我还没学到那么深。"

"是吗？我咋听说，你得了国际上的大奖，能把人从精变傻，也能把人从傻变精？"程望心里一惊，这是他最近参与的课题，还没有公布，难道是那天晚上电话里的畅谈，他自己说出来的？

自从平旺镇那场事故以后，有几个孩子都从学校里消失了。家里的顶梁柱死的死，伤的伤。半大男孩们都顶替父辈下了矿。

程望却不肯，咬着牙读完高中，考上了大学。又一路拿着奖学金，争取到了公派出国的机会。

他自离家那年，再也没有回过镇上。算算，也有十年了。

这十年里，他一心要学医，研究记忆力，研究脑损伤。家里亲戚都说他没情没意，他心里却想着，再坚持一下，等学到硕士，学到博士。就回去，把妈接出来，到研究所里治好她。

多少个打着手电筒看书的夜晚，多少个寒暑假空无一人的日子，多少个同时打几份工艰难的时光。就想起妈从前系着围裙，在炉灶边飘来飞去，轻轻巧巧几个菜就上了桌。中间还顾得上夹一片肉，放进他和爸的嘴里。爸哼着小曲，在妈手上轻轻拍一把，就拉着不愿意放开了。

又想到母亲拿着树枝，在狂风中抽打，嘴里恨恨地骂着："杀，杀，杀"的样子。

他在心里说，妈，你再等等。

可是等到他出国，在世界最好的研究所里博士毕业。也没再能有勇气回到家乡，见一下母亲。因为他找不到答案，所有的老师和研究报告都告诉他。创伤后应激障碍，已造成完全生活无法自理，六个月以上就几乎不能治愈了。

"可她的脑回路是正常的，没有器质性损伤啊！"他有一次实在被逼急了，一反平时的温文尔雅，冲着导师叫。

导师和同学，都用奇怪的眼神看着他。

"程望，我可以说这一座楼里，没有人比你更懂非外力影响颅脑损伤了。你知道这个问题没有意义。我看你是因为写论文太紧张了，要不然你到旁边的实验室玩一会儿轻松轻松吧。"

他还没有出门，旁边实验室人就欢呼着冲进来。他们是一群热情的法国青年，先拥抱了他，又冲过去拥抱了导师。

"我们找到了！"他们欢呼着。

导师也高兴起来，听他们七嘴八舌地说着实验结果。

程望知道，他们持续一年研究的课题，是一种消除短期记忆的针剂。他们用小白鼠做实验，笼子的两端有两个按钮。踩在左边的按钮上，会有电击。踩在右边的按钮上，会有谷粒掉下来。

小白鼠们走来走去，马上都知道要踩在右边，左边的一半笼子都是空的。

今天，他们的实验终于成功了，小白鼠被打了针剂以后，忘记几秒钟之前才受的电击和吃的谷粒。继续满笼子乱转，再被电击，再被喂一点儿药，再次忘记。

这些实验员都是程望的学弟学妹，他抱着双臂站在门口，看他们激动地互相拥抱，心里冷笑一声。

"程望，你是学长，学问好，又扎实。最近有空帮学弟妹们看看，计量方面有什么能改善的。保证只忘记特定时间段的事件，其他记忆不受影响。"导师叮嘱程望。

学弟妹们激动地又跑过来拥抱他："学长谢谢你，你能帮我们，真是太棒了。"

程望躲过这些拥抱，但是一转身看到季鸿离，只好说"老师，好的。"

那个时候，他没有想到这学问能做什么用。

老黄面朝着程望，离他很近。

"治人的学问没学好，那让人变傻的学问总学会了吧？"老黄本来嘴就有点儿歪，这时候似笑非笑，更是歪向一边。"要不可白上了那么多年学，难怪镇子上的人都说，眼镜这孩子读书估计是读傻了。"

程望一股热血冲上头顶，犹豫地说："让人失忆，我倒还是学成世界上的顶级专家了。"他拧着头。

"好。"老黄大喊一声，把程望吓了一跳。他拍着程望的肩膀："到底是程有强的儿，虎父无犬子。你快给叔说说，你做得这个学问。"

程望的衬衣粘在后背上，被风一吹冷得发抖。"叔，你们队的其他人都走了，我以后再和你说吧。"他一边说着，一边伸手想从老黄手里抽出装着支票的信封。老黄猛地闪开，逼近程望的脸说："和叔说说。"

程望听见自己上下牙碰在一起，颤抖的声音："就是，就是我研究出一种药。只要勾起一个人的回忆，在他想着这件事情的时候，对他做强电击，同时把这种药静脉注射。他就能彻底，忘记这件事情。"

老黄仰起头，笑了两声。食指和中指夹着支票，递到程望面前。

"侄子，你这药卖多少钱？叔和你买十管。"他一边说着，一边从口袋里又掏出一张支票。

程望看到，上面是一个很长的数字。这支票是早就准备好的，他甚至觉得，老黄根本不需要问他，他根本就知道程望的女朋友是导游，也知道他学校的实验室，拿下来短期记忆消除的配方。

想到这些，他脑子里一团混乱。闭着眼使劲摇头："叔，这个药不卖，不卖啊。"

老黄收起了支票，塞到程望手里。

他看着渐渐走远的一行人。恶狠狠地说："好，小子你再想想，有你求着叔买的时候。"

"叔，我妈，你们为啥把我妈也带来了？"程望低吼着这句话扑上去，前面的人没有停顿，他已经大踏步走远了。

路与昂

路与昂把团队交给了小周。

虽然嘴上是这么说，但这几天他早看出来了，有惜阳带着，一切都会被妥善安排。

他离开了众人，走向战神广场西南角，他伸手拦了一辆出租车。

他有一上午的时间，本来可以坐着公交车慢慢走向那个地方。

可是，他知道身后惜阳注视的目光，他不能让她知道自己要去哪里。

出租车飞速行驶着，他盯着窗外看了一会儿，就闭上眼睛靠在车窗上。

巴黎北郊，跨过荒凉的工业区，渐渐看到一片洁白的别墅。

五年前，他第一次来到这里的时候，就是先被这片洁白所吸引。在乱糟糟的巴黎郊区，怎么会有这样一片仙境般的地方呢？

他走近去看，才发现那片白色中居然有一栋不一样的砖房，墙壁虽然也是白色，但门窗用了红砖，房顶是半圆形，花边一样的瓦片在阳光下仿佛镶了金边。

那时候，他还和几个兄弟一起租住在一间50平的公寓里。里面像个男生宿舍，两个房间扔了几个床垫，客厅里有一圈破沙发，中间摆了张大长桌。厨房里的三个冰箱都是速冻食品、啤酒和可乐。

这里常年不锁门，也没有什么可偷的东西。

房租是路与昂在交，常住的几个都干导游这一行，每天屋里睡的人都不一样。

谁半夜下团回来没有地方去，谁被女朋友赶出来要露宿街头了，哪个其他国家的导游在巴黎没有酒店，都可以到他们这儿来混吃混住。电话都不用打一个。

有睡不着的时候，从房间里拉起一个人就能喝着啤酒聊一整夜。谁打一个电话要车，无论几点都有人马上出动。

他们管这里叫"大导之家"，是新人们对导游的恭维。

路与昂总笑着说，不是"大导"，大概要叫："大倒之家"，一人一车开上千公里，一进门就直接捡一张床倒下去，睡个昏天黑地。

他们也算不清楚这里住过多少人，不知道从哪天起，有人在门口放了个烟盒，来的人都会往烟盒里塞点儿钱。一到月底数数总能多出来。

这样的日子，他以为他能一直过下去。

直到那一天，他在路边"捡到"了惜阳。

他还记得那是十月，把一团的客人从德国送上飞机，再赶回来已是深夜。

巴黎的秋天一下子就来了，下着大雨，路上的车都开得挺小心。

他在雨刷器摆动的间隙里看到一个白色的影子缩成一小团隐在路边，但凌晨三点谁会在意呢？

车开过去，他感觉到轮胎下面轻微硌了一下，非常小的震动，就像是一颗石子。

然而，他却莫名其妙地想探个究竟。

他停好车，打开伞走下来。

那团影子就在不远处。

他才惊讶地看清，是一个穿着白色衣服的姑娘。

她低着头，在地下寻找着什么。她没有打伞，雨滴顺着长发流下来挡住了她的视线。她也不用手擦一下，就保持着一个姿势，她瑟瑟发抖，交叉着双臂紧紧抱着自己低头在路边寻找。

后来，路与昂千万次地回忆起这个场景。也不止一次趁着大雨的夜晚来这里看过。这里的路灯很远，是一片被别墅和森林包围的狭小区域。

那天的雨，下得那么大，隔着百米远的两个人。他怎么会把每一个细节看得那么清楚，清楚到她的每一缕发丝都被刻进脑海里。

路与昂走过去，用中文问："你在找什么？"

女孩头也不抬，在一处猛地蹲下来，又失望地起身说："我的戒指丢了。"

路与昂把伞挡在她头顶，碰碰她示意让她拿着伞。她根本不理会，双手拨开地上的草根摸索着。他索性把伞扔在一旁帮她找起来。

不知道过了多长时间，路与昂听到路边有汽车喇叭声，是一辆重型卡车开不过去，让他挪一下车。他走过去打开车门，突然想起刚才轮胎下面那微妙小小的颠簸。

便俯身在车轮下寻找起来了。

卡车司机更加猛烈地按喇叭，在这空旷的深夜听起来像要把人震碎。

而路与昂终于在右前轮下面找到了一枚套着红绳的银戒指。

不知道是不是雨太大，他居然感觉这枚戒指在他手心里微微震动。

白衣姑娘这时已然失去希望了，不知道是冷还是累，坐在地上看着远处发呆。身上的泥和水混在一起，她却在黑夜里发着光。

路与昂跑过去，把手伸向她。她的眼睛突然就亮了，一把抓过戒指，路与昂顺势把她从地上拉起来。姑娘把这戒指看了又看，小心翼翼地套在脖子上。

后面又来了两辆车。加上卡车司机，三辆车不停地按喇叭，卡车司机狂躁地拍着挡风玻璃。

路与昂没有多想，直接对姑娘说："走"。

她就顺从地跟着他跑过去，拉开车门坐在副驾驶位置上。

天渐渐亮起来，路上车很少，他开到180迈，飞奔回那栋永远不知道住了多少个人的家。

姑娘蜷缩在副驾驶位置上睡着了。她的长发滴着水，双臂抱紧自己。

路与昂从后座扯过自己的大衣盖在她身上，她还在梦中，原本抿着的嘴角笑了一下。他在路边静静地刹住车看了一会儿，那一刻他特别想知道她是谁，她梦里有些什么。

路边的红叶受了一夜的暴雨，纷纷掉下来打在车窗上，这是一个本该萧瑟的日子。他却轻轻吹起了口哨，不知道为什么觉得生活真好。

惜阳不知道自己睡了多久，醒来的时候正是黄昏。透过模糊的玻璃窗她看到窗外拥挤的高层建筑，有的小窗户里透着亮光，有的晾着衣服。住在这里的应该都不是富裕的家庭，太阳明亮的橘色光芒被这些高大的楼层阻挡，减弱。

照进窗户只有淡淡的一缕了。

可是惜阳却觉得很久没有睡得这样好，在继父和母亲的家里，有落地窗户和一整片蓝天的别墅，她习惯性地失眠。

她躺了好一会儿才想起来昨天的事情，身上的衣服已经换了。她猛地摸摸脖子上，还好红绳还在，爸爸送的那枚银戒指还在。她不太记得是谁帮他找到这枚戒指的了，只记得他也讲中文，然后他让她一起走，她实在太累太厌恶别墅的生活了，就跟着他上了一辆车。

戒指已经很旧了，据说是奶奶传下来的。那时候爸爸还很穷，家里穷了多少年，在她出国之前甚至连彩色电视都没有。她记得一家人从来没有下过馆子，一是没有钱，二是母亲总和爸爸吵，嫌他没有几件得体的衣服。她所有的聪明劲儿都放在用很少的钱把自己打扮成贵妇人的样子，实在没有力气再顾及他们父女俩了。虽然这贵妇人样子也很可笑，完全是她的自我想象。

惜阳记得，在她临走前，爸爸请她下馆子。叫她随便点菜，她看到爸爸在桌子下面偷偷数钱，就还是点了两三样最便宜的。爸爸不说话，只是喝酒，一直叫她多吃点儿。

这时候，旁边突然有一个人喊他，一个很胖的男人一边往过走一边叫着："老莫，请闺女下馆子怎么就点这么几个菜啊，快给加菜给加菜。"

爸爸满脸通红，任由他加了几个贵得离谱的菜。惜阳看到爸爸紧紧捏着右边裤子口袋，攥在手里来回搓着，她知道那里放着几张钞票。

胖男人点完菜以后回到自己那桌，然后很大声地叫服务员结账，让她把旁边那桌一起结了。

爸爸就松下一口气来，攥紧口袋的手伸进上衣掏出烟点上。脸色由红变白，只有几秒钟的时间，汗水竟布满了额头。

惜阳的心像被人紧紧捏了一下，她抬起头说："爸，我不去。"

爸爸没说话，只是叹口气给她夹了很多菜。他就在这时候从口袋里拿出用手绢包好的戒指："咱们家，就你长得最像你奶奶。人机灵，你妈这些年又让你练舞。她说得对，你不该在咱们亚塘市，在这个鬼地方能有什么出息呢？"

爸爸说完，就把戒指戴在惜阳食指上。她看到他眼睛里泪光一闪，猛地灌下一口酒。也就不再说不走的话了。

后来，爸爸再没有走出过亚塘市，却实实在在地出息了。第二年工厂改革，原来的领导班子都被撤掉，他因为人缘好当上了厂长。一路风生水起地发了财。

惜阳不知道爸爸赚了多少钱，他每个月都打钱到她的账户里。母亲替她管着账户，只是有一次她接到爸爸的电话，让她 18 岁生日时候取些钱去买辆车。她才知道每次母亲皱着眉头说："这点儿钱也值得寄一次"。这其实是撒了谎。

惜阳躺在这张陌生的床上，想到这些很久没有想起的陈年往事。就听到大门的响声，有人说话，不一会儿闻到飘进来的饭菜香味。

她是真得饿坏了，随着香气起身走出去，看到一个高大的男孩正弯腰在柜子里找什么。饭桌上已经放了几个菜，是从旁边塑料盒里把做好的菜倒出来的。还有几个没有倒出来的菜。

听到声音，男孩也不回头，一边继续翻找一边说："这些混蛋们，打碎了盘子也不知道给我买几个新的。反正都是热好的，咱们就凑合着吃吧。"

惜阳没有搭话，这时候他才回过头来看着她，问："你饿了吧，都睡了快两天了。"

莫惜阳这才看清楚他的长相，短发，黝黑的皮肤是经过长时间的风吹日晒，浓眉下一双锋利的眼睛，像刀锋一样闪亮，也像钻石一样闪亮。

她指指身上的衣服问："这是谁的？我的裙子呢？"

他拿着两双筷子坐下来，指指身边的座位让她过去："这是我哥们儿女朋友的，前天我让她给你找件衣服，正好你俩号码差不多。你可别误会，她给你换的。你的衣服？你的衣服？"他挠挠头，站起来四处张望，终于在浴室的洗脸盆里找到了，白裙子早就皱成一团。"你看，我们谁都不会洗衣服，就给你放这儿了。"他说完不好意思地笑笑。

这个有着刀刻一般五官的男孩挠着头的笑容，一下子打进惜阳心里。她走过去坐在他旁边。

后来的日子里，她想过千百次。

如果那天晚饭之后，她就直接回到家。如果他没有送她回去，如果半路他没有犯了旧疾。

是不是两个人的人生都会改变，她不知道路与昂的，然而她知道她自己，就不会有那么多辗转反侧难以入眠的夜晚，没有那么多看到旧情旧物咬紧牙关强不落泪的时刻，但是否也不会有那段刻骨铭心，不会有那燃头柱香磕长头心心念念宁可舍了自己也要保他平安的，这么一段深情。

那天，他们聊了很久。

她知道了他是导游，传说中那些日入千金日行万里的人；那些潜伏在团餐馆、免税店门口总是一脸疲惫，无论男女一张脸都被烟灰和长途旅程熏得乌黑的人；那些能言善道、谎话的比重等于收益率的人。

然而他却不是，他说起这行业就轻描淡写一句，像一份普通的朝九晚五的工作。"就是生活不太规律，要比别人多认识些路而已。"

他也知道了她是离家出走，东郊传说中卖出了天价的富人区房子里有两栋联排别墅就是她的家。

天黑下来，住在这里的其他人陆陆续续回来了，看见他们俩就打个招呼，有个虎头虎脑的男孩说："哥，你带回来的嫂子醒啦？"

路与昂脸一沉和他说："滚进去。"

然后就要送惜阳回家。

一路无话，惜阳几次想开口，一向追她的人多，她却不知道要怎么向别人要电话号码了。

而路与昂把车载音乐放得很响，心里却是紧张的。身边这像云朵一样洁白的姑娘，他怕一开口就显得轻浮，他觉得所有的言语都配不上她。

正想着，突然一阵剧痛从胃部传来，路与昂猛地弓下身体，又赶快抬头握紧方向盘。惜阳回头看他，他又假装没事一样用一只手紧紧顶着胸口在驾驶盘下面翻找东西。

可是疼痛毫无预计又来势汹汹，他知道自己的身体，有时候猛吞几口凉水，刺痛加剧然后就麻木了。

他起码要先安全送她回去。车上没有一瓶水，他心里狂骂着自己和这该死的胃病，咬紧牙关踩下油门向前冲去。

惜阳渐渐觉得不对劲起来，余光里他手指青白，用力到颤抖。她转过头看他，下嘴唇被咬出血来，额头上早已冷汗密布。

"你怎么了？先停车吧。"她小声说。

对，停车，他不能让她有危险。但是身体不受控制，踩在油门上的脚怎么也挪不开。

"停车！"她大声说："要不然我跳了。"她作势要开车门。

路
与
昂

他一咬牙，车终于吱地一下刹住了，两个人都猛烈向前冲去。

路与昂控制不住自己，额头撞在挡风玻璃上。他顺势蜷成一团，捂着胃倒在驾驶座上。

他不知道这次疼痛为什么来势这样凶猛，做导游的整日奔波，从不能按时吃饭就算了，有时候找不到停车位一天不吃不喝都是常事。没有胃病的导游就像从未肌肉拉伤的运动员。每个人都随身带着几盒止痛药，他摸索着左边口袋，却感觉世界离他很远，身边那女孩把他的头放在她膝盖上大声说着什么，他却像隔着一层蜡，什么都听不清楚。他的手指终于摸索着触碰到了止痛药的盒子，却在这瞬间失去了知觉。

路与昂是那一次在医院的病床上做了这个决定的，他甚至不知道这女孩的名字是怎么写的，也没有问过她人生中之前的经历，与之后的计划。

就在他在病房里醒来，看到身边一片洁白，疼痛全部都消失了，只剩下一点一点的清凉慢慢在身体里舒缓开。

而床头是这女孩，她睡着了，乌黑的长发散在肩头，睡梦中嘟着嘴，蔷薇花一样的嘴唇。

他忍不住伸出手轻轻抚摸她的头发。

在这一刻他想落泪，他的人生像一个被一再伤害的缺口，别人烧伤、砍伤、踏伤他，缺口早已流干了血变成了伤疤。伤疤没有了触觉，再无人能够伤害。

而这女孩出现了，用一块温热洁净的毛巾敷在伤疤上，让它慢慢柔软，有了新鲜的血液。但是，也感觉到了疼痛。

这是新奇，但也是危险的。

他在那一刻做了决定，等出院以后就搬出那间50平米的脏兮兮的公寓。他要找一处能够配得上她的地方，即使她本无意要和他生活在一起，即使她拒绝也没有关系的。

他可以等，总要有一个地方让他等。

路与昂还在想着这些好像已经是上辈子的往事，出租车已经停下来。

他抬头看看，五年了，这里还是有一些改变。可他也说不上是什么，这些年他想尽力忘记这里的一草一木，是为了说服自己，更多的是因为愧疚。

围着几栋深红色别墅的远处是一片桃花林，再近些是各色牡丹，牡丹专门选了颜色淡雅的，中间点缀了深红的蔷薇就更显得出挑。

秋天花都落了，风一起，梧桐树的叶子铺出一地金黄。

而现在已到深冬，鲜花都已凋零，只有花园后的壁画中百花盛开。

这里曾经属于一位诗人，传说中他爱上一位公爵的夫人，二人相约私奔，他倾其所有把这里买下来等她共度余生。然而，她却再没有出现。

诗人从此无法习作，每日种下一朵花从日出等到日落。期待着某一天她拎着裙裾向他奔来，在这鲜花丛中拥吻。

别人都说公爵夫人一定是无法离开舒适的府邸，只有他相信事实并不是这样。

将近三十年过去了，诗人种的花开了又谢，他栽的树早已经历经风霜。而等待之人始终未到。

他即将去世之前，请佣人把窗前种满蔷薇，他不忍心采摘，看这些本应插在爱人鬓角的花一片片舒展开花瓣又渐次凋零。

就在他的最后一支蔷薇也要渐渐枯萎的时候，有一位年轻人摘下了他，把花轻轻放在他床头。

原来这是诗人与公爵夫人的儿子，夫人发现怀孕之后深夜潜逃被发现。被软禁在府中郁郁寡欢，几年之后就去世了。孩子从小就听母亲背诵情人的诗句，在某个夜晚他突然惊醒，梦里有人对他说，孩子，母亲遗物的故纸堆里有你父亲的消息。他翻遍遗物，在中间找到手抄本的诗歌集，扉页上写满了诗人对母亲热烈的情话。

他突然想起八岁时母亲离世之前对他朗诵过的诗篇，那是他满18岁的夜晚，他知道了自己的亲生父亲是谁。

少年在诗人床头讲完这个故事，诗人冰凉的手紧紧握住他的手腕，然后就含笑点点头。手猛地松开了，诗人在这朵夏日最后一朵蔷薇的陪伴下溘然远逝。

他毕生相信所爱之人，即使少年没有来过，满庭按时到来的花期也告诉他自己没有错。

这庭院叫做蔷薇园。

几百年过去了，现在的房东也是一位仙风道骨的老先生。

他早已等在门口，路与昂一下出租车就走过去与他握手。

钱是早已做了国际转账，他们喝着咖啡一起签了些文件。老先生起身从保险箱里拿出一个丝绒盒子，打开来里面端端正正地放着一把钥匙，纯银雕琢，是一朵盛开蔷薇的样子："这是几代人传下来的钥匙，这钥匙不能配，只有真正的主人可以拥有。"路与昂的眼睛亮了一下，一切都对了，这样精致的钥匙配得上她。

他还记得做租客时候，他们并没有见过这位老先生和丝绒盒子。西装革履的房屋中介商把他领到这里，简单介绍以后就拿出电子文档签了合约。钥匙也并没有什么特别。

然而，那时候他觉得人生好长。这些带着古意的关照不值一提。

尽管房间里什么家具都没有，那是冬天最冷的一天，没有下雪，梧桐树叶都枯萎了，松柏却愈发绿得明亮。

像路与昂那个冬天的一片初心，回忆起来，那是他人生中最好的一天。

别墅旁边有一条小河，虽然窄却看不到头，据说汇入加龙河上游，那么从这里走下去就能够看到大海，他留了一点时间给自己。

在河边坐下来点燃一根烟。

他记得关于这房子的每一个细节，惜阳搬进来的时候有多么开心。

他那一次出院以后就不告而别。

在她看来是萍水相逢的人了无音讯了。他却是因为凌晨 4 点要去法兰克福接团，不忍心叫醒熟睡的她。这个团是前一天才确定的，尽管辛苦，但是团费挺高。

以往，这样辛苦的行程他早就不会接了，这一次他却想去。他要多攒些房租出来，为了和她生活在一起。他已经够有钱的了，节省一点可以在巴黎轻松地活过下辈子了。

可是他不想节省，他要找一座城堡，和他的公主生活在一起。他需要很多很多的钱。

返回巴黎已经是两周以后的事情了，路与昂在学校门口等，惜阳那天穿着一件白色呢子大衣，浅蓝色围巾。抱着一摞书本和几个同学一起走出来。

路与昂站在门口，微笑着等她越走越近。

两个人一句话都没有说，惜阳看到他，没有迟疑一秒钟就扔了课本飞奔过来，扑到他怀里。

当众亲吻在巴黎大学门口随处可见，可是课本纸张掉了一路，还是被人围观了。

有人路过吹一声口哨，有人引吭高歌，有追求惜阳多年不成的人想驻足旁观，看看这男人是谁，然后被别人拉走。

秋风乍起，像黑白老电影中的桥段。不知道谁在旁边拨动吉他琴弦，乐声时起时落。

他们却觉得，在彼此的怀抱里，这个吻等待了多年，久到无法计算。甚至超越了此生二十多年的岁月，延伸到前一生再前一生。

他们是两个一直沉睡着的人，被蜘蛛网沉香灰岁月的石块和世俗的麻木所包裹着，然后轰然间遇到了彼此，是心中一声响彻天际的惊雷。惊醒了对方也惊醒了自己的灵魂。

他们用一尘不染的躯体拥抱着对方，在彼此身体的起伏间找到自己的缺口，然后严丝合缝地补上去。

思想与灵魂满足地要爆炸开却又一片空白，他们找到了，对的人。

那天晚上，路与昂就等在他们初见的树林中。

等夜深了，惜阳的窗户打开，她轻轻吹声口哨，从上面扔下来一个旅行包。旅行包几乎没有分量，轻飘飘落在草丛里。

惜阳身后一盏微弱的灯，她散着头发，赤脚逆光站着，笑吟吟地看着路与昂，在光晕中美丽的像一个神话。

路与昂看呆了，直到她小声说："傻瓜，过来。"

他才急忙几步走到窗前，惜阳从不高的二楼跳下来，好似从天而降落在他怀里。就在她落下来的瞬间，他觉得心里有一个地方一下子被填满了，那里曾经又空又冷，现在被抱在怀里的这个女孩暖了过来。

他胳膊上挎着旅行包，横抱着惜阳大步走向停车处。大道上路灯亮一些了，惜阳红着脸要下来，他不理睬，把她抱得更紧。

从头到尾，她没有问一句话。

直到车停在蔷薇园门口，路与昂把她一直抱到蔷薇园里洁白柔软的床榻上，她才睁大眼睛看清楚这里。

"呀。"她轻声惊呼，像闯进公主城堡的少女。淡淡花纹的浅紫色墙壁，擦得发亮的乌木地板，洁白的木床上精致的雕刻着是和床单一样的花纹，床头一盏小小的乌木灯，灯罩却是手工盘钩的波尔多蕾丝。

她坐在床上四周看看，最后目光对上他的眼睛，盯在那里不动了。

他也走到床边坐下，轻轻握她的手，那时候他就觉得这里应该是只属于他们两个人的家。他不知道这房子的价值，但是他要努力赚很多钱把它买下来。

他早就想过许多次，想着惜阳拿到钥匙的时候会多么惊喜，却没有想到现在装着银钥匙的锦盒在手里，几年间却早就物是人非。

曾相爱的人，几乎变成仇敌。

起风了，风吹起河水片片鱼鳞般的皱褶。电话突然响起，是隐藏号码。

路与昂接起来，是贾老的声音："路，听说你今天在铁塔下面遇上麻烦了？"

"没什么，小事儿，都解决了。"路与昂一边走着一边说，他是真心觉得老牛今天惹的事儿太小了，小得不值一提。

"路，咱们有组织了，这种事儿以后都不用你亲自动手。在各大景点都有咱们'四海一家'的人，只要你挥挥手，几个人过去把他拿下。就说他扰乱了治安，后边行程不让走了，直接送到机场回国。并且咱们都登记在册，以后想出国没那么容易。"贾老即使压着嗓门，也能听到语气里的得意。

"贾老，我自己团上的事儿，三言两语就给办了，用不着那么麻烦。有些人素质低，也罪不该死。不至于来一趟欧洲，第一站就给人家截下来。"路与昂说。

"路，签约的事儿，你还没想好吗？我这边就差你点头了。对了，你老婆，以前景天旅行社的邱小雅，给我打了多少次电话了。说你家现在缺钱？上次和你说了吧，给你干股，不需要你出钱，但是分红年年都有你的份儿。你想给老婆就给老婆，想给别人也都行。"

"贾老，她不是我老婆。"路与昂说完就挂了电话。

没过一会儿，电话又响起来。

路与昂看了看没接，铃声响个不停，在空旷的河边声音格外刺耳。

他接起来，出乎意料那边传来的居然不是邱小雅的叫喊，而是她平静地问："你最终还是买了。"

路与昂声音不带一点儿感情："是的。"

"路与昂，从头到尾，你问过我一句吗？"她声音尖利。

"我问你什么？你在我身上撒的所有的谎，你都问过我吗？"路与昂慢慢地说着，在说话间隙张大嘴用力呼吸着清冷的空气，另一只手紧紧攥着呢大衣的下角，像要攥出他没有说出口的愤怒。

路
与
昂

那边沉默了一会儿，爆发出声嘶力竭的吼叫："路与昂你这个忘恩负义的王八蛋！"

路与昂闭上眼睛沉默地挂断电话。

责　任

夜晚的巴黎本来可以沉默不语。

即使没有灯光的珠链，也没有音乐的皇冠，她依然是一位绝世美女。

然而世人对她太过宠爱，千百年来所有的艺术家、建筑师极尽所能又小心翼翼地在她已经很精致的发髻上插一片花瓣，在她已华丽无比的裙裾上落一颗珍珠。

世间所有的文学家、诗人甚至是不知名的过客都歌颂着她的美，却找不出一个合适的词来形容她的万分之一。

塞纳河水静静流淌，上面泊着的每一艘游船都有自己的故事。

路与昂他们租的这一艘"亚历山大三世号"是私人游船里非常高级的。上面可以观赏，下面可以吃饭。晚宴是由米其林厨师准备，穿着洁白工作服的侍者有序地穿梭在桌子中间。

可以容纳五百人的船舱空荡荡的，路与昂他们一行只坐满两桌。

牛望财非要包下这里请他的人吃饭，算下来一个半小时的行程也是天价。路与昂起先要他们自己坐船，惜阳带着小周在下船处等他们。同时可以带着老人们浏览夜晚巴黎的风光。

但是牛望财说什么也不肯，再三说人多好玩。起码也要留下惜阳，路与昂看看宽大豪华的船舱，和牛望财说，让老人们在上层休息，夜游塞纳河。

惜阳留下来，他也要留下。

牛望财本来不想被这小子跟着，只想和这美貌的女导游喝几杯酒亲近亲近。看路与昂实在不会再让步，勉强答应了，却让他坐在上层陪着老人们，惜阳在楼下陪着他们自己的人。

现在开船不久，他正在盘子里挑挑拣拣，拿起一只龙虾放进嘴里大嚼。把壳随手一扔，被玻璃弹回来。擦得一尘不染的船舱玻璃上马上留下一个印记。

"操，我还以为没有玻璃呢，我说怎么没有风。"

小牛笑呵呵地伸出手啪啪拍着玻璃，迎合着他。

李生来之前看了些法国美食的书，蜗牛、鹅肝酱、生蚝、松茸都一一品尝过了，他本来挺高兴，但是面对这么一群人也提不起兴趣来。

古怪的母女俩在后面单独坐一桌。那老妇人从开船就紧紧抓着桌布不放手，大声喊叫，说是有人要害她，让她掉进无底深渊里。女孩只好小声安慰，带她坐到后面去。

惜阳看看她们俩，走过去小声对女孩说："过来和我们一起坐吧。"然后又请服务生搬了张沙发，沙发很大很稳当，老妇人坐在里面像钉在船舱上一样，她左右晃了几下慢慢安静下来。

坐稳以后，她就抬起头擦擦女孩额头上累出的汗，紧紧攥着她的手。

服务生开始上菜了，烤得恰到好处的金黄色的土司中间削薄一层，微微凹下去变成一个容器。骨瓷小碗中铺了碎冰，上面是金黄和乌黑两种颜色的鱼子酱。旁边搭配一枚煮成五分熟的鸡蛋，上面的盖子已经揭开，蛋黄与蛋白轻轻流动。

惜阳用珍珠贝母做的小勺子舀了一点在吐司上，伸手递给老妇人："阿姨，尝尝这里著名的鱼子酱。"老妇人这时候挺直了腰，抹顺了头发，坐在沙发里也有几分贵妇人的样子。

她伸手拿过来冲惜阳点点头，然后递给身边的女孩，小声和她说："小艾，你吃。人家说这是好东西呢。"

小艾点点头，笑着吃了，又拿了一片给老妇人："妈你也尝尝，是挺好吃的。"老妇人孩子一样就着小艾的手吃下去。

惜阳看到这场景整了整身上的披肩，落寞地看看窗外。

"你妈对你真好。"她回过头和小艾说。

趁着老妇人忙着吃饭的间隙，女孩靠近惜阳一些小声说："她也是命苦的，年纪轻轻就失去亲人，自己又病成这样。我娘俩只能相依为命了。哪有你命好。"

惜阳笑笑不说话。小艾仰头喝下高脚杯中的香槟，使劲闭了闭眼睛。

"莫小姐，你今年多大了？我28了，你看着比我小。有男朋友了吗？"她算不上漂亮，比惜阳还要瘦。惜阳是一种柔美，而小艾是真正的黑瘦，像被风干的蔬菜，干涸而有力。只有一双眼睛偶尔看得出与年龄相配的水灵。说话带着浓重的西部口音。

酒精让这个承受了太多，一直逼迫自己清醒冷静坚强的女孩放松下来，话也渐渐多了。

"叫我惜阳吧。"她不太适应陌生人间的亲近。小艾却没有看出她的不自在，又问了一次。

惜阳笑笑说："我就要结婚了。"

突然起风，船舱门砰地一声打开，她声音不大却顺着风传到甲板上，也传进站在船舷上抽烟的路与昂和小周耳朵里。

此时此刻，路与昂正从外套内兜掏出一个丝绒盒子递给小周，也没有多余的话。

"都办好了？"

"嗯。"

"我什么时候给她？"

"等我，等我走了以后吧。"小周知道这句话是什么意思，只是觉得手里的盒子很重，压得他拿不起来，他突然孩子般地把盒子塞回到路与昂手里："我不要。"

"拿着，你见我路与昂求过什么人么？这一次是求你。"盒子又被塞回去。

"我不要，哥你自己给她，你要是个男人你就挺住，你拿着这盒子和她结婚，生一堆孩子住在那红房子里。"小周声音哽咽住，说不下去了。他狠狠地握着船帮，看向别处，不让路与昂看到他通红的眼睛。

门就是这时候被吹开的，两个人都听到惜阳说，她就要结婚了。

路与昂愣了一下，就开始止不住地猛烈咳嗽起来。他按着自己的胸脯，想要止住咳嗽，可是却无能为力，直到咳出一口痰，他用一张纸巾接住，小周看到上面是一抹鲜红。

路与昂摇摇头，沉重地呼吸着。

他闭着眼睛。使劲擦了一把脸。

那么多回忆摆在那里，像一套百科全书，任何的情绪、回忆、思念都可以在他和惜阳的故事里信手拈来。

他怎么会不记得，他们曾一起路过一家新开的婚纱店，他硬要拉着惜阳进去看。她试了一条大拖尾的羽毛蕾丝婚纱，镶了一万颗钻石。当她走出来的一刻，他居然想要流泪。

店员问他们，婚期定了吗？

惜阳笑着摇摇头，他却抢着说，定了定了，就今年。

那时候已经是七月，店员说，都是纯手工制作，如果婚期定在今年要赶快来交订金了。

惜阳笑着和人家道歉，拉他走。

那时候她才满20岁，说不定从未想过要嫁人，她以为他在开玩笑。

正是黄昏，明亮温暖的阳光从落地窗照进来，每一片羽毛蕾丝都泛着圣洁优雅的光芒。路与昂当场拿出支票定下这件昂贵的婚纱，他付了全额，然后跪下来问站在身后不知所措的她，莫惜阳，嫁给我好吗？我们年底就结婚。

店员们在他们身后尖叫，拿手机赶紧拍下这一幕。

试婚纱的新人们也都一起鼓掌。

她哭了，眼泪落在裙摆上像第一万零一颗钻石。

江湖上自有路与昂的传说，孤身走过千万里路，见过千百种人。

他从不低头，也很少笑。都是严肃安排好一切，一路平安顺利。

即使长途跋涉，不论冬晨夏夜，他都从不在客车里闭一下眼睛。就算所有的客人都睡着了，何时睁开眼睛，看到路与昂的目光都像两把剑。

他开车从不用 GPS，欧洲的大街小巷都像一本地图刻在心里。

他靠自己本事吃饭，业界对他神一样的敬畏，他不是没有自信的。

可是在惜阳身边，总是觉得心里不踏实。觉得他的世界太空、太硬，怕磨疼了她。在一起的每一秒，他都觉得自己捡了天大的便宜。又像做了一场美梦，在梦中轻叹，又怕梦醒一场空。

直到那一次，他在意大利遇险。

当时路与昂兼导游和司机，带着一团人从巴黎一路往南，即将要在罗马结束行程。罗马市中心，不能停外地车牌的大巴，也不能由外地导游讲解。所以最后一天，他按照行程把客人们交给熟识的罗马当地陪同，自己把车开向停车场。

正是七月旅游旺季，大巴车排起了长队。他想给惜阳打个电话，就拐进一条小巷，在路边停了车。他拿出手机，刚要拨通。旁边的车窗一暗，一个男人的声音同时响起，police。

他用余光看到一个满脸胡茬的意大利男人，头发脏乱，和胡子连成一片。身上随便套着一件深蓝制服，一只手扒着车窗，另外一只手藏在身后。

眼圈发黑，眼睑处一片青紫。他死死盯着路与昂副驾驶座的旅行袋。

路与昂心里一冷，知道遇上了假警察。

旅游界是一个很大的江湖，这里面有像码头一样的旅行社，有像巨艇一样的航空公司，有像船员一样的导游，也有像礁石、像鲨鱼一样混在其中的人们。

意大利的假警察就是这一种，他们往往等在城外的大街小巷，看到外地牌照的车就跟上去。这些都是可轻易混在人群中的亡命之徒。意大利持枪合法，他们不抢游客，只跟着导游。华人领队操持几十人的吃喝住行，往往拿着大量现金。他们就是吃准了这一点，尝过了不少甜头。

路与昂回头，盯着那个男人，他知道这里无法报警，意大利真警察的速度追不上假警察。

但他脚下备着铁棍，门上备着辣椒喷雾。他曾经在亚德里亚海制服了想要坐地起价的船夫，自己拿备用船桨，唱着歌把一行人带上岸。他也曾经在皮拉图斯山抓住和酒店串通一气的小偷，人赃俱获直接交到酒店集团总部。

假警察的事情，他早就听说过。奇怪的是兄弟们很多遇险遭劫，但是他却在罗马城出入平安。

有一次老贾说，小路啊，咱们带团也讲个气场，你气场强，有的贼看一眼就不过去了。

路与昂想起这些事儿，也就是一瞬间。他计划着，一脚踩在铁棍上，用脚背勾上来。同时猛开车门下去，关车门时候把喷雾拿在手里。喷这个假警察一脸辣椒水，再一棍子打在膝盖上，然后自己加大油门开向警察局。

这个计划的胜算有百分之五十。

如果是以往的任何一天里，他会押这百分之五十的胜算。

如果这一棍子不打下去，他以后还会抢更多的兄弟，他和命运对赌，赌这个人手里是一把假枪。就在他把脚慢慢伸向铁棍，已经碰到坚硬冰凉的物体时候，他手机进来一条广告，屏幕亮了，惜阳在他屏幕上开心地笑着。

那是路与昂给她拍的照片，她面对着他，眼睛里是深海中最亮的珍珠。

路与昂的心，在那一刻动摇了。他突然明白为什么这次他能遇到这倒霉事，因为他陷入了爱情，身上铁板一块，坚不可摧的气场消失了。

这个女孩，让他有了软肋。

"police,money！"门口的男人不耐烦了，他刷地把藏在身后的手拿出来，手上乌黑的枪伸进车窗，路与昂在这一刻拉开旅行袋，抓出一把现金，从另一边车窗里使劲扔出去。意大利人愣了一下，收起枪扑过去捡钱。路与昂在这一刻加大油门开出小巷。

后视镜里，不知道从哪里又冒出五六个同样流浪汉样子的意大利人。他们扑在地上手脚并用，不一会儿钱就会被一张不剩地拿走，他们即将隐在人群中不知踪迹。

路与昂这时候已经拐到了大路上，听到对面的车不停按喇叭的声音。才发现自己踩油门的脚已经毫无力气。正是七月酷暑，他却觉得冷。衬衣被汗水湿透，额头上的汗滴在方向盘上。

路与昂自小在矿区长大，小时候叔叔们都说，这孩子的头，比挖出来的岩石还硬。他踩着世间的恶意长大，从未在人心险恶中低过头。

可是这一次，被用枪顶着头，却吓得像个女人。

路与昂在心里嘲笑自己，笑着笑着就迫不及待在路边停车，拨通了惜阳的电话。

刚响了一声，他却赶紧挂断。想了想，回头飞车去接从罗马城游览回来的客人。

离送机还有六个小时，路与昂往常都是把行程做完满到最后一分钟，这一次却急急把客人送进机场。转身飞车开回巴黎。

罗马城到巴黎，一千四百多公里，十三个小时不眠不休，他身体已经疲惫到极点，浑身的血液却在沸腾。

到巴黎已经是第二天晚上了，他把车直接开回蔷薇园。

惜阳听到大巴的声音飞奔出来，扑进他怀里。路与昂紧紧地、长久地拥抱着她。

正值七月十四日的法国国庆，天空中像雷声一样轰隆一声，就绽放开五彩斑斓的烟花。音乐声从凡尔赛宫的方向传出来，在天空旋转。烟花忽远忽近，像万千花朵盛开，又像流星坠落。

他们就这样站着，彼此都没有说话。

天空在他们头顶旋转，路与昂心里回响着一句话，你今生所有的苦难，都被偿还了。

路与昂在船舱上，想起这些往事，恍如隔世。五年的时间，物是人非，他好像已经重新活过一场。然而，他却觉得他的惜阳，被完整保存在巴黎，像蔷薇园一样，如经年，如往昔，没有丝毫改变。

"哥，天凉了，咱们进去吧。"路与昂点点头，和小周走进船舱。

船舱里灯火通明，人们喊叫着觥筹交错。

世间繁华只有一瞬，却要你用终身的伤心来交换。塞纳河上波涛轻涌，像层层叠叠温柔的轻纱。

小艾不知道又问了些什么，惜阳笑笑接着说："他是医学博士，认识三年了，对我，对我很好。"她一字一句说得清清楚楚，余光一直看着窗外。

她相信他听到了，但是却始终没有回头。她知道，他本来就不在乎的。谁会在乎一个自己抛弃了的人。

旁边那桌有人喝了太多酒，敲着桌子大叫："过来过来，男的女的都过来，咱们猜拳聊聊天。"

路与昂和小周听到那桌人的叫喊回头看了一眼。

小周说："喝多了，哥，别理他们，一会儿就老实了。"

路与昂扭过头来，一桌人叫喊的声音越来越大，高雅的侍者们没有见过这种阵势，都躲在吧台后面观察形势。

"你，你过来。"他指着一个刚探出头来的金发侍者，那人也听不懂，耸耸肩把头缩进去。

"那，你，你过来。"他跌跌撞撞地冲过去揪住一个黑人保安，保安闪过他手在腰间一放，老牛以为他要掏枪，马上不耍酒疯缩回餐桌上来。

这时候，他透过迷蒙的双眼，看到远处圆桌上的莫惜阳。

这真是个美人儿，程望这小子艳福不浅。能得到这么漂亮的女人，让他吃点儿亏也是应该的。都是二十年前矿区出来的孩子，他想想程望，再看看对面傻呵呵吃得满嘴流油的侄子小牛，狠狠在桌子上搔了一拳。

这时候路与昂站在灯光稍暗的角落，他的余光也正好看到惜阳。

她那么纤瘦，怕冷一样轻搂着肩头，云朵般卷曲纠缠的长发落在浅驼色披肩上，她面无表情，轻轻蹙起的眉头，却仿佛有千万句话要说。

即使隔着一段距离，他依然能够看清她每一根睫毛，如波的眼睛中闪着疲惫的光。

猛然间，像有人揪着他的心脏扭了一下，他记得这双眼曾经闪动着怎样惊喜、灵动的光芒。对着他放出深爱的讯号，那应该是他这一生最珍爱的东西。

是他亲手毁了这一切。

路与昂点燃一根烟，转身又出了船舱。

"过来过来。"

老牛看看没有人理他们，借着酒劲生起气来。他站起来哐地摔了一个杯子，酒杯掉在丝绒地毯上，并没有碎，但深红的液体却撒了一地。他又拿起手边一个酒瓶，晃晃悠悠地想从窗户扔出去。

一个经理模样的男人迈着模特步走向惜阳，低头对她说了些什么。惜阳小声回应着，然后站起来走到老牛面前，说："我陪你喝。"

路与昂看到这一切，掐掉手里的烟往船舱里跑。

小周在后面喊："哥，你去干嘛，你不能……"回答他的是船舱门哐当一声。

当路与昂走到桌前的时候，惜阳已经喝了三杯红酒。老牛和小牛高兴地手舞足蹈，一个个轮流凑过去给她倒满杯子，不只是敬酒而已，他的手有意无意地搭在惜阳身上，慢慢往下摩挲。

老黄面无表情地看着，李生不知所措，他面前还有三瓶没有开封的，他默默把这三瓶酒藏到桌子下面。

尽管他也知道行走在路上的人，多少都有点儿酒量。但是这个漂亮的不动声色的女导游明显已经不能再喝了。

其实这是惜阳最后一个旅行团，让客人旅游尽兴，这很好，但也不是责任。

如果放在往常，她早就不动声色地拒绝了，甚至不会靠近他们，会站在船舱外面发一会儿呆，等他们喝得开心慢慢安静下来，再进来收拾残局。

但是今天，她走到船舱门口，看到路与昂的背影，突然就转身回来，自己拿起杯子陪着这几个人喝起酒来。

这时候，一个声音从身后响起，李生手里正在往桌子下面藏的一瓶酒被揪出来。

"光喝酒有什么意思，我陪你们，一边喝一边玩个游戏吧。"

大家回头，路与昂站在背光处，高大的身影挡住一大片灯光。

他好像是在和别人商量，其实语气不容拒绝。

老牛一惊，放开抓着惜阳的手。冷笑一声把酒杯放在桌子上："好，怎么个玩法？"

路与昂拉开椅子坐下来："很简单，就是真心话大冒险。咱们把大冒险改成喝酒。谁猜拳赢了就出题，输了的要回答真心话，回答好了对方喝酒，回答的不好自己喝。"

"行，老子就和你玩一回。"老牛一只脚踩在椅子上。

第一轮老牛输，路与昂问："牛总，你觉得你是个好人吗？"

老牛冷笑一声："好人坏人自己怎么说，你就是武松，别人说你大英雄。那老虎的老子儿子还不觉得你是天下最毒的人。"

大家说这回答不算数，让他喝下一杯。

第二轮老牛又输，路与昂问："你人生最得意的事情是什么？"

老牛刚咽下最后一口酒，抹抹嘴说："就是他妈的我大字不识几个，干下这么大一个企业。"小牛大声在旁边叫好，"这次我叔赢了。"

老牛伸手打了他一巴掌，接着说："干下这企业值多少钱就不说了，起码，以后能给这傻货娶个媳妇，人家不会嫌弃。"

路与昂主动倒满杯子："这杯我喝。"

第三轮还是路与昂赢，他这次想了几分钟才问："你干过什么后悔的事吗？"

老牛也想了半天，然后一拍桌子说："我这辈子，最后悔的事就是，以前年轻的时候不会看人，交友不慎啊交友不慎。"一桌上没有人知道他要说啥，老牛继续拍着桌子唱歌一样地说："我以为你和我一条心，谁知道你是个倔巴头。我以为半辈子土埋脖子了，谁知道你做了鬼还是不放过我，老子一把年纪了，还被人骗，被人害。"最后这几句话声音越来越小，只有他对面的路与昂听见了。

路与昂酒喝得越多，人反而越清醒。他伸手按了按随身的包，里面有这一团人的护照。

报旅行团的人来自五湖四海，各有过往。每年有不少人借着旅游的机会，趁着导游不注意就脱团逃跑，滞留在国外。

这样的事情防不胜防，责罚下来，无论对于导游还是旅行社，都是重大事故。有些导游因为丢了一个客人，就丢掉了饭碗。

然而一个人对几十人，一路上无数的机会可以走失、躲藏。为了以防万一，一旦出海关以后，导游们都自己收着客人的护照，即使逃脱，没有身份证件也比较容易被发现遣送回国。

路与昂回头看看惜阳，想看看她是否也听见了这句话。也想从她的表情上看出，她是否对于这个满脸乌黑的男人有更多了解。

然而惜阳并不看他，她脸色苍白，半闭着眼睛，小口喝着一杯侍者给的柠檬水。

李生听不出个所以然来，就说："这一题我觉得牛总得喝。"

话音未落，就见路与昂默默倒了满满一杯酒，仰头喝下去："这杯我喝了，游戏结束了吧。"

最后一口的时候，他的身体前后晃动，小周站在他身后，紧紧握着拳头眼眶通红，他走过来抢杯子："哥，我替你喝。"路与昂伸手挡住他，仰头喝完了。

惜阳这时候抬起头，看着他一杯接一杯地从红酒换到烈酒。

她默默闭上眼睛，夜风起了，她觉得从身到心不可抑制地冷。

这时候老牛也不管输赢，看了看路与昂面前的酒瓶，还有小半瓶酒，他就着瓶口咕咚咕咚灌下去，盯着面前的男人使劲看，突然他闭着眼睛晃了一下，又猛然睁开："小子，我问你个问题，你以前，见过我不？"

老黄从桌子对面跳过来拉他："老牛你喝多了，人家一个在国际上天天跑的人，哪儿能见过你？"

老牛用手势让他住嘴，血红的眼睛盯着他问。

路与昂和他对视，眼神刀锋一样凌厉。

"没有。"他淡淡的地说出这两个字。

"哪儿呀哪儿呀，叔，他见过你。是不是到咱村里玩过？"小牛不知道从哪儿弄来一条鸡腿，一边啃着一边拉着老牛。

老牛不耐烦地把他推开，冲着天哈哈大笑，他给自己倒了满满一杯威士忌："好，痛快。"

路与昂慢慢移了位置，在大家看不见的地方用一个桌角顶住胃部。他已是满头冷汗，被风一吹干了一层又马上爬上一层。浑身火烧一样的热，只有胃像被塞了一块冰冻的石头。

他此刻已经感觉不到疼痛，只是一阵阵发麻。

他心里知道，不可忍受的剧痛将在今晚等待着他。

小周双眼满含泪水。他使劲搓着手，黝黑的双臂青筋暴露。

这时候众人身后突然响起一个油腔滑调的声音："呦呦，玩得真开心。

什么酒我看看。"

船中途停靠，那个戴着鸭舌帽叫小隆的导游不知道从哪里冒出来了，他走过小周身边拍拍他的肩膀，一只手做数钱状："那哥们喝这么多，小费不少拿吧。我听说在这船上做生意是新的自费项目，刚过来探探风，没有想到路天王哥哥先行一步。"

小周不理他。

他干脆坐在他旁边："拿多少你给透露个数。做夜游得 1000 吧？你们讲解吗？讲的细还是讲的粗，都各值多少钱啊？还有还有，游！船！餐！哈哈哈，吃得什么？龙虾上了么？呦呦呦，高级的呦，一进一出起码又一千块钱出来了吧。完了干嘛？还看艳舞吗？看完艳舞还有私人项目么？我看这些人不吃素呐。哥们呦，这一趟可是流着大油水了。"

老牛这时候啪地从口袋里掏出一摞欧元来，都是五百的面值。他对着吧台大叫，好久没有喝的这么痛快了，快把你们最烈的酒拿过来。今天我和这小兄弟来个一醉方休。

他这么说着，一双三角眼直视着路与昂，他额头上爆出又被吹干的冷汗逃不过他的眼睛。

"老牛，你这是干啥？"面无表情的老黄走过来问他。

"我干啥？你知道这小子姓啥？姓路的都得死！"老牛恶狠狠地搓着桌布小声说。

"你缓缓，你喝多了。"老黄拉着他的胳膊，暗暗使着劲。

"我缓啥？没事儿，我喝死他。咱们不是还有那个小美女么，今晚就把她拿下。"老牛一把甩开按在胳膊上的手。

吧台换了人，有一个懂中文的侍者看到了小费，高兴地把架子上几瓶陈酿拿下来。惜阳冲向吧台，和领班说："不能再上酒了，他们已经喝不了了。"

领班耸耸肩："女士，我们不能违背客人的意愿。"

惜阳从挎包里拿出支票本来："多少钱我买了，但是请你们不要再给他们酒了。"

"女士，这不是钱的问题，让客人尽兴这是我们的责任。"

"我不管，他们不能再喝了。"惜阳压低声音拦在领班面前。

这时候突然身后响起一个声音："呦呦，这位老板真大方。我是号称巴黎夜游小王子的小隆，看起来我这位哥哥现在是喝挂了，由我小王子来陪您度过这个愉快的夜晚吧。"鸭舌帽导游把帽子拿下来，几步走到桌子前面把路与昂挤到旁边，一只手放在钱旁边，一只手已经端起酒杯。

老牛走过来推这个不知道哪儿跑出来油嘴滑舌的小子："走走走，谁和你喝。"

"呦，这位老总，俗话说得好，萍水相逢都是缘，来来往往都是客。今朝有酒今朝醉，和谁喝酒不是喝？你只认这位哥哥，莫非是看他长得好看么？"他一边说一边过去想摸摸路与昂的脸，被躲开了。

老牛被他这么一搅局，兴致突然没有了。

夜风吹来，他觉得胸口一阵阵发紧。

今天的几句话，如酷暑天气中的一声响雷，老牛和路与昂心里都是厚厚的疑问，临行前，路与昂的父亲把他叫到房间里，说了很久的话。这段谈话从吃过午饭一直到午夜。妈妈没有问什么，只是搬了个小板凳等在门口，打着毛衣，织了又拆，拆了又织，一声接一声地叹息。

他不知道是不是父亲在他人生最后一次欧洲旅行中有了预感。"苍天有眼"，父亲老是这么说。

可是，他路与昂，这次拼了命来到这里，不是为了那些不相干的人们。他是为了惜阳，给她买个房子，如果运气好，再看她一眼。没有想到运气这么好，和她居然能一路相伴。

那他就够了，很满足了。

全世界的人，都比不上"能看一眼惜阳"这件事，对他更重要。

这时候，老牛挥挥手，老黄把没有开封的酒都退掉了。有一瓶开了封还没有喝，鸭舌帽马上塞了软木塞子拿走了。

路与昂扶着桌子勉强站起来，背过身去一步一步走上游船第二层。

二层风很大，但却能看到最好的景致。

老年团的客人们每人出三欧元就可以享受这景致，他们裹着自己最厚的衣服站在船边舍不得坐下来。有照相机的不停地拍照，互相解释着啧啧赞叹。

路与昂提前帮他们拿了中文讲解，上面用图画的形势标注每一座建筑物的名称。天气暗了，有些老人看不清楚，看见的团友就大声给他们讲："上面说这是大皇宫，大皇宫，就是前面那个有尖的圆顶子。"

领队的爷爷依然穿着那件灰色呢大衣，不发一语地站在船舷边。风吹动他雪白的头发，他在这巴黎夜色中化作一座雕像。

路与昂走到他身边。

"小伙子。"老人开口了："我是，听我母亲说的。父亲临上战场之前有过这么一次坐船出游，他还请人拍了一张照片寄给祖母。说洋人对待士兵很好，日子一点儿也不苦。母亲就讲给全家人听，大家都信了。可是不信又怎么样呢？那时候给洋人当兵家里可以拿到两块大洋，那是能养活七十口人的。所以大家，也可能是假装相信的。"

路与昂心里一惊，虽然在机场看到老人就知道他身上有故事，却没想到他是古稀之年来寻找一战华工父亲的踪迹。

"一战两千日，十万华工魂。"

他们是一些从未走出过县城的拖着辫子的中国人。

在一百年前海上颠簸一个月来到这陌生的土地，在前线挖战壕、运送粮食、掩埋尸体。为了其他国土的安宁，为了国际主义和平，当然，也是为了每月那两块大洋，献出了自己的生命。他们中大多都很年轻，一捧黄土永远留在这片土地上，甚至，连墓碑都没有一块。

而中间有些幸运的，生存下来，在这里隐姓埋名度过余生。

但少有家里已经娶妻生子的，更少有孙辈辗转来到这里寻找先人魂魄的。

这段历史路与昂多少知道一些，但很少讲起，毕竟是在后方挖战壕的泥土人，不是上战场的大英雄，也不是做决策的大将军。

有时候和客人说起来，双方都尴尬，像是家史里的一桩不怎么光彩的往事。

"爷爷，您知道父亲后来去了哪里吗？"

老人回过头，拍拍路与昂的肩膀："小伙子，这是一个很长的故事。"

路与昂被夜风一吹，冷汗散去大半，刚才难忍的疼痛慢慢散开了。他看看表，船还有半个小时到岸。他对老人说："爷爷，如果你愿意讲，我也愿意听。"

老人突然间犹豫了，缓缓说道，"我父亲，是1920年到的法国，和他一起来的那一批人，大多数都没有能回去。一条船上拉走我们县里四十八个人，回来的有八个，说是我父亲还活着。我母亲和祖母就每天在家门口等啊等啊，可是等了三年，都还是没有看到他。又听人家说，既然没有回来，那有可能是当了叛徒了。我母亲就想着，既然他还活着，那或许是找了外国的小老婆了。她日日念叨着，他到底是死了，还是娶了小老婆了。无论如何，都不会是叛徒啊。一直到死，都还说着这句话。"

他又想了许久，才说，"我只是听说，他们华工的墓地，都在法国。我就是想来看看，有没有他的名字。因为，别的人回来，都拿了纪念章。我就想看看，他有没有纪念章。"

"哈，纪念章，爷爷，是纯金的吧，当年值了不少钱吧。"不知道什么时候，鸭舌帽小隆站在他们身后，正好听到最后一句话。

老人不再说话，静静看着波光粼粼的水面和渐渐亮起的霓虹灯。

路与昂厌恶地把小隆揪到一边，说："让爷爷一个人安静安静。"

小隆找了个座位坐下来，翘起一条腿一边晃着一边和路与昂说："天王，谢谢啊，弟弟多亏你今天赚了不少。不过你也该谢谢我，你看看你最后那个拼命的样子，要是你江湖上的口碑是靠命搏出来的，那你一年不上个几十方真是对不起自己了。"（一方是一万欧元）

路与昂并不回答他的话，看着前方问他："你是怎么干上导游这行的？"

小隆从兜里拿出烟，自己抽出一根递给路与昂，对方没有接，他就自顾自地点着抽起来。他冲着远方吐出一口烟，皱着眉头收起油腔滑调的口气。"咳，说起来和好多人都一样，还不是出来上学，学习不好总留级，然后又缺钱又没有好成绩办不了居留。就这么灰溜溜回国吧太丢人，就跟着懂行的哥们干起了导游。"他说着说着突然高兴起来，把烟头掐掉，踩在地下恶狠狠地说："干上这行才知道，他妈的每天背动词变位是干什么呢？每天练对话是干什么呢？当导游门槛低，会开车能认路会聊天，什么鬼怪都能干的活儿。好的时候一个月能赚别人半年工资，不好的时候就买张机票回国，或者开着车到处玩。居留办了自由职业者，手头也宽裕，每年回国都给爹妈买名牌，他们渐渐也就不提我上学毕不了业这事了。"

两个人沉默一阵，游船广播响起："大家右前方的建筑是荣军院，也称老残军人院。路易十四时期，国王下令，将那些用生命和鲜血来保卫他们君王的将士们安置到这里，让他们在安静祥和的环境中度过他们的余生。"船缓缓驶过巴洛克式的建筑，呢大衣老人在不远处的喃喃细语随风吹入他们耳中："让他们在安静祥和的环境中度过他们的余生。"他轻声重复着广播中的话。

路与昂伸手问小隆要了一根烟，急功近利的人见得多，本来是不屑于他们交谈。这个晚上，在喝了无数杯酒之后，他突然想和他聊几句。

"你说，我刚才为什么喝那么多酒？"路与昂问。

"还能为什么，嘿，当然是为了欧元呗。"小隆又瞬间恢复了油嘴滑舌的气质。

"刚才你没有看见，在我之前，下面那女孩已经陪他们喝过一轮了。她本来滴酒不沾，你说她又是为什么？"

"有钱大家赚呗。"小隆又总结道。

路与昂就着清冷的空气吐出烟圈："小子，我今天这几句话，放在平时是不会讲的，尤其是，不会和你这种人讲。但是今天，你听好了。"

小隆吓了一跳，不知道他要说什么，却被他严肃的语气震慑住了。

"我在导游这一行，零零总总算起来，快要十年了。"他停了一下，脑海中转过这十年间的情景如烟花般绽放，有时彻夜笙歌，有时心如死灰。像几千个飞驰在公路上的日子，有时阳光普照，有时乌云密布。

"这十年间，一起带过团的几百人，一起喝过酒的不好数。干得好的、混得差的都见过。做咱导游这一行，是门槛低，是收益高，是有时候被人讨好、有时候又被人看不起。说咱们是'导油子'。有的人嫉妒咱们巴不得旅游法改革，让咱们都饿死。但是，我渐渐悟出一个道理来。世界上多少行当，每一行的规则都不相同。

你要清楚地知道，咱们付出了时间、心血，用劳动来赚钱这和每一个认真工作的人都一样。说低了是投机取巧讨口饭吃，做好了也是给多少人打开世界的一张嘴、一双眼睛、一双手。小隆，你是叫小隆吗？"

鸭舌帽没有想到路与昂居然记得他的名字，点点头。

路与昂使劲拍拍小隆的肩膀："小隆你听我一句话，任何不起眼的或者太扎眼的职业，你做下来都应该有一种荣誉感，我是说职业荣誉感。没有人能够看不起你，你也不应该看低你自己。在你工作的时候，尤其是在你把这个工作带到一个高度的时候，这个高度就是说无论是赚了很多钱或者客人特别高兴这都算数，你就该为自己高兴。你就应该和自己说，小隆你挺棒的。你不只是为了混居留混日子才做这一行的。"

小隆一下子没有反应过来，他还在为路天王和他严肃谈话这一情况所震撼着。似懂非懂地晃着头，但他其实并没有听懂，也不知道这个人为什么和他讲这么一番大道理，他用自己一贯的语气应对着："哥，算了吧。我看你是今天酒喝过了，我脑子不好使，想不了那么多。咱是和各行各业一样，都是混口饭吃，混得好吃龙虾混得差喝菜汤，就这点儿区别而已。"

路与昂摇摇头，接着说："还是那个问题，你觉得我刚才拼出命去和他们喝酒，是为了什么？"

小隆笑了，他拍拍兜里装的钱。

"我知道，你肯定以为是为了钱。其实，不是这样的。"船即将靠岸，慢慢驶向码头。"你看到我带的这一团老人，这可能是他们这辈子唯一一次，也是最后一次来看看巴黎了。如果我刚才不冲上去和他们喝酒，这些爷爷奶奶就看不完塞纳河的夜景。"

小隆笑得更欢了："哥，虽然咱们资历浅，可是这也太糊弄人了，就你刚才，就你刚才喝得脸都绿了。你骗我说不是为了欧元，是为了那帮夕阳红玩得好？你格调高我承认，但这也太过分了吧。哥，说实话你是怕被投诉吧？我告诉你，投诉你也没关系，你赚的钱拿出十分之一来打点打点旅行社，一切烟消云散。"

同样的夜风从底层船舱拂过，惜阳已经在窗外站了一会儿。她心里扎了一根刺，是那年他在她心里种下的花，花开败了只剩下玫瑰的刺深深埋在那里。她一直在和自己争斗，要把这根刺连根拔起。她本是个冷漠且坚强的人，可这件事情无论怎么努力就是无法做到。刺拔不出来，只有越陷越深。

可能是喝了酒的缘故，她觉得被狠狠扎下去的伤口疼痛起来，疼得她喘不上气来，在这深夜的船舱，她双手环抱着自己想多一点暖。这时候有一只手从后面伸过来，递上一条披肩，犹豫地叫她："惜阳。"是小周。

小周不记得他们认识多久了。这些年一直在路上，时间空间的距离都要想很久才能算得清楚。他只记得认识路哥的时候他是个情绪多变的人，对他们一帮兄弟都好，但是又有威严，一句话说不对他就马上翻脸。大家尊敬他但是又怕，多少女导游、客人、旅行社调度、团餐馆服务生、免税店导购对他一见钟情。但是都怕他，不敢表白。也有胆子大的贴上去，马上被他当面拒绝。只好绿着一张脸来找他们这些身边的兄弟哭诉。

后来突然有一天，他下团回来，怀里抱着一个女孩。没有人看清楚那女孩的样子，他闪电一样冲进屋里把她藏起来。小周那天没在家，听同住的几个兄弟说路哥这两天大门都没有出，从早到晚躲在房间里进进出出，同住的有人关门声音大了一点儿，他就把人都赶出去。有人从门缝里看到他坐在床边痴痴地看着床上的女孩。小周想，这次路哥应该是动了心，他甚至求另外一个兄弟把女朋友找来，给女孩换了一件衣服。

后来事情的发展像路哥一贯雷厉风行的性格，他找了房子，和女孩住在了一起。

第一次去蔷薇园，小周才看清楚那女孩的长相。

他那时候的女朋友赵漫漫，长着一双标准的丹凤眼，她是一个刻薄的人，比如两个人逛街，她能几个小时把遇到的所有男男女女都评论一遍。比如遇到平胸，她就翻白眼说，呦，我还以为这是她后背长脸呢。比如遇到个子低的，坐地铁还买什么月票啊，直接从栏杆下面梗着脖子就过去了。比如遇到胸大的，难怪脸色那么难看，让胸部拽的脸皮，笑起来费劲。看见脸长的，就伸出自己的小短腿儿说，头比我腿还长呢。

她爱损人，还偏偏爱在别人面前说。她说这些话的时候配合凤眼一瞥，既刁蛮又风情。小周第一次看到就爱上了，但是也因为这样，在一起之后总吵架，平时也很少带她出门。

然而第一次路与昂邀请他们去蔷薇园做客，赵漫漫在门口问他，路天王的女朋友长什么样。他答不上来，漫漫一边敲门一边翻着丹凤眼："什么宝贝还藏着不给看，不过幸亏他现在有了女人，要不然呀，巴黎导游界都在传他是个GAY呢。"这时候门开了，门口站着一个穿黑色长裙的女孩。她嘴角只含着一丝笑，眼睛却清冷。身后白纱的窗帘飘起来，这别人眼中看到的一切都仿佛理所应当给她当做背景。穿着红蓝相间裙子的赵漫漫变成黑白，这世界都变成黑白，而穿着黑衣的她却闪现出耀眼的光芒。

　　路与昂从里面走出来招呼他们进屋。然而他们都看出来了，他的眼睛没有一秒钟离开这个女孩。他甚至不敢搂她的肩膀，像个初恋的中学生小心翼翼地牵着她的手。

　　一顿饭吃得非常开心，赵漫漫全程用欣赏的眼光看着那女孩。回家路上她说："诶，你说这两人要是生个孩子出来，得多好看。"小周点点头，那时候他们都莫名其妙地确定路哥和惜阳会结婚，生几个孩子。他们会白头偕老，他们将永不分离。

　　而她现在在夜风中紧紧抱着自己，颤抖着不出声音。他刚才站在后面，分明看到了两个人眼中对彼此的深情。路与昂是强压着不让人看到，而惜阳是深爱中含着恨意，像糖浆中加了一勺盐，甜的发苦，深情更加浓郁。

　　他把随身带的披肩递给她："惜阳。"他想和她聊几句，却也不知道从何说起。她接过来并没有看他，只是沙哑着嗓音说："小周，什么都别说了。"

无　措

清晨把夜晚所有的阴霾打散。

无论昨夜你是沉睡还是辗转难眠，是乌云密布还是满天星辰，日出的光芒像一张密不透风的幕布，把之前的底色遮挡，就像从未曾发生过一样。

正午的阳光照在西尼格布郎一个白底红边的牌子上，惜阳拿起话筒清清嗓子："不知道各位是否注意到路边这个牌子，这是法国的东边境。过了这里，我们就离开法国，到达了这次旅行的第二站，卢森堡大公国，这座位于欧洲西北部的国家是一座拥有诸多名胜的历史古都，它也是欧洲大陆上仅存的大公国了。"

"大公国是什么意思呢？"坐在第三排的李生饶有兴致地问。

"大公国是说，这个国家的元首不是总统，而是大公。有时候是女性掌权，就叫女大公。"

"那就是说大公的权利最高？那不好，不民主。"后排有一位老人说。

"嘿，咋不好。这不和以前咱们皇帝一样么，这咱可在报纸上看见过。其他特权就不说了，还有一个男人做梦都想得到的特权。"老牛一路上都在打盹，现在红着脸从第一排挺起身来，他午饭的时候自己又要了瓶酒喝。

小周开着车，路与昂一早消失了，说是中午再来和他们会合。

"叔，是啥啊？"小牛很配合地问。

"嘿嘿，叫初夜权。"惜阳厌恶地看着这个露出一口黄牙的黝黑男人。

她把目光移向后排，看到了昨天和她聊天的奇怪母女俩，母亲抿着嘴紧紧靠在座位上。女儿看向窗外，眉宇间有说不出的忧愁。她们在自己的世界里不被打扰，既没有听到她的讲解，也没有听到这一众人的嘈杂。

然而她们却没有被放过。

"叔，啥叫初夜权啊？"小牛又问。

"就比如说，老子我是大公，你是我儿子，这国家里的女人就随便你挑。"老牛越说越高兴，使劲拍着小牛的肩膀。"你想要谁，你想要谁？"他扭头看看这一车人，对上惜阳的眼睛，她没有瞪他，甚至连看都没有看他一眼。

可他还是被这女孩眼中的冷震了一下。赶紧扭过头去。

"你想要小艾不？想要给你用。"只有把这番胡话留给后排的母女俩。

小牛来了兴致："小艾，哎，小艾啊。要我叔是大公，就是皇帝嘞，你愿意不？你跟我吧。"他把手从座位缝隙伸过去想拉小艾，被旁边的李生拽回来。他兴致依然不减，在座位上扭着身体哼着不成调的歌。

李生真的不知道，小娟给他邮箱里发来的新闻是不是真得和望财集团有关系。

上面明确地写着西北某镇煤矿特大悬疑案，二十三名矿工无故失踪。后面巨大的感叹号震得他一阵头晕，他和老婆商量，你别瞎猜，或许不是说咱矿上的事情呢，西北多大，煤矿有多少。

老婆骂他，瞎了眼吗？第五行中间写的什么字？西北某市，盛产驴肉丸子！西北地方是多，可是有驴肉丸子的有多少？我还告诉你，你们出去已经快一个礼拜了，望财集团一直大门紧锁，咱家楼下看大门的王叔都不知道去向了。就你个傻子还在外面潇洒着，哪天警察找上门来，可就剩我一个人了。

李生又说，那，那你别瞎想，要真是老牛，警察还不早就跨国来抓我们了。

小娟儿呜咽着说，老牛的手段我知道，公司法人从头到尾就不是他，是他远房的小舅子。他小舅子听说这几天被抓起来，又放了，人家出来辟谣了，说是二十几个人都跟着你们去考察了。从镇上到市里估计还得好几天呢。

小娟说着呜呜哭起来，李生摸不清头脑了，他先让老婆回了娘家。

据说卢森堡酒店难定，他今天晚上和小牛一间，他想着趁机会套套他的话。但是又想到小牛的智商，他自己先泄了气。脑子里一团乱。

车停在佩特罗斯大峡谷，惜阳停下车招呼大家下来："这里就是卢森堡最著名的风景，宽百米深六十米的峡谷，这峡谷天然形成，以岩石做壁垒，用参天大树做屏障。历史上多少次战争，它都在炮火中历经洗礼，虽然规模没有我们的长城那样大，但是对于卢森堡这样一个小国来说，也是一夫当关万夫莫开的兵家必争之地。而现在，大峡谷成为卢森堡著名景点之一，也是新旧城区分界线。大家往后看，身后的楼群是中世纪古建筑。而对面尖顶的城堡却是恢宏的国家储蓄银行。"

她一气呵成地讲解完就让大家拍照。

这里小周来过多少次了，但卢森堡这样的小国家一般都是从法国到其他国家的过渡。他很少认真看看这里的景色，虽然现在已是隆冬，本应该郁郁葱葱的树林只剩苍白挺立的枝干。他不禁想到宇宙洪荒之年一道闪电劈下，把这城市中央劈下一道裂缝。

正想到这里，身后有人叫他。

一回头，是惜阳递过昨天借的围巾。已经洗过熨好了。

说是围巾，其实是一条很旧的黑色羊毛披肩。已经被用得起了毛球，看不出曾经昂贵的材质。

"怎么随身带着女孩用的围巾？"惜阳勉强挤出一个笑容，这是这几天小周看到她的第一个笑容。

"咳，旧的跟麻片布似的，还分什么男用女用。装在包里习惯了。"他摸摸头说。

"麻片布吗？"惜阳从围巾后面拉出一小条商标，她知道这牌子的金贵。

小周无话可说了，呵呵地笑着。

惜阳却没有笑，她看着眼前的大峡谷，默不作声地站了好久。身后的大巴停车站下来一批又一批的人，他们带的客人们也进了饭店。然而惜阳却不动声色，天气太冷，起了雾。像从谷底升腾出的轻烟，她向前走了几步，就站在峡谷边缘上。小周怕她再向前走，跟在她旁边一步不离开。

她的侧脸凛冽的容颜像冰雕的皇后。

突然，她从口袋里抓出一把东西，用力向前扔去，她大声地喊着，她声嘶力竭地喊出几个字："都滚蛋吧。"手里扔出的东西像一把冰雹，飘向峡谷底端。

她太过用力，喊出这一句话向前扑去，重心不稳地跪倒在地上。小周扑上去一把抓住她的胳膊，离心力使他也跌倒了。

惜阳跪在地上，重重地喘着气。

她的长发散落下来，荡在苍白的脸上。指缝中落下一两片，小周才看清楚那是一些白色的小药片。他不知道这是什么药，本能地把它们踩在脚下捻进泥土里。

他们就保持这个姿势停顿了好久，惜阳的气息慢慢平复下来，她站起来掸掉身上的土，拢拢头发轻声说："我昨天就看出来了，这是你那年送给漫漫的围巾。"

当赵漫漫还不是小周女朋友的时候,他是导游,她是刚到旅行社实习的调度。她爱上了他,那咋咋呼呼的性格见到谁都跟人家提:"我家小周。"

渐渐地身边开玩笑的声音多了,小周气不过跑到旅行社来找她理论。

赵漫漫听了原委,只轻轻巧巧地说:"今天是我生日,大傻瓜,你和寿星吵架是会触霉头的。"小周嘴拙,一番话就被憋回去了,他气得转身就走,走出门就看见了这家羊绒店。他在里面转来转去,直到掏光口袋里的钱,拿了一条天价的黑色披肩出门,才想明白自己为什么进去,又为什么买了一样这样贵的东西。

原来是想送给她的生日礼物,原来他心里早就已经有了她。

后来吵架和好再吵架再和好,最终那一次她走了。

他以为她会回来,然而四年了,她在旅行社当了主管。新来的小导游都要叫她漫漫姐,然而她却没有再向他低头。她每次吵架都要把他的东西还回来,却一直带着这条围巾。最后一次却连围巾都扔给他,想必是真得死了心了。

他带着这围巾走南闯北,扔在箱子的一个角落里。他以为是没有时间收拾,但是有一次被同屋当做废品扔掉,他知道以后大半夜冲下楼,在几十个垃圾箱里拼命地翻。找到以后抱着那条围巾坐在地上大笑,头埋在围巾里却落下几滴泪来。

这么多年,他都不愿意洗。那上面有被他嘲笑过的,她的劣质香水味。

惜阳对小周笑笑,又把手伸进口袋里,把里面剩下的药片掏出来,像玩投掷游戏一样一颗一颗扔出去。

"你忘不掉吧,谁又能放得下呢?这一路上,你看我和那个人。那年他走了,我才知道什么叫破碎。不是心碎,是你整个人就漏了,坍塌了,再也拼凑不起来了。我从那时候开始失眠,不是一夜一夜的,而是整月整年地合不上眼睛。晚上开着灯，我觉得天花板也碎了，变成一片一片向我砸下来。房间太大，看都看不到边。我害怕黑，害怕一个人又讨厌别人的声音。从那时候开始，我当上了导游。和一车人坐在一起，不管这些人是好是坏，时时刻刻跟着我，我就觉得安心。我就接那些不赚钱的，专门去小地方的深度游。这样在路上的时间长些，经常半夜赶到酒店，离天亮近一点儿。从那时候开始，我吃这种药，抗抑郁的，一开始吃得少，现在越吃越多但是作用却小了。每次来卢森堡，我都在这大峡谷前面坐一会儿。我听当地导游说，这是上帝给卢森堡的恩赐，一条深刻的缎带。可是我却觉得这是它的伤口，永远无法愈合的伤口。每次到这里来，我就觉得好一点儿。如果卢森堡是一个人，它带着这么大一条伤口生活了千万年，该有多么悲伤。那么我心里的伤口和他比起来小一些，即使无法痊愈也该在上面种些花草吧。"小周安静地听着，她沉浸在自己的世界里，看着远方。

"这些年我有许多问题，每时每刻都在想，如果再遇到他该从哪里问起。可是这几天，我突然什么都不想问了。我觉得一切都没有了意义。小周，我要结婚了。"小周心里一惊，虽然他们已经分开那么久，虽然他知道路与昂这次回来是一个永久的告别。然而在他心里，还像当年想着他们会白头偕老，他们将永不分离。虽然昨天在船上，已经听她说过了。但是从她嘴里再次明明白白地说出来，他还是感觉到幻灭，像是小孩子看到童话里的公主王子居然没有结婚，那种幻灭。

"和谁结婚？"小周知道这不关他的事，但还是忍不住问了。

"他叫程望，是我继父的学生，一个医学博士。结婚以后我们会移民加拿大，这或许也是我最后一次当导游，也是最后一次来卢森堡了。"惜阳回答。

"那他，那他对你好吗？"

"他对我很好。"惜阳淡淡地说。没有人能看透她眼中的深藏的忧伤。

昨天晚上，惜阳本来也可以回家住的，但游船之后太晚，她也累了，不想再应付母亲和继父或许还有程望的关心。程望不知道给她打了多少个电话，一开始她是没有听见，后来是不想说话。最后终于接通了，程望的声音已经几乎带着哭腔了："惜阳，你回家来，别带什么团了，你回来，再也别离开我。"惜阳觉得他语气奇怪，但也只是皱了一下眉头，还是轻声安慰他："只有几天了，没关系的，我很快就回去了。"

那边继续说："那群人，会欺负你的。你别听信他们的话。"惜阳已经有点儿烦了，听不懂他在说什么，匆匆挂了电话。

但是现在想起来，这也是一种在意的形式吧。

路与昂几乎一夜未眠，疼痛将他的夜晚切割地支离破碎。

怕吵醒小周，他没有开灯。坐在黑暗中，借着手机的一点儿亮光看地图。

七点不到，他轻轻敲响了乔爷爷的房间门，老人披着那件灰大衣出来了。路与昂轻声说，"爷爷，您穿好衣服，咱爷俩去个地方。"

乔爷爷没有多问，五分钟以后穿戴整齐出来了，他或许是感应到了什么，还带了一顶正式的黑色呢子礼帽。

汽车在高速路上行驶，司机是路与昂的朋友，三个人都没有说话，看着天从黑到亮。他们离开了巴黎，一路向北，海的方向驶去。一路荒凉，草树凋零，却映衬得天空更加明净。

三个小时以后，车停在一处空旷之地。

"到了。"路与昂走下车，从另外一边帮爷爷打开车门。乔爷爷看了看他，整理了一下领子，慢慢走下车来。

面前是一座淡黄色的围墙，有两根石柱隔开，黑色的铁门并没有关，也没有守门人。门口用法语写着，"CIMTIERE D'ASCQ"阿斯科墓园。

两个人一前一后走进去，近处是黑色灰色的墓碑，上面有亡者的照片，墓碑前放着鲜花、大大小小的纪念品。

天气寒冷，花篮上都挂着水珠。空中弥漫着雾气，使墓地更显得冷清苍凉。有一位老妇人，站在一座墓碑前喃喃说着什么。

墓地很大，再往后走，是一片统一的墓碑。一样的白色石墓，一样系着红白蓝三色丝带的花束，相同的大小、距离。一眼看不到头，虽然已是寒冬，但这些墓碑下面的草还是鲜绿的。

路与昂缓缓走近这片墓地，回头说，"乔爷爷，一战华工的墓地就在这里了。您父亲叫什么名字？"

乔爷爷一步一步缓慢地走向一块墓碑，蹲下来，仔仔细细看着上面的字，"李之睿，一九零一年生，一九二五年卒，虽死犹生。"上面用楷体镌刻着，石碑很新，像是刚立的一样，并没有人常来祭奠。

"父亲叫乔迎甲。"路与昂一个一个名字看过去，平静的天气，突然起了大风，乔爷爷的礼帽被风吹下来，路与昂去捡，快跑了几步终于拿到手里。再抬头，面前的墓碑上，就刻了这几个字，"乔迎甲，一八九八年生，一九二八年卒，仁厚友爱，忠诚谦虚。深切缅怀"

"在这里。"路与昂轻声说，声音已经足够大，乔爷爷站起身，大步向这边走来。他弯下腰，一个字一个字地看清楚，一条腿跪在地上，用指尖颤抖着抚摸冰冷的墓碑。一边喃喃自语着，"仁厚有爱，忠诚谦逊。仁厚有爱，忠诚谦逊。"

路与昂站在他身后，深吸了一口气说，"爷爷，您父亲也是英雄，他没有当叛徒。这墓碑上也没有其他的名字，他并没有再婚。"

老人把额头深深抵在墓碑上，双手撑在地上，捻着土壤。"他没有。"他喃喃说着。

这时候，天空飘起细雨。路与昂对着墓碑深深鞠了一躬，开车来的男人已经去刚开门的花店买了一束花。

乔爷爷站起身，拿出一块手帕来，仔仔细细把墓碑擦拭干净。把怒放的花束放在墓碑前面，几次想转身，又不舍得。

"我会经常来看看的。"路与昂看出了他的心思，说道。

乔爷爷点点头，也慢慢鞠了一躬，转身离开。

回程的路上又是一路无语，乔爷爷心里一生的许多片段，他以为自己都忘记了，又纷纷涌上来。他在心里对自己的母亲说，父亲是英雄，在法国墓园里被埋葬被纪念，这下，她可以放心了。

"小路，谢谢你。"乔爷爷看着路与昂说。

他轻轻摇摇头，这几天空落落的心里终于填满了一些。

一路飞车赶到卢森堡，惜阳正带着大家从饭店里走出来，路与昂走过去，招呼大家上车，惜阳清点人数，叮嘱大家不要忘记随身物品。两个人配合得很好，却谁都没有一句多余的话，也没有人问他上午去了哪里。整个下午都是游览，市里堵车，路与昂慢慢地开着，小周到后边睡觉，其实是想把副驾驶的位置让给惜阳。

她就坐下来，在路与昂后面很近的地方，还在加油站接了一杯热水放在操纵杆旁边。

只是她的目光，是淡淡地看向窗外，再没有瞥向驾驶座一眼。

卢森堡的酒店的确难预定，格拉斯路在公墓与国道中间，酒店门口标了四星级，房间却非常窄小。

路与昂看了一眼分房名单，走到前台理论了一番。接着喊着名字一一分配房间，最后剩下小艾母女和惜阳。他把三把钥匙放在小艾的箱子上就和小周一起上楼了。

她们三人分到一个总统套间，母女俩睡大床，惜阳有独自的一小间。惜阳知道，这一间是这小酒店里最好的房间了，一般不出租，要留给没有预定的贵宾。

惜阳坐在镜子前面卸妆，拿出行程单来又看了一次，她是知道这次行程的配置的，没有预算订这么好的房间。

其实她也看到了，路与昂从自己钱包里拿出钱来订了这个套间。

她今天够累的，老牛那几个客人晚上又自己出去喝酒，拉着路与昂给他们开车。他本来可以拒绝，又怕晚上市区太乱，他们惹出是非来。其他人在中央公园听露天音乐会，大家兴致很高一直到十一点多才结束。

惜阳睡得并不踏实，做了很多梦。梦到爸爸拉着她的手走在厂区小卖部门口，从口袋里拿出钱给她买一块糖，笑呵呵地看着她。她想松开手剥糖纸，爸爸的手却不愿放开。他的笑容慢慢消失，难过地说："小惜你不幸福，爸爸撒不开手啊。"

她想说，爸爸我会幸福的，程望对我很好。可是却看到路与昂倚在远处的树上望着她，这句话就怎么也说不出口了。已成年的他看着幼小的她，眼神中已满是忧伤。

梦中的他是一个伐木人，砰砰地砍着木头。即使在梦里，惜阳也觉得这场景奇怪，但是伐木的声音越来越大，天黑下来，还伴随着野兽们远远的哀嚎。

她知道这是梦，却怎么也挣脱不开。

突然，梦醒了，她腾地坐起来。想了一会儿才看清楚是在酒店的房间里，月光从丝绒窗帘的缝隙中照进来，身边是世界各地都一模一样的摆设。

她松了一口气，然而砰砰的声音和野兽的低嚎却没有停止。

她的心又提上来，仔细听才发现声音来自外间。那里睡着小艾母女俩。

看了看时间，原来才不过凌晨两点。她披上睡衣打开房间，砰砰的声音是从大门传来的，头发花白的老妇人一边用力拍着门一边嘶哑地喊着："小艾，小艾。"

惜阳走到她身后说："阿姨，你是叫小艾吗？她出去了？"

老妇人闻声扑到她身上，抓着她的衣服叫着："小艾，被他们叫走了。他们把她叫走了。"一边说一边用头使劲撞，惜阳被她撞得很疼。也马上理出头绪来，小艾被老牛叫走到现在还没有回来，她的妈妈不会开酒店的门，她拍门想要出去。

惜阳一只手扶住老妇人，另一只手轻轻抚着她的背。"阿姨，阿姨您别着急，我这就去找她，不会有什么事的。"

老妇人惊恐地看着她，点点头，惜阳开门出去了。

站在酒店的走廊里，她才想到并不知道老牛的房间号码。她没有任何犹豫就走向最里面的房间敲门，这是路与昂多年以来的习惯。他总是给自己两面有窗户的一间。

小周睡眼迷蒙地来开门，看到是她："惜阳，怎么了？"房间里虽然黑暗，她还是看到路与昂闻声猛地坐起来。

"分房名单给我。"她顾不上解释，小周拿给她。

她飞速扫了一眼，老牛在楼上一层，三楼326房间。

昏暗的灯光下，标着326的房间正对着楼梯口。惜阳在门口听了听，尽管有厚厚的隔音门，她还是听到里面传来小牛变调的叫声。

她心里一惊，不祥的预感使她的手心瞬间渗出冷汗。

她使劲敲门，里面却安静下来，像什么都没有发生。惜阳手脚并用又敲又踢，喊着："快开门，要不然我报警了。"

过了好一会儿门才开。门口露出老黄的半张脸，厌恶地问她："这么晚了干什么？"

他好像是刚从睡梦中被惊醒。但是，一直戴着的那副墨镜却并没有摘。

"谁在里面？"惜阳毫不客气地问。

"就我一个人，哦，不，我和我们团的李生。就那个瘦高个。"

里面静悄悄的，像每一间凌晨两点的房间。小牛的叫声突然消失了。

惜阳顾不得那么多，猛地撞开门冲进去。老黄没有想到她有那么大的力气，还没有反应过来，惜阳已经啪地按响顶灯开关，明亮的房间展示在她面前一览无余。

房间里的两张单人床被拖到中间拼成一张，被褥零乱地扔在地上，显示着不久前刚发生过的一场混战。床上坐着两个男人，小牛裸着上身露出一身黝黑的肉，他脸上有一道抓痕渗着血。老牛用一个奇怪的姿势压在一床被子上面，一边想坐起来一边冲着惜阳嚎叫着："滚出去，这是我们的房间，你他妈是谁半夜三更进来，滚出去。"被子下面传来呜呜的声音，有一团物体拼命扭动着。

惜阳马上就明白了被子下面是什么，她拼命冲过去推开老牛，被子掀开一个角，一个女孩蜷着身子躺在里面。她乌黑的长发凌乱地散了一身，苍白的身体和脸庞像是被闪电劈开的云朵。虽然她身上没有血迹，但是却遍布无法愈合的尖利伤痕。她用力闭着眼睛。又因为太过用力而全身抑制不住地颤抖。

惜阳走到床前，叫了一声："小艾。"没有回应，女孩半张着嘴，却不再发出声音。只是死死抱着被子，惜阳才看清楚她的衣服被扔在地上。

突然间，惜阳感觉双脚腾空，被人从后面架起来，完全不受自己控制地往门口移动。小牛从床上站起来，拍着手掌笑着大叫："黄叔大力士，黄叔大力士。"老黄架着惜阳的两个胳膊，一嘴酒气地说："要是在平旺镇，我小牛侄子就是你今天讲的那什么大公，大公的儿子皇太子。他想要哪家的闺女就是哪家的福气，你多管什么闲事。"快走到门口的时候，身后响起老牛的声音："把她扔过来，既然多管闲事就管到头。平旺镇的媳妇，老子也尝尝这初夜权。"

老黄把她扔到地上，还犹豫着问了一句："这行么？那小子不会和咱们翻脸吧？"

惜阳脑子里一片混乱，奇怪的是，居然在这中间，平旺镇三个字像三个钉子，被敲进她脑子里，她觉得这个地名好像听谁说起过。

"什么行不行的，她们这些当导游的女的有几个守规矩的？老子玩完了给钱。"老牛不屑一顾地说。

惜阳右边肩膀着地，一阵剧痛："你们要干什么？让我和小艾出去，你们现在喝醉了酒，等你们酒醒了后悔一辈子。"她大声说着，但看着渐渐逼近的人影，心咚地一下掉入深不见底的黑暗。

老牛走过来一把从中间拉开她的外套。惜阳用可以动的一只手紧紧抱着自己，双脚使劲踢，老牛的双手却像钳子一样伸过来。一只手正好按在她被摔伤的肩膀上，她疼得眼前一黑，衬衣在这时候被撕开。她只穿着黑色内衣的身体暴露在三个男人血红的眼睛里。她被死死压着双手，绝望地闭上眼睛。

突然一个声音从床上传来："你们，你们放开惜阳。你们过来吧。她，她就要结婚了，她是个好人。你们别碰她。"这声音一开始还颤抖着，后面却咬牙切齿地坚定起来。这是小艾的声音，那个拿着一片鱼子酱面包轻轻巧巧笑着说："妈，你尝一片，挺好吃的。"那个声音此刻变得沙哑苍老。

她从床上坐起来，小牛马上扑过去说："小艾，亲一个啊亲一个。回去以后你就跟了我吧，我能疼你，你的那个什么哥，他再也不会回来啦。"小艾闭上眼睛扭过头去。

"小艾，小艾你别乱说。我现在就去报警，叫警察来，你们谁敢碰小艾一下我就杀了你们。"惜阳狂叫着，希望能被隔壁的人听到。她的嘴却被捂住了，她挣扎着无法呼吸，一只潮湿的手在她身上摩挲着。她徒劳地扭动着身体，却因为缺氧而意识渐渐模糊。

她脑海里浮现出一张脸庞，深情地看着她。这张脸越来越远，时间突然变得很慢，她自知是幻觉，却还是在心里温柔而惆怅地轻声说，亲爱的，再见了。

门砰地一声打开，她脑海里的脸出现在门口。

压着惜阳的铁钳一样的手松开，老牛被抓起来推到墙上，路与昂扑向他挥拳打过去。拳头密集地落在他头上、胸口、脸上。

他看到惜阳来拿分房名单之后就跟在她后面，他一直等在走廊里，他从东走到西又走回来。一共迈了一百步，等了一百秒已经不能说服自己再等下去了。

他回房间把小周从床上拉起来，又去前台要了房卡就疯了一样冲上三楼。他心里有不祥的预感，这些年每当他心跳过速的时候都马上想到她，又努力不去想她。

小周搬起一个桌子把房间门顶住才过去拉开路与昂，房门朝走廊敞开着，陆续听到别的房间有开门声，走廊里有人经过故意朝里看一眼。

有几个黑衣人，步伐一致地向这边走来。

路与昂此刻似一头被困在红布中间的斗牛，双眼红得像连城火焰。小周这强壮的少年也拉不住他，他再次扑向牛望财狠狠打过去。

"哥，快住手。你再打出人命了。"小周在后面叫着。

路与昂已经听不到他讲话了，从他刚才进门看到躺在地上的惜阳和在他身上笑得像一团破布的男人双耳就都是嗡嗡地巨响，再也听不到任何声音。

老牛刚才还喊叫着，慢慢就没了声音。任凭他打也再不还手，靠着墙往下滑。

"他碰了惜阳，他居然碰了惜阳。"一个声音在路与昂心里响起。

"路与昂，你住手。"他脑中的巨大鸣响随着这句话戛然而止。余光中他看到惜阳站起来，这是这些年来，她第一次叫他的名字。

他停下来扭头看她。

她盯着他的眼睛，一步一步走过去。

走到离他很近的地方。他从来没有见过这样的神情出现在她脸上，或者任何人脸上。她是微笑着的，那种绝望而轻蔑的笑容。是承担了很深的苦难，消融在血液里却知道有生之年也无力释怀，那种苍白的恨与绝望。

在她被放开的时候，本来已经扣上衬衣，抓起外套披在身上了。

而此刻，她一步一步缓慢而坚定地走向路与昂。几步路仿佛走了很久很久。她一边走，一边把身上的衣服脱掉。她把白色外套再次扔掉，踩在上面继续走过来。衬衣的扣子已经掉了几颗，剩下的被她一把扯下来，从她肩膀滑落。

离开家那一年她多大？14 还是 15 岁，来到这陌生的国度，不会讲一句法语，没有一个朋友。唯一的亲人是母亲，为她提供优渥的生活，每天早晨外国人一样的亲吻脸颊。然而每当这时候，她就在心里皱皱眉头，渐渐她明白这是嫌弃，这说明她并不爱这个人。

每天走出家门，面对和她完全不同长相也无法沟通的族群，她心里的恐惧像夜晚的天空一片漆黑又没有边际。她把这恐惧只在电话里讲给父亲听，有一次讲着讲着就哽咽起来。

父亲沉默了一会儿，和她说："小惜你知道吗？越是害怕的时候你越是不能哭，你要和自己说微笑。你越不把心里的事情给别人看出来，别人越不能伤害你，所以你要笑。"

她听了这话就总是微笑，而每一次笑着的时候心里是结了冰，她笑容越来越多，冰霜也就越来越厚，把她封在里面。

母亲觉得她一夜之间不再倔强，开心地和每个人说："我们惜阳啊，一下子就长大了。还不都是她爸爸教得好，就是啊，教的出博士的人怎么能教不好自己的女儿呢。"

她说的这个爸爸是继父。

然而后来，她的生命中遇到那样的一个深夜，她从自己房间的二楼窗户跳下来，跳进一个男人坚实的怀抱。

满天的星光，身边万籁俱静。他看着她也不说一句话，眼中是深不见底的感动，像彼此轮回千年终于寻到了隔山隔海的那个人。她厚重的冰霜就在他眼中瞬间融化了，她失去了盔甲，用初生般柔嫩细致的心对待他，也接受他如玫瑰花瓣的馥郁宠爱。

谁知道，后来发生了那样的事情。

一夜之间，花瓣落地，她被硬生生扔进荆棘丛中。其实，有盔甲的原本的她怎么会怕伤害呢？只是那时候，他已经卸掉了她的武装，她随即满身伤痕。

毕竟经过了这样长的时间，她以为伤口早就愈合。然而此时此刻，在深夜的卢森堡。她衣不蔽体地一步一步走向他，她终于叫出他的名字："路与昂。"

她走向他，没有一点儿狼狈。

只是她深深地觉得痛，凌迟般浑身上下每一寸肌肤被割伤的剧痛。她知道，他给的伤痕根本没有痊愈，再也好不了了。她一边走一边扯下自己的衣服，随着她的每一个动作，她看到路与昂的表情凝固了，他松开老牛的领子。双手猛地握紧，又渐渐无力地垂下来。

他一路对她恶狠狠的忽视，她却以这样决绝的方式撞开他感情的闸门。

她要看看，他是不是真的不在乎。

他是第一个见过她身体的男人。

在蔷薇园的第三天，她百合花一样洁白清香的身体展现在他眼前。

她天然微卷的长发散落在曲线优美的肩膀上。橙色的灯光在她身后亮着，她像和这房间相衬的一副精致油画，肌肤是天然玉石一样的通透，身体似镶了金边。

他早已经不是未经世事的少年，却在这一刻红了眼眶。只感觉多少年来岁月给的苦都无比值得，他在这一刻得到奖励。

"你确定吗？"他沙哑着嗓子问。她不答话，微笑着双手蒙脸，又从指缝中偷偷看他。

他紧张地去拉她的手："小惜，你要是还没想好，我可以等。等多久都行。"

那时候她就是这样，拉着他的手放在自己肩膀上，带着他慢慢向下滑。

"我愿意。"她微笑着说。他的手指触碰到柔软的肌肤，由她带着他的手在身上游走。大脑中一片火热继而全然空白。只有一个坚定的念头，他要对她好。他路与昂一辈子要竭尽全力保护眼前的这个女孩。

那一夜他使她变成女人，他的女人。

他是第一个，见过她身体的男人。也是唯一的一个。

也是第二天清晨，他拽下脖子里的项链。那是一小块黑色的石头："是墨玉吗？"惜阳问他。

他笑着拉过她的手指，让她摸。并不是玉，而是一小块矿石，已经被身体磨圆了棱角，变得光洁。"给你。"路与昂说着，小心地给惜阳带上。

"再也不摘下来了。"惜阳说着，把一直带着的银戒指塞进路与昂手里。他点了打火机，把两根红绳都烧成死结。

"嗯，再也不摘下来。"他宠溺地看着她说。

时间空间错了位，她重复着五年前那个晚上的动作，被抓着的手却不是从前那一只。她的身体依然洁白，但温润的玉却变成了坚硬的石头，她高昂着头像一个要上刑场的英雄。她轻蔑地看着惊呆了的老牛一伙人，目光又转回去，嘴角噙着冰冷的笑。

路与昂清楚地明白她想要说什么。她要把自己一钱不值地展现在这些肮脏的眼睛前面。她一件一件毫不留情地把身上的衣服撕下来，时间静止了，路与昂听到很远处传来的声音，那是一种灵魂的拷问。

那一夜，他们终于相拥而眠。他紧紧搂着怀中清香的女孩，第一次她像世间所有孤注一掷因为太爱而失去了安全感的女孩一样，有点儿不好意思地问他："路，你会爱我吗？你会爱我一生一世吗？"

"会，一生一世，这辈子，下辈子，下下辈子。"

"你说的永远呢？你答应我的，永远呢？"他灵魂中传来的声音震耳欲聋。

而此时此刻，她走到瘫坐在地上的老牛面前，拿起他的一只手放在自己肩膀上。"你不是要看吗？你不是要摸吗？那你看个够吧。"她抓着那只黝黑的手，浑身已经疼得麻木，从肩膀慢慢往下滑。

他多么想冲过去，把这个悲伤的女孩拥入怀中。告诉她，他路与昂绝不会负了当时的约定。许她的生生世世都还在。然而胃部时松时紧的尖利疼痛却提醒着他，如果这样做，他将把最爱的人推入万劫不复的深渊。

他强忍着正要扭过头去，却看到她的手放在内衣肩带上，就要一把扯下来。

他再也控制不住自己，猛冲过去抱住她，顺势脱下外套紧紧裹在她身上。他的体温暖了她的身体，可她还是在他怀中止不住地颤抖，又狠狠地推开他："路与昂，你滚开。这个老混蛋没有说错，我就是随便的女人。随便让人看，随便让人摸。你滚开，你给我滚得远远的。"

她颤抖得像一片即将被吹落的花瓣，他紧紧抱着她不愿意松开手。而此刻，他闻到她身上熟悉的清香，他看到她脖子上还挂着的，那个链子，红绳已经褪成了白色，可石头还是那一小块。

他的悲伤比佩特罗斯大峡谷还要深。

一屋子的人都愣着，老牛呻吟着躺在地上。

小艾第一个清醒过来，她从床上爬起来，穿好自己的衣服走过来抱住惜阳的肩膀。路与昂松开手，惜阳被小艾带着走出去。

从三楼到二楼自己的房间，走廊的灯坏了，她们在黑暗中互相搀扶着走回房间，一句话也没有说。刚打开门，小艾的妈妈就疯了一样扑过来。她抓着小艾的衣服上下打量，使劲摸着她的头发、脸颊。小艾扶着她轻声安慰："妈，没事啊，我就是去楼上坐坐。没了。"

老妇人却不相信，继续上上下下仔细看着她。用粗糙的手一寸一寸抚平她的衣服，手指插在她头发里用力理顺。突然她大哭起来，眼泪洪水般一股一股从她灰暗的眼睛里涌出来，冲进皮肤的沟壑。

"妈，没事儿啊，您别哭呀，我不是好好的吗？"小艾急忙给她擦眼泪。

老妇人却哭得更厉害了，她推开小艾冲进房间里，找出一个随身的书包。她把书包倒提过来，里面的东西全都掉了出来。

"妈，你干什么呀？"小艾问着就要蹲下捡。

老妇人却看准一样东西狠狠踩下去，一边踩一边哭着说："我儿啊，你不认我这个妈可以，但是我小艾这样好的姑娘，你怎么忍心几年都不给她个信儿呢？你怎么这么狠心啊。"小艾听着愣住了，然后就伤心地哭起来。她哭着抱住坐在地上的老妇人。老人还是不住地一边踩着一边说："我可怜的媳妇啊，咱老程家欠了你太多了。"

惜阳站在一边不知道说什么，一夜未眠又经过刚才的一场，她已经像整个人封了蜡，就要晕过去了，听什么看什么都是模模糊糊。

在老妇人抬脚的间隙里，她隐约看见那是一张照片。看不清楚上面的人，轮廓却有些熟悉。

这注定是一个不眠的夜晚。

惜阳睡不着，洗过澡以后走到楼道里看月亮。她记得第一次当导游的那一年，有一次司机开错了路，都是假日酒店，却从慕尼黑的城东错看成城西，又正好遇到交通管制。一路辗转到了酒店已经是凌晨两点钟了，客人又累又气，在车上齐声骂她。难听的话脏水一样泼过来，她那时哪里经历过这样的场面。忍着不出声直到安顿所有人住下来，她才觉得难过。

那酒店有长长的罗马式阶梯。她走出来，坐在阶梯上抬头看。那天是满月，天气很好。月亮就在头顶洒下温柔的光，她拨通了一个电话号码，那边响了几声然后掉进留言信箱。一个老人用法语说，这是 JEAN-PIERRE 的电话，请留言。

她先是错愕，然后就痛哭起来。那是早就打不通的，路与昂从前的号码。

她在梦里也背得出这个号码，自从他消失以后，那边永远是单调的女声提示，您拨打的用户已关机。

可她还是千万次地拨号，有时候只为了听听语音提示，也会觉得心里好受一些。

现在这个号码停用太久，已经被卖给其他不相干的人了。她只想用手指按下这几个数字，现在，连这样一点汲取温暖的权利都没有了。

她再也不能拨他的号码了。

找到他的线索，又丢了一条。

她不知道自己哭了多久，哭过之后又打起精神。毕竟，她走上这条辛苦的道路就是为了寻找他。在每个国家的教堂里、广场上、大车停放处、导游登记点落下痕迹。如果有一天，他回来。他知道去哪里找到她。

这个晚上，她不再需要寻找了。他就在对面的房间里，说不定早已入睡。

惜阳打开楼道的窗子，肩膀还是疼痛刺骨，她点燃一根烟。

突然，对面的房间门开了。就着灯光看到小周一边穿外套一边慌慌张张跑出来。他没有看到站在窗户旁边的惜阳，进了另外一边的电梯。

他去干什么呢？惜阳太累了，她不愿意再思考。

只是狠狠吸了一口烟，在袅袅烟雾中让自己平静下来。

可是她仿佛产生了幻觉，听到某个房间传来呻吟声。她仔细听了听，跟着声音走到了路与昂和小周住的这一间。

小周走得急，匆匆把门带上，居然没有自动上锁，而是弹开了一条缝隙。

无

措

低低的呻吟声就是从这里传来的。

惜阳掐灭烟，推门进去。

她站在门口不知道该不该往前走，双手冰冷地她不知道发生了什么事情。路与昂不住发出痛苦的声音："呃……"，他闷声呻吟着。

惜阳不由自主地打开床头灯，走过去看他。

多年以来的第一次，她仔细看他的脸。他没有变，只是更瘦了。脸颊岩石一般的棱角分明，浓密的眉毛皱成一团，眉心的皱纹像被岁月的刀狠狠砍过。她想要抹平这痕迹，手伸在半空中又停下来。

房间里窗户半开着，冷风一阵阵吹进来。他额头上却遍布汗水，他紧闭着眼睛压住喉头的喊叫。她看得出来他有多痛苦。

这表情她见过，初见面他送她回家。在路上突然胃疼，就这样一头撞在方向盘上昏迷过去。在救护车上，他一路就是这样。他把嘴唇咬破，护士怕他伤口太深走过来说，你疼吗？要是疼你就喊出来好一些。

那时候他已经半昏迷听不到人说话，可就是惜阳把手放进他手心的一刹那。他的表情突然柔和下来，然后像个受了委屈的小男孩瘪瘪嘴说："疼。"眼角落下泪来。

他们那时候不过是陌路相逢，他却紧紧握着她的手再也不愿意放开了。

现在，他双手捂着胃部。惜阳看着他，这个白天对她冷眼相对的男人，这个把她推向万劫不复的男人。她想要转头走开，却怎么也迈不开腿。只站得远一点儿，用只有自己能听到的声音说："路，你哪里疼？很疼吗？"他不回答。她犹豫地伸出手，想帮他擦擦汗，指尖刚刚触碰到他的额角就被一把抓住。惜阳猛地捂住嘴，不让自己叫出来。

床上的男人那么用力，把她握的很疼。拉着她的手放在他疼痛的位置，那里火烧一样炽热。她手心冰凉，眼前的男人渐渐安静下来了。

他依然紧闭着双眼，呼吸沉静。惜阳确定他已经入睡，才借着月光仔细看看他的脸。她那样想念他，却记不得有他的任何一个梦。他每一次在她梦中都是一个背影，有一次她努力抓住他问："路，你为什么扔下我呢？你到哪里去了呢？"他却甩掉她，头也不回地走了。

他的脸原来是这样的。她怎么会不记得又怎么会觉得陌生呢?

后来有了程望,他总是帮她收拾房间。她觉得在这个房间里怀念旧人不好,梦里就没有了。只是在很多破碎的时间,在超市等待结账的间隙、在地铁里靠着车窗睡着的时候。路与昂都毫无征兆地走进来,看看她又马上离开。

她从这些零散的梦境中醒来,难过像一把刀直直地刺进来。

他从前总是盯着她看,她做功课伏在桌上写字的时候、她仔细切菜削水果的时候,在她熟睡的夜晚和蒙眬醒来的清晨,他都目不转睛地盯着她,然后傻傻地笑。

"你看什么?"她问他。

"看我媳妇。"他拍着胸脯说。

"你媳妇有什么好看的呀?"她撅起嘴问。

"就是因为好看,太好看了我才总看。"他说着就把她拦腰抱起直接扔到床上,她笑着挣扎,他就按着她的额头使劲看,看着看着就亲过去。

那又是多久以前的事了。

惜阳想,这应该是最后一次凝视他的机会。她颤抖着手指,轻轻抚摸着他的头发、眼睑、脸颊、嘴唇。再往下看到他脖子里挂着一个一闪一闪的物体。

"小惜。小惜,对不起。"路与昂突然轻轻说出这句话。惜阳猛地抽出手来,才发现他说完又睡过去,才知道是梦话。

她仔细看他脖子里闪耀的物体,那是一枚银戒指。早已经被磨得光滑的老银子,上面镶嵌着红色的、蓝色的宝石,中间镶了一枚钻。这是世界上独一无二的银戒指,路与昂向荷兰钻石厂的老技师们求了很久,他们才肯小心翼翼地在这不够坚硬的材质上镶嵌。中间一颗钻是天然形成的心形钻石,路与昂用去了几年的积蓄。那是惜阳多年的护身符,离家那年爸爸亲手给她戴上、奶奶传下来的戒指。

她忍了那么久，在被老牛撕掉衣服的时候、在被路与昂在众人面前讥讽的时候，她都忍着没有哭。她已经变成一个那样坚强的人，却在这一刻看到他脖子上的戒指再也忍不住。泪水夺眶而出，止也止不住，无声地掉落在路与昂身上。

小周拎着一袋药跑回来，才发现房间里规律的鼻息代替了忽高忽低的呻吟。

借着月光他看到一个女孩消瘦的背影坐在床边，惜阳听到响声回过头来，她满脸泪水。她把右手食指放在嘴唇边，示意小周不要出声。

"他睡着了。"她做着口型说。看着床上熟睡的男子，像守着失而复得的传世珍宝。她仔细地端详着他，连呼吸都尽量放轻，他醒来后或许他们再没有这平静相处的时刻。

她依依不舍地把手从他紧握的手中抽出来，关上门走出去。

她又点燃一根烟，深深吸了一口。一只手抱在胸前，外套松松地披在肩上。

"说吧。"她说。

小周不出声。

她一字一顿地说："你知道我就要结婚了，我会离开法国再也不回来。我和路与昂，和你，说不定都是最后一次见面了。你就当我是个判了死刑的人，临刑之前总要知道犯了什么罪吧。"她一边说着一边大口吸着指间的香烟却没有吐出烟雾，然后剧烈地咳嗽。

这时候，楼梯口突然响起脚步声。小周和惜阳一起回头，发现是刚才在门口的几个黑衣人，一模一样的制服上，写着"四海一家"四个大字，就像是这一路，他们见到的很多人一样。

领头的走过来，拍拍小周肩膀说："路天王那么倔？只要一句话，我们几个兄弟该报警的报警，该抓人的抓人。用不了五分钟就把他们制服了，以后别想踏进欧洲一步。他偏偏要自己出手。他还是老派，咱们以后，不就是有组织的人了吗？"

小周偏过头去，冷冷地说："路哥和我都还没有签合同，还不算组织里的人，用不上你们帮忙。"

领头的男人冷笑一声："用不上？那你刚才别让我懂德语的兄弟给你带路去买药啊？这是什么止疼药？你们的路天王得了什么病？是不是胃癌啊？还能活多久呢？"

闪电把晴朗的天空劈开一道裂缝，星星和月亮都找不见了，天空像一片泼了墨的铁板，漆黑没有一点亮光。

惜阳猛地回头看小周，小周扑上去一个拳头打在黑衣人胸口。"你闭嘴。"

黑衣人倒退两步，后面几个人走上来，一只手都背在后面。小周还要冲上去继续打，惜阳死死拉住他，"小周，别打了，他们有武器。"她又回头对黑衣人们说："你们走吧。"

领头的捂着胸口，对后面的人使了个手势，他们后退着走向电梯口。

小周喘着粗气，无措地看着惜阳。惜阳拉着他的手，慢慢无力地放下来，盯着他的眼睛，一字一句地问："他得了什么病？"

小周低下头。"你告诉我，是真的吗？"

过了很久，小周才咬着嘴唇一字一句地说："医生允许他来走这一趟，给了很多止疼药。这几天他喝酒太猛，每天回到房间就一大把一大把地吃药。今天又陪那几个人喝了不少，回到房间刚睡下又闹出刚才那么多事情。他勉强撑着走回来就一直吐血，我本来想叫救护车的。你知道，即使这个团没有他咱们两人合作也能带下来，可是他不让，只让我出去买点药来。他不想让你看到这狼狈的样子。"

小周的话像一把尖刀，一下一下深深扎进惜阳心里。她痛得弯下身体，抱住自己。

而小周说了一半就停下来了，这个大男孩把哽咽压在喉咙里。

做导游这一行千山万水走过，见过一面的人就能拍着肩膀称兄道弟，认识多久却也能够因为一句话从此陌路。从开始一份工作就提着一颗心，被侮辱、被误解、被嘲笑、被轻蔑；也有的时候被赞扬、被感激、被问候、被思念。

某些人一辈子才经历过的风浪和情感，对于他们都浓缩在几天几夜中。

写在行程单上是一页纸，标记在日历上是几个圈。渐渐地，他们都学会了把感情不要铺成一丈绸缎，而是凝结成一颗一颗种子，有的在心里发芽有的逐渐干枯。然而喜怒哀乐都不展现出来给人看，只有自己体会。

小周没有说完的话她却早就明白了，她大脑一片空白。五年前他的不告而别像一堵墙横在两个人之间。他如果不解释，她是无论如何也跨不过去的。她等他解释，等到自己要结婚了，她以为这就是个了结，没有想到，比生离更残忍的，说不定，还有死别。

烟抽完了，一直烧到指尖才被掐灭。

"那么，小周我问你，五年前，他为什么离开我？"惜阳扭头盯着小周，她那个坚强的面具碎掉就再也拼不起来了，她漾着眼中一汪泪水颤抖着问。

小周不敢看她，只是低下头使劲摇了摇。"我不知道。"

"真的吗？那时候他在法国，最信任的人就是你。"还有一句话没有说出口，路与昂不止一次地说过，当他们结婚的时候要小周来做男方证婚人。惜阳就顺口说，那么她这一方的证婚人要漫漫来当。希望他们那时候也顺便一起举行婚礼。

他没有说"如果"，那时候他们都买了婚纱，他是那样确定会娶她。

"那件事情，我知道的不多，惜阳你相信路哥是不情愿的吗？"

惜阳没有回答，她在心里冷笑着。那天城市的夜晚变成了愤怒人群的海洋，人们手举着标语、条幅，挽着手臂高喊口号。他们还无法平复巨大的恐惧，脚步踉跄着一起涌向中央广场。她满城寻找着他的踪影，她呼喊着被人群淹没、撞倒。最终撕裂般的疼痛使她失去了意识，将她推向一片红色的海洋。

惜阳闭上眼睛，感觉到一阵眩晕。就像五年前，那个夜晚。

丁薄言

夜晚的巴黎依然热情如火。

丁薄言下楼喝水，经过客厅的镜子，她清楚地看到了自己。

卷得很细致的半长发有几缕垂下来，脸上有些皱纹是年轻时候就有了，现在更深是很难去掉了。但好在肤色还均匀，那些昂贵的化妆品不是没有道理的。

她穿着白色的真丝睡衣，衣服下摆和宽大的袖口都缀了柔软的蕾丝花边。布料贴着身体勾勒出还算清晰的曲线。她轻轻叹了一口气，爱怜地摩挲着睡衣，也轻轻滑过自己的身体。

她已经 56 岁了，在这个年纪来说，她认为自己保养得相当不错了。但却没有人来比较，她没什么朋友，觉得白人黑人本就显老，季鸿离做到医学院的教授，这个阶层的太太又很少有亚洲女士了。

她看着看着就想到亚塘市厂区里的人来了，突然想起有人和她说过："我今年都 56 岁了。"这应该是一个清晰的参照物，她使劲想了想才回忆起是唐婶这样说过的。她不禁使劲撇撇嘴。

唐婶是个胖妇人，从她记事开始就是一团穿着深蓝布衣服的老女人了。她齐耳短发有时候短的吓人，刘海支棱着下面是松松垮垮的脸。

唐婶说这话的时候是来给她介绍对象，那时候她是 30 岁，别说在厂区，就是在亚塘市最时髦的市区讲起来也是老姑娘了。她坐在家里，一边把短发别到耳朵后面，一边拍着腿和母亲说："别怪我老唐讲话难听。你家是这种情况，薄言这个年纪，又是瘸了。这小伙子人很老实，家里要是答应了，你们也是烧了高香了的。让姑娘就别挑三拣四了。"丁薄言在旁边的房间里一字一句都听得很清楚，她也知道这个胖女人是有意让她听到的。

她把手伸到桌子下面，从抽屉的夹缝里抽出一张纸："如果埃及的金字塔可以表达情意，我将把它压成金箔纸夹在借你的书里；如果阿拉伯羚羊会讲述心意，我用他额顶的毛做一朵蒲公英吹向你；如果耶路撒冷城墙能通灵，我默诵最古老的文字写一封信给你。然而他们虽都已经在这世上百年千年，却无法表达我对你心意的万分之一。一言虽薄，情谊抵万斤。鸿雁展翅，万里不离心。"

这是季鸿离写给她的一封信，纸张发黄，她早就能够倒背如流，但还是忍不住时常拿出来看。这整首诗没有一个"爱"字，但是却深深烙在丁薄言心里。

季鸿离写这封信的时候还只是高中生。他是亚塘二中的读书会的主席，一次活动中请学校芭蕾舞跳得最好的丁薄言来配合讲解剧本《天鹅湖》。他被她的舞姿所震惊，而她也被他浑厚的诗朗诵所感动。

后来知道了双方的父亲在一个中学里教书，不久以后她就坐上了他的自行车后座。

她怎么能够忘记那些个放学后的黄昏呢？她甩着长辫子，跑几步就追上他的车，轻轻跳上去双手扯着他衣服下摆。他骑一段路就回头捉着她的手放在腰间，两只手握着要好一会儿他才松开。

那时候她跑得多快，裙子下面的双腿修长匀称。

谁会想到一年以后运动来了，父亲被打倒，从家里面搜出许多国外著作。那些人叫喊着用这些书点了火，丁薄言想到有一本是季鸿离送给她的，她冲进去想要和他们抢。最终被打倒在地上，棍棒从四面八方落下来。

她睡了两天两夜，怀里一直死死抱着那本书。醒来以后母亲坐在床头抹眼泪，看她睁开眼睛，第一句话就说："傻丫头，别再想着姓季的一家了。"

季鸿离的父亲是亚塘市历史研究专家，是这个不起眼的小城市里去过最多地方的人。他不只经常去省会，还去了北京、上海，这一次还有国外请他去讲学。

他刚走一个月，运动就来了。他当机立断把妻子和儿子都迅速接到了国外。

丁薄言知道这个消息以后愣愣地坐了大半天，等母亲出去打饭的时候才开始落泪，先是小声啜泣，接着就号啕大哭起来。她哭着把一直抱在怀里的书一页页撕掉，其实那不过是一本高数题记，他记得她把这本书递给她说："薄言，我们一起考北京的学校，那个学校有五十个亚塘二中那么大，操场望不到边，学校里面就有电影院和舞厅。到时候，你教我跳舞吧。"这算是一个正式的约定，一起跳舞，在封闭的亚塘市来说就像是订了终身。

她撕着撕着，突然从里面掉出来一封信，就是那首他送给她的诗。

一言虽薄，情谊抵万斤。鸿雁展翅，万里不离心。那时候他就知道自己会走吗？

那年她19岁，以为人生最痛不过如此了。

谁知道这才刚刚开始，市里一片混乱，像那一年这国家的每一处。医院大门是敞开着，可是医生们都被强迫去学习文件了。丁薄言的腿没有得到及时治疗，骨头自己长好也比另一条腿短了几寸。她曾是个从小学舞的漂亮女孩，一夜之间变成了残疾的邋遢女人。

父亲几天以后被送到遥远的地方改造，后来在那里去世。她和母亲只得到一个包裹，连一句遗言都没有听到。

她把那首诗看了千万遍，渐渐平静下来，觉得季鸿离肯定是被迫连夜逃走。她臆想出很多场景，比如他离开的时候出了家门又返回来，是为了找她亲手织的一条围巾。比如他肯定绕了路就为了经过她家窗口最后看一眼。比如他在机场拨了她家附近的公用电话，可是电话线已经被扯断了。

她坚定地相信自己没有被辜负，那么也就不能辜负对方。

她就这样，从19岁等到了30岁。

这中间母亲劝解她，也托过好些人。可别人都传说她性格古怪，十几年来说媒的人一只手数得清。

那天她从窗口看到，母亲送唐姗一直送到大门外好远，还用红手绢包了一些糖给她。那抹鲜红刺痛了她的眼睛，原来她被人这样高声侮辱，母亲还要赔着笑脸送了礼物感谢这个侮辱她的人。那抹鲜红提醒她，已经无路可走已经无处可躲藏了。

她就那样浑浑噩噩地烧了那封信，两个月以后就嫁给了莫长风。

莫长风名字起得浪漫，人却像草丛里的石头一样木讷。

从前她也是动过心思和他好好过。有一次说到以后生了孩子，丁薄言说最好是生女儿，她会给她做衣服，给她梳头，教她跳舞。莫长风嘿嘿一笑说，生女儿就得准备嫁妆了，要是生了儿子等我退休了可以进我们厂，我们厂给分房子，不怕将来娶不着媳妇。

他又想了想说，跳舞干啥？女孩太妖了招人说。

那时候还是新婚，坐在红彤彤的婚床上，丁薄言本来是靠在莫长风肩膀上。他们憧憬着未来，而彼此的憧憬又是那么不同。

只一句话，丁薄言的心瞬间就凉了。她从这一句话里就听出了这个才认识了两个月，现在是她丈夫的男人对生活所有的期望。

她再也不是季鸿离指尖色彩变幻的娇弱花朵，她将成为莫长风这块石头旁边的一株草，此生的任务不过是春荣秋枯，她就这样灰心地开始了主妇的生活。

结婚以后不久，运动结束了。

丁薄言是在一个悠长的黄昏拿到那封信的，她回娘家送菜，母亲把放在桌子上的信意味深长地递给她。

信封的一个角已经磨掉了，不知道是辗转了多久才送到她手中。她看到地址上写了"CHINA"一个字，那一笔熟悉的瘦金体钢笔字，心跳就漏了半拍。

信只有短短的几行："人道海水深，不抵相思半。海水尚有涯，相思渺无畔。"

她看着手里轻飘飘的信就大哭起来。

他不好意思直接问她是否安好，或许已经嫁做人妇。所以没有称呼也没有署名。

用的是亚塘镇邮政所的牛皮纸，邮票是早就不卖的红旗飘飘图案。这就是季鸿离，他一定是早就带了信封和邮票去。她的地址、名字都已经模糊了。十年，他的确没有忘记。

她连夜写好了回信，一遍一遍地看，最后装进信封已经到了凌晨。

从那天以后，任谁都能看出丁薄言的变化。她换下了人人都穿着的蓝灰裤子，不知道从哪里弄来的布料做成裙子，红色粉色，碎花的，格子的。裙子都是长裙，正好遮住她那一条变形的腿。她留长了头发，去市里最好的理发馆烫了个花样。

烫头发的时候花掉莫长风大半个月工资，他却啥也没说，只是呵呵笑着说她像个外国人。

她在供销社的工作多闲，同事们聚在一起用大半天的光阴说长道短。眼尖的一早就看出她的变化，莫长风一开始还高兴别人说他老婆越来越漂亮，后来流言蜚语也传到他耳朵里了。

信依然是寄到娘家，越写越热烈，越写越频繁。

有一天半夜睡不着，她起来就着公共厨房的灯光看一封早就背得下来的信。那封信里深情地回忆着他们第一次见面的场景，他终于承认对她是一见钟情，从此心里再也放不进别人。丁薄言微笑着轻声读那些诗一般的词句，突然耳畔一声巨响，只见一只瓷碗被摔得粉碎。她吓得浑身血液都凝结成冰，回头看见莫长风站在厨房门口不住地颤抖，粗大的拳头紧紧握着。

他识字少，站在门口听丁薄言读完整整一封信，才明白别人口中的话并不是空穴来风。他冲上来夺过信纸撕得粉碎，丁薄言冲过去和他抢，被狠狠推了一把，撞在墙上眼前一黑好久才缓过来。

她从那一天开始了对莫长风的怨恨，这怨恨随着年龄与日俱增。并不是因为他撕了她的信，也不是因为他重重的一推。而是那天她坐在地上，右腿传来的刺痛和一地碎纸屑，月光洒下一个圆环，她恰巧就坐在这圆环中间。她无力凭自己的能力站起来，这一切提醒她，她最好的日子已经过去了。美丽、爱情这些词汇都像是她残疾的腿和被撕碎的信，无法拼凑起来了。

她因为这刺入心脏的绝望而憎恨带给她这一场景的人，她的丈夫。

后来，他们并没有离婚。一是因为那时离婚像偷人一样羞耻，二是因为真正离开了莫长风那套工厂发的房子，丁薄言也没有地方去；第三是因为，她怀孕了。

莫长风后来不是不后悔，虽然嘴上不说，但是得知自己即将有一个孩子以后也不板着脸和丁薄言冷战了。他戒了烟，把每个月仅有的一点可以自己支配的钱拿来换了鸡蛋牛奶。他替人加班，每个月能换一斤肉馅。这些东西，他自己是不动的，都留给丁薄言吃。

"孩儿他妈，你多吃些。"不知道从哪天开始，莫长风这样叫她。

她刚刚暖起来的心又一下子凉了，他竭尽全力地对她好，原来和爱情并无关系了，因为她是可以给他传宗接代的工具，她是他孩子的妈。

惜阳出生后，莫长风对她爱不释手，把她抱在怀里看个没完没了。丁薄言却坚持住在娘家。

惜阳一开始还像其他孩子一样哭闹，丁薄言躺在床上看着身边小小的人。

窗外是无边无际的黑夜，她心里也是没有一丝光亮。母亲是早就信了佛，对新生儿的来临没有一点儿喜悦。丁薄言自己也不愿意抱她，每次把她放在胸前胡乱喂几口。渐渐的，婴儿也明白哭泣不能换来母亲一丁点儿关注，渐渐声音也弱了，和她一样除了睡觉就是躺在床上看着天花板。

惜阳慢慢长大，在她 8 岁的一天，丁薄言照例坐在沙发上看杂志。女儿在房间角落的一张桌子上写作业，丈夫下班了，走过去看她。

她就在这时跟随莫长风的目光，第一次仔细看了女儿。她那样瘦弱，却在窗口透出的一点落日余晖下散发出耀眼的美丽。莫长风正在教惜阳唱一首他们车间里工人们唱的歌，他把惜阳放在膝盖上，拉着她的小手挥舞着拳头，逗得她咯咯直笑。

丁薄言快步走过去，把女儿从丈夫膝盖上抱下来，搂进自己怀里。

8 岁对于一个练舞的女孩已经迟了，丁薄言却在那天以后在家里安上了杆子要惜阳开始练功。她要女儿把腿放在杆子上，自己在后面使劲压她的上身。在很长一段时间里，楼道里布满了女孩夹杂着哭泣的尖叫。

莫长风这些时候都是不在家的，等他回来惜阳总是哭着藏在他身后。终于有一天，他带着商量的语气和丁薄言说："跳舞也不是都好，孩子不想练就让她学些别的，以后也能有出息。"

"学什么？学怎么做螺丝铆钉吗？以后和你一样一辈子当工人吗？"那时候莫长风所在本来红火的钢铁厂已经有些不景气了，丁薄言尖着嗓子，和他说的每一句话都是浑身带刺。

"当，当工人怎么了？能一辈子手脚利索地当工人也是福气！"莫长风果然被激怒了，扔下这么一句话。

丁薄言心里深沉的怨瞬间变成了尖利的恨，他对她肯定是没有爱了，否则怎么会说什么手脚利索呢？这是专门戳她最敏感的伤口。

她恶狠狠地想，总有一天，她要带女儿走，到一个他再也看不到的地方。她的美丽聪明都是从自己这里遗传来的，总有一天她要带她走，离开这肮脏的厂区楼，离开莫长风。

这个机会在惜阳 15 岁的时候终于来到了，那时候工厂已经倒闭，一家三口的日子过得更难了。丁薄言却收到了来自法国的最后一封信，其中夹着一张机票和三千法郎。

这些钱，在当时是一笔巨款。她用这些钱去了趟上海，给自己买了最贵的衣服鞋子，一分钱都没有剩下。然后登上飞机，永远地离开了亚塘镇。

现在，她端着水杯坐下来。

客厅宽大的落地窗看出去是自家后花园，草上落了霜，洁白的一片。她从未有过一个像样的婚礼，从她有一点钱买布料就爱白色。她总是喜欢白色镶蕾丝的东西，鸿离说她还像个少女，却不知道她心中有个婚纱的梦。

现在女儿就要结婚了，在她眼里惜阳像她，没有沾染了一点儿莫长风家的劣质基因。她恨不得给她改姓季，鸿离这样体面优雅的人才配做她的亲爸。而莫长风那个暴发户，只配给钱。想到这里她觉得应该给莫长风打个电话，女儿结婚，总得多问他要点钱吧。

她又走到镜子前面，拎着睡衣的下摆转了一个圈。脸上渐渐显出慈祥的笑容，做个世界上最好的妈妈真不容易，尤其是有惜阳这样不听话又美丽的女儿。如果不是五年前她接到那个奇怪的电话，女儿现在会怎么样她真得不敢想象。莫长风会来到巴黎，他一旦来了说不定就再也不走，谁知道会干出什么事情来。而女儿也会跟那个野小子跑了，哪里能有现在程望这样的丈夫呢？丁薄言看看墙上四个人的合影，对自己非常满意。

　　做一个好妈妈不止要足智多谋，还真得需要一点儿运气呢。

威尼斯红

亚德里亚海在冬季最冷的天气里也波涛汹涌，威尼斯一百一十八座岛屿在缓慢行驶的游轮上变成一只只摇晃的酒盅。

海风的呼啸遮掩了人们吐出的字句，路与昂想了两天终于决定问问小周。他还没有开口，小周就先说："哥，你算了吧。"

"什么？"路与昂问。

"你别装了，惜阳她都知道了。"他坐在窗前，波浪就在船舷半处翻滚，折射着刺眼的阳光，像砸碎了一地的镜子。其实路与昂已经疑惑了几天，在卢森堡那一夜，他的梦很沉，像被抛进一个深不见底的黑洞，又用厚丝绒遮了眼睛。这种深沉使人害怕，他觉得要窒息了。多少年来，如果不是睁着眼到天亮，他一旦睡着都被这种压抑感所控制。

后来又有一只清凉的手放在他身上，虽然闭着眼睛，他的整个天也明亮起来。他睡在安全与爱中。这手只有一个人有，那是他唯一爱的女人。

第二天醒来以后，房间里只有他一个人和床头柜上的药。小周过了一会儿带着早点上来，也没有多说什么。路与昂回忆了前一天晚上，惜阳撕开自己的衣服，裸露出只属于他一个人的身体给那些肮脏的眼睛看。只要一想起来他的心就会紧紧抽搐。他埋怨自己，怎么会在这以后有那样美好的一夜睡眠呢？这感觉太逼真，他怀疑并不是梦境，他的惜阳的确来过。

他想问问小周，却怎么也开不了口。旅行团经过布鲁塞尔，穿过阿姆斯特丹，走马观花地游览了维也纳、因斯布鲁克。他不停地讲解，为了不去想那天晚上的事，也更是为了忽视身后的目光。

一路走到了威尼斯，从城市乘船到本岛。才有了半个小时船上颠簸的时间，让思绪沉淀下来。

路与昂还没有问出口，多年来的心有灵犀，小周却先说了。

"你……你为什么告诉她？"路与昂盯着他问，一只手却不自觉地摸着脖子。

"哥，你以为不告诉她，她以后就能过得好一点儿。可是实际上，她要结婚了。你觉得是一辈子瞒着她让她嫁给别人还不能安心，还是把话说明白，从此让她只留着好的回忆呢？既然她决定要嫁人了，那么你们以后是否再见面都不再重要。为什么，你不能让她开心地过完这几天，你也开心地……"小周没有说完后面的话，他想说开心地度过最后一次旅程。但这几个字太残忍，他只是想想眼眶就湿了。

路与昂紧紧攥着脖子上的戒指，这难道不是自己所一直期望的吗？她终于会穿上婚纱，被父亲挽着走向一个男人。画面中的她多美丽，然而不是这样的，一切都不是。婚纱不会是他们一起选中的那一件，男人不是他，而父亲也不是那个亲口应允了他们的人。

惜阳，嫁给别人，你真得会快乐吗？

他脑海里充满了疑问，五年前他收到的短信和照片，惜阳是那时候就结了婚，还是和同一个人在多年后再次举办婚礼？他揉揉太阳穴，一个浪打来，船左右摇动，把他的思绪也打乱了。

船头站着的地陪是个三十多岁的女人，她正运足了气背诵那一番每天要说十八次的讲解词。

水城威尼斯是文艺复兴的精华，这座世界上唯一没有自行车的城市，人们都用船作为出行的交通工具。十三世纪初，海洋的儿女在十字军东征时，攻陷了君士坦丁堡，成了地中海海上霸王，威尼斯军队征服了北意大利后，又远征小亚细亚沿岸诸国，纵横海上所向无敌。三四百年间把地中海财富集中起来。雕塑、绘画、音乐、手工无所不尽其极。

站在岸边只是远观，要想体会威尼斯的魅力，请招手租一条"贡多拉"，这种象牙一样形状的小船是这座城市的特色，船身雕龙画凤，是古代贵族才能享受到的出行乐趣。

　　"喂，喂，小姐，听说那哥伦布的故居就在这儿是吧？"一个手拿长镜头的中年人扯着嗓子问。波涛虽然汹涌，但还没有遮住他的声音。
　　女地陪瞥都没有瞥他，继续自己的讲解词。

　　小船"贡多拉"也曾被翻译成"共渡乐"，这个贴切的名字更形象地表现了威尼斯这种交通工具的绝妙之处。直至今日科技发展日新月异，意大利手工业者还是坚持人工打磨、制作"贡多拉"。制作一条小船需要花费 8 种不同木材的共 280 多块木头。为了保持良好的外表状态，"贡多拉"还必须时常维修。如今威尼斯独有的"贡多拉"制造业，是威尼斯曾经繁荣发达的造船业的缩影。

　　她才不想理会别人的提问，每天十八趟接送上千个乘客到本岛。这番讲解词看起来是介绍威尼斯景色，实际上就是要把客人往自费项目——坐船上面引。她讲解的好，和船厂、玻璃厂、面具商店提成就分得多。那些工人一半的工资是她带来的。
　　她是威尼斯著名的莉莲小姐。
　　"喂，喂，导游。你是不懂呀还是装没听见呀，问你这地方是不是哥伦布故居？"长镜头不打算放过她。
　　"什么哥伦布，这儿是马可波罗的故居，一会儿你们就看到了，拿相机的坐船的时候注意拍照。不坐'贡多拉'就只能在岸上的教堂拍几张照，看不到名人故居、看不到叹息桥，也不能穿梭在水巷中近距离感觉威尼斯风情。"她三句话不离坐船的事儿。
　　"诶，那你说不在这儿，那在哪儿呢？你倒是多说几句啊。"虽然女地陪戴着墨镜，还是看得出她的尴尬。除了这一番背好的解说词，她其实对意大利了解有限。

路与昂走过去，拍拍长镜头客人的肩膀。"你这问题问得真好，哥伦布和马可波罗这两个人差着 200 多岁，可是住的地方还真不远。一个就在威尼斯，另外一个呢也出生在意大利北部，不过那地方没有什么名气，叫热那亚。虽然他出生在那里，可是建功立业那些年都跑到西班牙去了，他四次横渡大西洋，发现新大陆都是西班牙国王的支持。马可波罗让西方认识了东方，哥伦布证实了世界是圆的。要没有这两个人呀，说不定咱们现在还都来不了这儿呢。"

"兄弟你说得太好了。"长镜头笑着拍拍路与昂的肩膀。

女地接站在船头，脸色突然变了。她像是陷入了自己的漩涡，连路与昂走到她身边都没有发觉。

"莉莲，好久不见。"路与昂叫她，熟识多年，曾经他一个月来这里三次，工作时莉莲是他的固定搭档，工作后是他的朋友，带他走遍了威尼斯那些不为人知的小街小巷。

"路？你回来了？"莉莲看他一眼，淡淡地问着。

"威尼斯女皇过得还顺心吧？听说现在船厂都有了你的股份？"

"还行吧，凑合过。你也看见了，每天不过还是迎来送往而已。"莉莲在船头台阶上坐下来，拈过一张纸巾擦她的名牌高跟鞋。"说说你吧，在我这儿存着的夫妻杯这次拿走吗？你知道的，水晶厂最老的那批人要退休了。你的那只已经是绝版了。"

路与昂笑着坐在她旁边："莉莲，今天有心事吧。"他早就看出她的心不在焉。

莉莲扭过头来，小声却坚定地说："我觉得，他在这儿。"这次出海，她带了最大的一艘船。双层船舱，又用玻璃隔成前中后三区。每个区由随团导游带着，莉莲站在最前面，只需要举着一面旗子带着走，看不到这一百五十个人的样子。

"莉莲，多少年了？"路与昂问。

"十五年。"

"那你还记得他的样子吗？"路与昂问。

"你说呢？"她瞪他一眼。路与昂没有回答，他看着前舱正出神看窗外海景的惜阳。此生唯一的深爱，怎么会忘记呢？不要说十五年，就是千百年后化骨成灰，同过奈何桥再转世成人也能凭着印记找到彼此吧。

莉莲多年来看过千万人面孔，早就幻化成精。

路与昂一个落寞的眼神她马上跟上去，看到被风吹起微卷长发的女孩。这个人也不是没有见过，带团来过不少次，和其他女导游看起来不一样。区别有三个，一是她不在乎钱，每次分提成的时候其他人都要蘸着口水数个几次，这女孩却是把她给的一份随便塞在口袋里，都不多看一眼；二是不爱和人过分亲热，她驰骋亚得里亚海多年，哪个新导游见了不尊称一声莉莲姐，可这女孩大概连她的名字都讲不出；三是她随身带着一张纸，据说逢人就打听一件事情。可惜她从前一人对百人，一分钟空闲都抽不出来，也就没有见过那张纸上写了什么。

同样在船上心神不安的还有老牛和老黄。

"情况越来越糟了，警察已经去我家搜过一次了。幸亏我老婆抱着我那个大信封回了娘家，但她还没进娘家门就给我烧了。她烧得也对，人都死了还留下收据干什么。"老牛咬牙切齿地说。

"牛嫂没和你闹啊？"老黄问。

"咳，老黄，你说人活这一世咱信得过谁？二十年前咱俩和老路好不好？那是一起出生入死的弟兄吧，有一次小塌方，我半个人都到井上边了还不是爬下去把他拉出来。咱们那会儿都穷，啥时候我家切一斤猪肉还给他三两。我以前叫他哥，那是把他当成了亲哥哥。谁知道最后栽在他手上，提心吊胆这十几年。你说我老婆吧，要文化没文化，要长相没长相，还是个狗脾气。可是，要说现在信得过的人，只能是她了。"老黄点点头。两个人的对话终止了。

老牛他爹家里穷，老大不小才娶了邻村的傻姑。生下老牛兄弟三个，老大到了十岁才会说话，老二到了十三才能数到五。老牛牛望财排行老三，生下之后他爹才觉得生活有点儿指望了。老牛从小机灵，村里人都叫他傻弟，他就过去和人家打。他打架不要命敢往死里拼，八岁以后村里的孩子都怕他。

牛大牛二去了一天村里的小学就让送回来了，老牛四年级的一天，非要拉着两个哥哥一起去学校。老师要赶他们走，老牛用白布黑笔写了老师的大名挂在身上，他就拦在门口说，我哥要走我就背着这幅字从这三楼教室跳下去。

老师家访的时候和他们的爸爸讲，你家老三是聪明，但人太倔，对人对己太狠心。后米老牛还是和两个哥哥一起退了学。

他十三岁就在煤窑里打工，他本来是家里长得最白净的一个，半年井下的日子，春节回家已经黑得看不出模样了。他妈傻姑抱着他哭，但年后就掉进河里去世了，两年以后他爸也去世了。

从此他就很少回家，下井的次数却越来越多。那些和他打过架的人有的上了高中，有的还在村里游手好闲，有的接了家里的地。他们中很多都没有去过县城，见识没有他多。也没有他能赚钱，可是每次他走到村口都能看到那些人，他们用眼角斜飞出的目光喊着他："傻弟。"十年不变。

这十年间他也结交了几个朋友，老牛刚来矿上时候没有人愿意带他，队里的老好人路大庆最后给他一把锄头带着他下了井。路大庆是当地人，年纪轻轻就娶了媳妇，媳妇贤惠，无论几点回家都有热汤热饭。几个单身汉常去他家蹭饭。路大庆家旁边是程有强家，程有强的媳妇是村里有名的美女，他家当年卖了十亩地做聘礼才娶了她。程有强长得白净，每次上工都要把头梳的光光的，一天十个小时里要把头发梳个几百次。他手脚慢又爱偷懒，谁都不爱和他一组。矿长是他舅舅，所以他也不在乎，每天一下了工就飞一样往家里跑，守着他那漂亮媳妇呵呵笑个不停。他也没有白守着，结婚一年以后他有了儿子，那天他跑到村里最高的山头往外面看了好久好久，最后给孩子起名，程望。又过了两年，路大庆也生了一个小子，他找自己的初中老师给起的名，路与昂。

老牛家早就给他说了亲，他们村迷信，大家都说他爹娘死的早不吉利，只有山下算命老头的外甥女愿意嫁给他。老头在外甥女结婚前一天说，叔也没有啥送给你的，送你几句话吧。你男人命里有财，但这财是偏财会惹来事端，小则牢狱之灾，大则性命难保。如想舍财保平安就要把歪念放一边，你要替他记得这句话。

他外甥女脾气暴，一边使劲把旧被子往刚缝好的新被罩里套，一边把叔叔赶出去了，这些话自然也都没有听进去。第二天她就上了山，没有人知道她的名字，村里人都叫她牛嫂。老牛半辈子没有什么别的爱好，就是爱看画报上的美女。他把别人不要的画报都收起来，平平整整地把有美女的都撕下来串成一本放在床底下。牛嫂发现了就给他全撕掉，从此以后他生命里只剩下这么一个黑胖的女人可以看，其实他也从没有正眼看过她一眼。

那件事开始在冬天最冷的一天里，几个人凑在一起喝酒。路大庆喝了几杯就说："最近我那小子在电视里看见个新鲜玩意儿，叫计算机。说是写字不用笔，在上面弹几下就要啥有啥。能写字，能听歌，还能画画。他给我说了，以后看人能干不能干就看会不会用计算机了。"

"不能惯着孩子。"程有强抿一口酒说。

"咳，就是因为昂子从来不问我要啥，所以那天一提我就知道，他肯定是想了挺长时间。"路大庆说着叹口气。

"哥，你和咱侄子说，等我有了钱，送他，送他最好的。"牛望财多喝了几口酒，窗外是纷飞的大雪，屋里羊肉锅咕咚咚冒着热气。他想起这几年都是在路大庆家取暖，真是打心眼里想给他孩子买样东西。

"我打听过了，那东西，可贵。咱得攒多少年钱，也不一定买得起。"路大庆眉头皱成一团。

十几年来，牛望财冒着多大风险也要找到路大庆，他恨他，从心里不能原谅。一部分是他那一场坏了他的事，另一部分在他心里固执地相信，那天是他激起自己心里想要发财的愿望。是他儿子想要计算机，到最后他咋就要做好人，他咋就不认了呢？

也就是那一年快开春的时候，老家带信来，说在外省煤窑下井的牛大因为事故去世了。老牛奔回老家，从村委会领回来事故通知，他打开仔细

威尼斯红

看了，上面居然写着"丧葬费三万元整，已领。"

他回到老屋，抓着已经结婚的牛二问，大哥怎么死的？谁领了丧葬费？

牛二瞪着迷茫的眼睛说，都不知道他打工的地方咋走，更不知道谁领了钱。

牛望财一下就明白了，最近矿上大家都在传说"砸点子"的事儿。

这是一个残酷的传说。一开始是传有干了一辈子干不动的老工人，互相之间商量好了，进了矿就不出来了。家人得到消息，会哭天抢地的找矿主要赔偿，一般矿主都是息事宁人，给一两万打发走了。后来越传越邪乎，说死了的也不全是年纪大的，有不怎么明白事的，有铁锹都拿不稳的。这些人都是很远的外地口音，可是去拿赔偿的家人中间，总有一个说着流利的当地土话讨价还价。

这事情只是小范围地在矿上流传，有的人不信说是闹鬼，有的人往地下吐几口痰埋怨别人说这不吉利。但是牛望财只听了一次，脑子里就想到了他那两个傻哥哥。

他正想着这事，牛二的老婆说："弟，你哥在家也没个正经事。虽说下矿辛苦，但起码他能干得了这个力气活，你能不能这次，把他带到矿上去？"

"让哥好好在家，我每个月还给你们寄钱不就行了？"牛望财说。

"咳，大男人家每天呆在家里被人笑，你矿上要是不缺人，我就问问别人让他去远一点的矿。"二嫂看起来是下了大决心。

牛望财马上想起那个"砸点子"的传说，浑身一阵冷汗，赶紧答应了。

老牛一直觉得，走上了这条路他是被逼的。

第一次，总是很难下手。

有一天，他听到自己介绍到矿上小学同学吃饭的时候说："你们别看望财在矿上现在人模狗样，小时候我们都喊他傻弟，他家那两个哥哥就叫大傻二傻。"一群人哈哈大笑。老牛在那一刻，听到了自己内心的声音，这个声音说："他该死，他该马上就死。"

而真正杀人，哪有那么容易的。牛嫂看他整天唉声叹气，在床上翻来覆去睡不着，烦躁得很。一脚把他踢下床，在梦里嘟囔着："要是个男人，你就去求我叔啊。"

老牛被这句话提醒了，第二天就上山去找牛嫂的叔叔算命老头。老头算了一辈子命，还兼职炼仙丹，有一天他觉得自己炼成了，把药丸放进嘴里，整个人像飘上了仙境。他在仙境里云游了几天，到了仙女的境地，却被扇了一个巴掌打回人间。他悠悠转醒，才发现眼前不是什么仙女，而是他黑胖的外甥女。外甥女一边又扇了他一个巴掌，一边大骂着。"你等我嫁了人再死。"

老头从此不敢再吃自己炼的药，却给自家的狗吃了。狗吃完以后马上闭了气，倒在地上不省人事。算命老头心里晦气，踢了狗一脚正打算埋了，就被人家请去操办白事。回家来已经是三天以后了，没想到回家以后，一进门就被那条狗扑倒，对着他疯狂嚎叫。狗没死，只是彻底疯了，变成了一条疯狗。

老头慢慢地抓一些山上的猴子给喂药，对这仙丹的药性越来越熟悉。服药以后要狠狠在头上打一下，不能打后脑勺，也不能打头顶，只能打在耳朵后面。人会马上像死了一样，闭气三天。

醒来以后，耳聪目明，只是脑子，不再好使了。

老牛是那天晚班动的手，嘲笑过老牛的小学同学是前一班上工的，老牛早十分钟去，把药融在他水瓶里，他是专门算准了时间了。他只给自己这十分钟的时间，在他背后举起了铁锹狠狠砸下去。

这一步开了头就收不住，路大庆几个亲近的人都不知情。他收买了刚到矿上的老黄，老黄身强力壮，但是眼神不好，别人从他眼神里看不出他心里的事，老牛就看中他这一点。

老牛越来越富，矿上的人见不着他，他专门到外地的小煤矿找活儿干。别人不知道他的来头，他带着两个人去上工，一周之内这人就会出事故。老牛哭天抢地地去找矿长要告状，最后数着钞票，一张白布裹了人离开那里。身后跟着的是带着墨镜保镖一样的老黄。

这样的日子过了一年，那年冬天更冷了，路大庆找到他问："兄弟，好久不见你了，来家里吃你嫂子包的饺子。"老牛去了，还带去了一台当时最好的计算机。

程有强摸着头发，双眼放光地问："你有什么发财的路子，也想着几个哥哥点儿。"老牛那天是真的酒喝多了，就把自己最近做的营生一五一十告诉了他们。

那天他酒醒以后，听到隔壁激烈的争吵声。

路大庆说："你别说了，这是伤天害理的事，现在我就拉他去公安局。"

程有强的声音："哥，你想想，咱们辛辛苦苦赌着命下矿，几年都不如望财这一铁锹。他没杀人，那些人都活着呢。而且他不是抓随便什么人，抓的都是些傻子，这些人挨不挨这一铁锹，都一样。"

路大庆抱着刚送来的电脑，走到老牛身边说，砰地扔下，一把抓起他的领子说："这脏钱买来的东西，我不能要。现在我就带你去公安局。"老牛翻身坐起来，一把抱住路大庆的腿。

这时候路大庆家的儿子半夜起来，突然看见父亲脚下的计算机，他惊喜地叫着扑过来看。路大庆一把推开儿子。儿子打了个滚儿，又扑过来抱住电脑。

老牛一声一声叫着路大庆："哥，我拿了钱都给那些家里送去了一半，他们那些人，一辈子也赚不来这么些钱，我不算伤天害理。"

路大庆揪着老牛的手就渐渐松开了，无力地垂下来。

后来的事情，老牛想了这么多年也没有想清楚。那天他明明含糊应承了自己，为什么那年开春，就出了事。

老牛的思绪在此刻被李生推醒："牛总，牛总。"

他不高兴地扭过头去："牛总我想问问，咱们这出来快两个礼拜了，哪天回去呀？"

"干嘛？请你小子出来玩还不高兴？"老牛不悦。

"不是的牛总，你知道我媳妇，小娟儿事多，三天一催五天一闹，咱们出来得急，我手上连行程表都没有，我想给他个答复。"小娟儿说，家里的情况是越来越可怕。老牛家已经给人强行进去了，牛嫂早就不知踪影。她和看门的大嫂打听过了，说是矿上一下子丢了十几个人。她问是不是到别的矿上去了？那大嫂说听公安局的人说，这十几个人都不是真正的矿工，听说是来和老牛寻仇的。小娟儿这才吓出一身冷汗。

她在电话里给李生哭，让他买了机票自己偷偷回去。可是他的护照早就被老牛收走了。他这几天彻夜难眠，听老牛和老黄打暗语一样的对话。

"说不定，等不到三天了。警察的速度比咱们预期的快。"老黄说。

船到港口，砰地一声撞在岸上。

威尼斯的风是一股一股从四面八方猛烈地吹来，岛上的建筑是厚重的快要变成黑色的深红深灰。这座一半沉在水底的城市，就算是晴天，空气中也漾着水汽。

客人们在圣马可广场上拍照，大群大群的鸽子冲向游人。小贩们把玉米粒塞到游客手中，让他们引来鸽子拍照，再呼啦一下飞走。

惜阳走过广场旁的一排咖啡厅，突然被叫住："嘿。"她回过头，看到是戴墨镜的女地陪。她手指尖插着一根烟："有火么？"这时候咖啡厅老板端来大杯卡布奇诺，热情地和她打招呼。一个当地年轻人拿着纸包弯腰和她说着什么。她挥挥手让他离开。

她翘着下巴坐得笔直，像一个女皇。这岛上哪里有她借不到的火呢？

惜阳走过去在她旁边的位置坐下来，掏出打火机放在桌上。

她们见过几次，但从未有过对话。莉莲并不自我介绍，打开刚才送来的纸包，里面是一堆红色的半透明碎片。那种红是她从未在别处见过的颜色，比宝石红深邃，比火鹤红沉静，比玫瑰红妩媚，比胭脂红高贵。那是珍珠红中加入了金箔，勃艮第红中去掉了沙棕。

这是这城市特有的颜色，威尼斯红。

莉莲也穿着一条同色的厚呢长裙，大裙摆下面是一双打着褶的高跟皮靴，她裹在一条黑色流苏披肩里，不时捂着嘴剧烈咳嗽。她的墨镜很黑，遮住半张脸。不是时髦女孩用来做做样子的镜片，而是墨一般漆黑，如果直视她的双眼，只能看到反光的自己。

她说不上漂亮，宽肩方脸型，一头卷曲的长发。虽然手腕细瘦，但看起来并不纤弱。她急促地吸着手里的烟，每吐出一口烟都是叹息。好像是非常疲惫。

"你知道这是什么吗？"莉莲指着纸包里的红色碎片问。

惜阳摇摇头。

"这是威尼斯坚固的水晶玻璃杯。""威尼斯红"的水晶玻璃杯是这个城市不可复制的传说，烧玻璃的过程中要在适当的时候镀三层金，才能有那样纯粹与坚固的红色。不怕摔不怕碰，杯口镶钻，杯身花纹繁复还要挑一点儿白画成百合。

杯底镌刻名字，夫与妻，某年某日，携手并肩，情比金坚。

"今天，我想找人讲一个故事，你要听么？"莉莲看着远处广场上拍照的人群和数年如一日大惊小怪的鸽子们。

惜阳也点着一根烟："说吧。"

十五年前，有一个女孩刚考上大学。有一天她坐在台阶上发呆，有一个冒冒失失的男生走过去，撞了她一下，手里的书就砸在她头上了。她揉着头站起来刚想发火，却被一股奇怪的力量驱使，突然说不出一句话来。那个男生也一样，红着脸愣了好久才说："你的眼睛，真好看啊。"然后就捡起书跑掉了。

后来好长一段时间里，她都没有再见过这个人。无论是邻班的还是上届的同学她都悄悄去打听过，有没有一个剪着寸头穿白衬衣很好看的人。在她就快要忘记他长相的时候，他突然出现在她们班级里，原来他不是同学，而是刚留校的听力课老师。

这场恋情来得猛烈，每周交上去的作业本拿回来里面都夹着一首花体字情诗，听力课上别人听英文广播，她的耳机里却是一首 Have I told you lately。没有课的时候她偷偷跑去他的单身宿舍，那是在学院后面的一间平房。他们赤着脚在房间里跳舞，依偎在一起，枕着一大堆靠垫坐在地上看书。夏天的傍晚，他们就用一个铁盆架在炉子上，放很多油和很多辣椒在盆里，烧的火热再刺啦一下把鱼扔进去。两个人就着铁盆吃得满脸通红，汗水顺着女孩的鼻尖滴下来，男人用手去接，然后深深地接吻。

这样的日子，贯穿了整个夏天，又度过了整个秋天。

爱情使人盲目，忘记了保守秘密，以为昭告天下便能够使这爱飞升得更高。渐渐流言四起，他们是在出事的前一周看到舞蹈系的小老师赵媛媛的。

当时他们在教室里排演话剧，女孩穿着缀满花边的深蓝色裙子背诵台词："您必须听任命运，或者死了心放弃选择的尝试，或者当您开始选择以前，先立下一个誓言，要是选得不对，终身不再向任何女子求婚……"男人在一边拿着剧本，就被人叫出去了。女孩心里一惊，升起不祥的预感，已经有人告诉过她。校长的女儿赵媛媛，大学时早已爱慕男人。他这样一个没有背景也没有拿过奖学金的本科生留校，并不是偶然。

女孩从没有问过男人，她透过没有关严的门缝，看到那个瘦瘦的小老师低着头不知道说些什么。男人一开始离她很远，慢慢就走近了。一开始是她在说，后来变成他说，她先是低着头，然后抬起来，变成他低下头。后来，她就笑了，像一只高傲的天鹅，惦着脚尖轻盈地走了。

男人在当天晚上对女孩说，我们分手吧。

讲到这里，莉莲牵牵嘴角笑了。她们这时候已经离开咖啡厅，坐在一艘小船上。这艘"贡多拉"是船厂最小的一艘，却是用最好的木头多出一倍的工序制作，虽然轻巧，坐在上面却最平稳。

莉莲赶走了船夫，自己撑着杆，黑色披肩甩在一侧肩膀上。她把长发盘在头顶，熟练地让船在狭小的水道中间游走。"爱情多残酷，是吧？就算是用钻石雕刻在血红的颜色上，自以为刻在心上就是一辈子。谁知道打碎那么容易。"她大声问着。

惜阳点点头问："然后呢？"这时候船经过一座看似普通的石头桥，天色渐晚，冬日的最后一抹夕阳照在灰白的石桥上。前面的船在这里停顿下来，船上有一个发福的中年男人拿出相机来，船夫拍着他肩膀说些什么，他却摇摇头咔嚓把这桥拍下来。

"叹息桥下怎么能拍照呢，这是用来接吻的地方。"莉莲叹了一口气说。巴洛克式的花纹盛开在狭小的两扇方形窗户周围，半圆形的顶端像半扇城门。惜阳听当地人说过，这道桥连接法院与监狱，犯人行刑时从这里经过，最后再看一眼美丽的威尼斯，在这世上的最后时刻留下一声叹息。

这桥搜集了太多悲伤悔恨的灵魂，据说如果有人拍照，这灵魂就会被吸附去，留在拍照者身后。而正因为将死的叹息者已参透世事，据说在这桥下接吻会相爱一生。

前面的船夫摇摇头，唱起一声船歌使劲撑下桅杆向前滑去。船上的人们都左顾右盼，只有拍照的中年男子低头专心看着照片。

"那个冬天特别冷。"船到无人处，莉莲坐下来接着讲她的故事。男人和女孩分手以后，流言马上传开了，走到哪里都有人指着她窃窃私语。她多骄傲，昂着头像一只独自舔伤的小兽。那时候女孩带着牙套，有一次去看校医。有两个女生隔着窗户看着她指指点点，她听到声音从不隔音的玻璃后面传过来："牙套妹，还想当张老师的女朋友，师生恋，以为自己是林青霞吗？你看她那个样子。"她那时候正张大嘴巴等着医生来清理牙套，忍了多少天的泪水喷洒出来，医生回来奇怪地问她："应该不疼了吧？"她使劲摇头，一声不响，眼泪河水一样停不住。

那天晚上，她就去了男人租住的小屋。天已经黑透了，她像男人那样生火、放油、放辣椒，就在把冷冻的鱼扔进油锅的那一刻，她看到窗外的樱花树，刹那间凋零了所有花瓣。后来的结局是这样的，16岁的她在漫天火光中不知所措。只记得沙发上还有他们一起读过的诗集，她冲进去找，后来就只记得身边呼啸的风声和木头断裂的声音。

消防车来的时候她没有听到，不知道从哪里赶来的男人抱着在火焰中晕倒的她，颤抖着问："傻瓜，怎么这么傻？"她不能说话，心里冷笑着想，你才傻，你以为我是要自杀吗？我只是想来这里，再吃一次鱼。

她艰难地抿抿嘴，正要说话就听见男人对赶来的消防队员说："屋里没有什么值钱的东西了，我现在住在学院家属楼里，我就要结婚了。"她再一次晕过去。

"你喜欢威尼斯吗？"莉莲问惜阳，她掏出那一包水晶玻璃碎片，结实的杯底还剩完整的一大半，她拿起一片放在眼睛上看着。然后伸直手臂放在惜阳和她中间。

"我在这里住了15年，所有人都好奇我摘掉墨镜的样子。"莉莲一边说着一边把遮掉半张脸的墨镜推到头上。她有一双美丽的凤眼，纤长的睫毛下羽毛一样的双眼直插进鬓角。惜阳终于确定了这是一个真实的故事，故事里的女孩就是眼前的莉莲。别人将会忘记她五官的不完美，身材不够纤细，嗓音不够温和。这些都可以忽略不计，这是一双只要被看一眼就会被深深吸引，并且永远记住的眼睛。

她不知从前它们有多美，然而现在它们却是一片通红，就像威尼斯永恒的色彩。

莉莲笑笑，重新戴上墨镜。

"我在医院醒来以后，眼睛就变成这样了。你要把红玻璃放在眼前，我看任何东西都像是你现在的感觉。后来我没有继续读书，退学以后就投奔在这里工作的小姨。这个岛屿很适合我，终日潮湿的气候让我敏感的眼睛不那么干涩。十五年之后，海上没有了爱上老师的坏女生姜橙子，有了一个不三不四的威尼斯皇后莉莲。"

"姜橙子。"惜阳重复着她的名字："真好听。"有一首《江城子》叫做"十年生死两茫茫"。

"你为什么和我说这些？"惜阳问。

"哈哈，说是缘分你会相信吗？"莉莲甩起长发继续站起来向前划去。水上的房屋透出昏黄的灯光，有一位老人坐在门口读书，他享受地成为威尼斯画中人。古董店老板在前面喊她："莉莲，那对老夫妻杯你就卖给我吧？我出好价钱。"莉莲不理他，船桨右边一撑，拐向旁边的水道。

"你是叫莫惜阳吧。"莉莲又开口了。"五年前的七夕有人从我这里高价买走一对古董夫妻杯，这是号称世界上最珍贵坚硬的玻璃杯。他请我玻璃厂最好的师傅在上面刻了两组花体字，一个写着路与昂，另外一只写着你的名字，莫惜阳。"撑船的黑衣女人回头看看惜阳，第一次露出调皮的笑容："时间过了那么久，我是想问问你，这杯子你们是还打算留着结婚用呢？还是让我卖个好价钱呢？"惜阳愣住了，像被钉在船上一样不知如何回答。

"既然这样坚固昂贵，那么你手里那两只为什么碎了呢？"惜阳反问她。

莉莲又沉默下来，过了一会儿才说："你知道吗？有一个传说是说威尼斯红之所以珍贵，因为里面是加了金箔，一层真金一滴水，这水可以是汗水、雨水，但不能是泪水。今天玻璃厂的人来和我说，莉莲你来岛上那年我们烧的夫妻杯碎了两只。今天的威尼斯，气候太反常。我从一上船就知道，他将会来这座岛上。"他在这座岛上？故事里的男人，莉莲最初也是唯一的爱人。

"刚才我们在广场喝咖啡他在和鸽子拍照，我们穿过叹息桥他非要拍一张照，他买下了夫妻杯一只刻了他的名字，我满以为另外一只他将会送给妻子，其实你看上面写着什么。"惜阳拿过莉莲递上的杯底，上面用钻石刻着几个字："听说，你也在这里"。

"他买的那一对，是我刚来威尼斯那天玻璃厂烧的，我坐在工匠旁边落泪，泪水混进了水晶，威尼斯红就会破碎。"说到这里，船已到岸。莉莲两步跳下船，回头对惜阳说："惜阳，人一辈子千万别委屈自己，喜欢谁就去亲他的嘴，哪怕这是最后一次。"说完这句话她就头也不回地向前跑去。

惜阳坐在摇摇荡荡的小船上，看她的背影向人群跑去，她一边跑一边叫，人群中为"叹息桥"拍照的中年男子回过头来，莉莲冲上去勾住他的脖子拼命吻下去。男人还来不及反应，她已经转身走了。

惜阳上岸，莉莲和她擦身而过，她墨镜下的脸满是泪水。

Have I told you lately that I love you

Have I told you there's no one else above you

Fill my heart with gladness

Take away all my sadness

Ease my troubles that's what you do

她大声唱着一首老歌。

临近夜晚，路与昂和小周带团去游览了，惜阳一个人坐在咖啡厅里，想着莉莲对她说的话。五年前的七夕，刻了两个人名字的夫妻杯，那之后不久，路与昂就消失，了无音讯。

那些日子，她找不到他，被母亲抓回来之后，她就每天疯狂地在练功房里跳跃，劈叉成一个一字，却突然在中间发呆，等到再想起把腿放下来，已经是倒在地上不能动弹。

母亲以为她终于开了窍，高兴地放松了对她的监视，她在这得来的空隙中买来很多抗抑郁药，一把一把地往嘴里塞。她想过偷出护照买机票回国，可这才发现，她对路与昂在国内的生活一无所知，他们似乎是两个绝地逢生的人，在前一世的边缘相识，都要努力把过去的痕迹擦干净。

她和母亲从小就不亲近，以至于她出国那天拎着行李走上去北京的火车，然后又从车窗探出头来说："惜阳亲亲妈妈。"爸爸就把她抱起来凑过去，那时候她已经十岁了，倔强地别过脸去。那天风很大，母亲为了维持发型只把脸伸出一半。然后尴尬地愣在那里，直到汽笛响起。

后来，惜阳是回想过那一幕的。如果母亲把头全部都伸出来，她或许还是愿意亲她一下，毕竟那时候，她以为和这个生养她的女人是就此永别了。可是她的一个吻并不如她精心设计的造型重要，她对于这场离别，心是凉的。

她和父亲生活得很好，父亲的工厂早就名存实亡，他有更多的时间接送她上下学，陪她写作业。傍晚工厂里没人的时候，他们钻在各种庞大的机器后面捉迷藏，她经常蹭得两手乌黑，父亲就抓起她的手在鼻子上抹一下，她看着父亲的黑鼻头咯咯地笑。那时候她没有想过人生的其他可能性，她宁愿就这样在亚塘镇长大，变老。

出来的这几天里，程望曾疯狂地给她发短信让她回去，后来有一天，突然短信电话都变少了。他解释说是为了论文的事情忙碌："惜阳，这篇论文是要在国际论坛上发表的，如果通过，蒙特利尔大学会给我十万加元的奖励，这够我们在新家买所有你想要的家具。"他又说："还有结婚，也需要钱不是吗？"

惜阳心想，继父并不缺钱，许多年来母亲藏起来父亲给她的钱也早就够再买一栋别墅了。

在车上小睡总会做很长很长的梦，梦醒之后看到前方路与昂的背影，她都一下子回不过神来，以为离别的这几年才是梦境，而他们一直都在一起一样。这几天，她从车窗中看到自己的脸，她埋怨自己这不应该。可是，在程望要她回去的时候，还是想都没有想就拒绝了。

当莉莲站在码头的时候，又是凌厉的威尼斯女皇。

她大声招呼着混乱的人群："要坐船的站左边，站在导游后面一个一个上船。不坐船的就在岸上等，站得稍微远一点儿，再远一点儿。"

导游们忙着清点人数，作为自费项目向要参加的游客收钱。

路与昂带的团队中老牛一组人在队伍里等着上船了。自从卢森堡那天晚上被路与昂打了以后，他一晚上缓不过来，又气又怕，叫嚣着想要找这个小子寻仇。

老黄酒醒以后好说歹说，现在不比在平旺镇上，闹这么一场，人家没有报警就不错了。万一遣送回去，这一屋子的都完了。

第二天出发之前，老牛一大早就到了，他的左胳膊还是抬不起来，右眼也青了一块。坐在大巴后面一个角落里。路与昂清点人数的时候走过他，他虽然没有抬头，但老牛还是哆嗦了一下。

几天过去，老牛眉头皱得更深了。他拿着一张200欧的纸币在眼前扇风，一边扇一边说："导游，导游，你去和她说多给船夫50块让咱们先上船。"

然而团中的老人们听说还要交钱参加项目，都赶紧捂着包退到一边。穿呢大衣的乔爷爷看着从码头延伸出去的水巷，拿出钱包看了看，还是依依不舍地和大家站在了后面。

路与昂把这一幕看在心里，平常这时候他已经把收来的钱一分为二一边装在口袋里一半给莉莲了，今天却见了鬼，被老人不甘心地倒退三小步所触动。

他走过去和正在指挥船夫的莉莲说："再给我找五条船。"

莉莲看看岸上，伸出手说："呦，难得带夕阳红团还有大出血的。"

路与昂笑着把几张钞票拍在她手里："你有钱赚就行了，那么多风凉话。"莉莲撇撇嘴去叫船了。

老人们却不肯上船，他们还是紧紧捂着自己的包说："旅游费已经交了，现在没有钱给你。"

路与昂只好解释说："爷爷奶奶，昨天我买彩票中了奖。今天请你们坐船，不要钱的。"呢大衣老人第一个走过来，拍拍他的肩膀说："谢谢小伙子。"其他人才半信半疑互相搀扶着走上船去。

"喂，导游，导游，我也请你们坐船，我们这儿人少，你过来吧。"老牛在一条船上扯着嗓子叫。

老牛脸上还有一块青紫没有退掉。他看到路与昂，眼神是躲躲闪闪，又硬要梗着脖子喊叫。

路与昂冲他们摆摆手，老牛却不罢休，推搡着意大利船夫不要离岸："过来过来，我们等着你。"船上只有老牛和老黄两个人，小周说："哥，那就去吧，下次不知道咱俩人什么时候才能来呢。"他们就一起上了船。

"贡多拉"在狭窄的街道间缓慢穿行，街边的窗口亮起灯光，飘出奶酪番茄和意大利香料融合的气味。船夫站立在螺旋形的船头像一只鹰，他目视远方唱起一首古老的民歌。路与昂和小周坐在船尾，在歌声中谁也没有说话。

船渐行渐远，天已经黑下来，他们和前面船只的距离在拉大。

在一个没有住宅的拐弯处，这里是河道由窄变宽的地方，前方有一座石桥，两边都黑着灯。船夫止了歌声，四周静谧。

老牛却突然站起身，跟着船的摇摆，渐渐靠近船尾的两个人。

就在他巨大的手掌离路与昂的身体只差几公分的时候，空中突然炸响一个尖利的声音："周磊，周磊你这个混蛋。"同时，有一个人从身后死死抱住老牛，他一屁股跌坐下来，船猛烈向右栽去，船夫赶紧蹲下来，使劲踩着船左边控制平衡。

所有人都顺着声音看过去，桥上站着一个娇小的女孩，她拿着一个巨型手电筒，一束强光刺得船上的人睁不开眼睛。小周一边挡着脸一边冲桥上骂："赵漫漫你发疯了，快把手电关了，我们要撞桥上了。"

那边是水泼不进的一串骂声："周磊你才是发疯了，你把我意大利司机赶走自己抢了钥匙是演的什么戏？你抢了我的团屁都不放一个，我怕你死在路上没人管，一年奖金都给赔进去给你上紧急保险了。你撞呀，你这几年老鼠一样躲到德国，你就掉进这河里再也不用躲了。"

路与昂抬头，桥上的女孩一双丹凤眼恶狠狠地瞪着，眉毛插入鬓角。她手舞足蹈指天恨地地骂人，是多年未见的小周前女友。

惜阳是在前一天拨通赵漫漫的电话的，她还没有开口，那边接起来就说："惜阳，周磊那个混蛋是不是和你们在一起？"

惜阳愣了一下："你发的团，难道不知道小周这次过来当司机吗？"

"这家伙！他不知道是我发的团，要不然借他一百个胆子也不敢上。你等着，我这就买机票飞到威尼斯去。"然后就啪地挂了电话。

漫漫板着脸从桥上到船上，惜阳问她："你请了几天假？"

"三天，我跟你们到底了。"

"她自己的公司还不是想走几天走几天？"一直沉默低着头的小周突然蹦出这么一句话。

"谁自己的公司？漫漫你不是还在曼联旅行社吗？"惜阳问。

"曼联那就是她的旅行社，名字里就有她的名字！真没有想到呀，财大气粗的那个人居然还这么浪漫。"小周气呼呼地说。

两人的分手是在赵漫漫升职的那个冬天，她当初所在的旅行社正收购了几个小公司红红火火的扩张。以前的部门经理邱小雅突然辞职，才进公司两年的赵漫漫居然变成了主管。流言马上从几个目瞪口呆的老员工那里传开，先是老板和老婆离婚，然后他把赵漫漫叫进办公室长谈几个小时，再后来是小周送花来，漫漫换了办公室，别人没有见过小周，当着他的面说："呦，有人送花来了，肯定是老板的心意吧。"小周当即扔下花束就走。

赵漫漫追出来骂："周磊你一个一米八的大男人心眼小的像个鸡爪子。"

小周嘴笨，不理她一直往前走。赵漫漫在后面追，越跑越气："人家不只送我花，还送我名牌包，还送我戒指项链呢。"

小周突然停下脚步，扭过头一字一句地说："漫漫，我受够了。咱们分手吧。"

那天之后，他把自己关在家里，几天以后拿起手机想给她发个短信，却收到她发来的一张图片，上面是一扇大门，上面写着："曼联旅行社"。小周脑子嗡的一声，他觉得自己像个傻瓜。

他疯了一样把漫漫留在这里所有的东西都装进一个箱子，开车到她公司楼下。她兴高采烈地跑下来，是想告诉他自己要换工作了。哪怕还是从新人做起，曼联旅行社其实和她没有丝毫关系。

可是当她看到小周把箱子气呼呼地扔到她面前，说出口的话就变成："你是要分手吗？好呀，我巴不得再也别看见你这小肚鸡肠的男人了。分得正好，这些东西我也不要了，人家要开一个旅行社给我，就是用我命名的。"

小周不说一句话，油门踩到底在高速路上开到没油。第二天他就去了德国，随身带的行李只有一个旅行包，包里却有一条旧围巾怎么也舍不得扔掉。

赵漫漫在船上一直没有说话，听到这里跳起来指着小周的鼻子说："周磊我告诉你，我就是嫁给旅行社老板了。我嫁给他我又离了婚，现在我是个离过婚的女人。我追到这儿来找你问你一句话，你还要不要我！"一船的人都回头看这边。

小周脸涨得通红，使劲埋着头。

"周磊我就知道你是个懦夫，我早就应该看透你了。当年我不嫌你穷不嫌你笨，一步一步带着你入行。现在你嫌弃我，我知道。你连别人送我一个戒指都受不了，算了，我早就该死心，船一到岸我就走。"她骂着骂着突然撞进一个坚实的怀抱里，她整个人陷进高大的肩膀中。

"我要你，你成什么样我都要你。"小周紧紧抱着赵漫漫。

她哇地一声哭出来："我骗你的，我没结过婚，我谁都不爱，就等着你，你烦死我我也跟定你了。"她一边说一边使劲踢打，她打得真重，因为知道再怎么用力都不会离开这个怀抱了。

莉莲从后面走过来，往路与昂手里塞了一个盒子。里面是他五年前就买下的夫妻杯。她笑着拍拍他的肩膀："今天的船费是你掏的，我就收了，当是你给我的保管费。"

圣保罗区默默无语，感受着这片刻的和谐。

老牛坐在船头，他乌黑的面孔隐藏在黑夜中看不出表情。老黄刚才把他硬拉下来，小声骂他："你刚才想把那个小子推下去？是不是疯了？现在是寻仇的时候吗？你一坐了飞机，脑子也没带回来？早晚得让你害死。"

老牛喘着粗气说："我真他妈的受够了，在这破地方，谁都能打老子一拳，推老子一下。我就要回平旺镇，我住平旺镇的监狱里，别人也不敢这么欺负老子。而且，你看那小子欠揍的样儿，我就想杀了他。"

"快别说胡话了。"老黄看向远处。

分　离

晚上，赵漫漫和惜阳挤在一张床上。

月光很好，两个人却谁都不想睡。

这几年来，她们的关系时近时远。

从之前的无话不说，到后来她被丁薄言带走关起来没有联络的半年，再后来她当了导游。两个人就很少见面，电话里说的也都是工作的事。她感觉漫漫对她隐瞒着什么，感情还是在的，就是怕一靠近谈起无法解释的往事。

而她自己也在很长一段时间回避和路与昂有关的人与事。两个人自然就疏远了。

这个晚上，她们睡得很近，彼此听得到对方的呼吸声。

她想起有一次漫漫和小周来家里过新年，她们也是这样躺在一起的。那时候她们说起要一起办婚礼，漫漫说小周还没有求婚呢，要不然我向他求婚吧。

两个人设计了很多种求婚的场面，最后决定发一个长线团，在每一间他要住的酒店房间，他要经过的加油站，他去的酒吧喝餐厅里都留一枚硬币，最后一站要选在罗马，硬币将会有 99 枚。他们会在特雷维喷泉前长吻，扔下所有的硬币保佑爱情长久。

她们俩被这个想法感动得抱在一起。

"惜阳，"漫漫突然坐起来："对不起。这些年里，我听说了很多关于你的事情，我不知道真假，却没有告诉你。路天王他，他离开你，并不是自己情愿的。"她轻声说着，在静谧的黑夜里。

惜阳没有动，她在黑暗中睁大眼睛，等着她说下去。

路与昂从来没有对她说过，自己有一个怎样的家庭。

八岁那年矿上出了一场事故，一起下井的几个人都没有出来，只有他父亲还活着，却被炸断了浑身骨头。他们很快就搬到北京姑姑家里，父亲从医院出来，他们用了全部家当在北京买了一间小房子。路与昂不明白为什么不回家乡，后来渐渐长大从父亲的叹息声中才知道，除了治病以外，他还在躲避什么人。

路与昂从小认路认人都快，18岁高中毕业就在北京当起了导游，带着老外游长城故宫，日子过得宽松起来。有一次他开着租来的小面包车去八达岭，迎面一个举着小旗子愁容满面的中年男子把车拦住了。他说是自己今天带着贵宾，谁料到车在这儿坏了再也点不着火，看路与昂车上还有三个座位，想请贵宾坐他的车回市区。

路与昂没拒绝，不仅开车带回了三个人，还陪着他们吃饭看杂技，最后互相留了电话号码。

没过几天，路与昂接到一个电话，是那天的中年男子，他是一个旅行社的老总，问路与昂想不想出国带团。就这样，他来到了欧洲。后来发现在法国接团更容易，就干脆办了自由职业者居留留了下来。

他是得到最佳导游那年就认识了邱小雅，她比路与昂大五岁，是旅行社风头正劲的副总经理。

邱小雅从第一眼看到路与昂，就爱上了他。

她来到法国多年，历届男朋友中有新闻台播天气预报的主播，有新入驻大商城自创品牌的设计师，有另类杂志的市场宣传。

总之她热衷于在各种奇怪的酒会饭局上出现，为了展示她那一袭一袭寂寞的新衣。

邱小雅虽然从未表白，但是行为作风大胆，路与昂早就看得出来。

"邱小雅不算丑，看准了哪个人无论是事业还是金钱上都会使劲付出。多少男导游跟在她后面，如果她愿意，每天都可以换一个约会对象。谁知道路与昂就是不动心，他又长得帅，所以我们都在背后说他应该是GAY吧。"

赵漫漫见到惜阳之前，已经在旅行社听够了关于她的传言。

路天王自从遇到她以后，从前含着冰的眼睛笑得像要融化了一样。以前他都走赚钱多的长线团，现在只接一周之内的。以前除了工作和别人一句话不聊，现在只要看到办公室的小姑娘有一个好看的包，一双漂亮的鞋都马上拿出钱让别人帮他买一样的。

邱小雅的脸色，越来越难看。

"你以为，你们从来没有见过面吗？"漫漫说。邱小雅曾经跟踪过路与昂，她知道你们住的地方，她那么爱漂亮的一个人居然在门口的草丛里等了一天一夜，看到路与昂接你回家，不知道说到什么高兴事，他把你抱起来扛在肩膀上进了门。

你问我怎么知道的吗？我在邱小雅的办公室里看到她偷拍的照片。

邱小雅发疯了，派人跟踪你，调查你。对不起惜阳，当时我们并不认识。

而当我真正看到你的时候，她已经不再提起。对路与昂也冷淡下来，我以为这件事情过去了。毕竟，她还是我的上司。

就在秋天来的时候，他向你求婚。有一件事情你可能忘记了，他也就是在那个时候换了手机号码。

他接到无声电话已经有一段时间了，对方是沉默的喘息声。你被求婚的那个早晨，他又接到了电话，里面却有一个男人的声音说："你爸该死，你该死，你女朋友也该和你们一起死。"路与昂狠狠把电话摔在地上。他告诉惜阳是手机被偷，连电话带号码全部换掉了。

除了邱小雅，在同一时刻发疯的还有另外一个人，她就是惜阳的妈妈丁薄言。

虽然知道女儿素来与自己不亲近，但她无论如何也没有料到她会离家出走。

那不过是个普通的夜晚，惜阳走出来平静地和她说："我20岁了，早就是成年人。我不要再练舞蹈。我要自己保管我的护照，我想回国看爸爸。"丁薄言端着一杯香槟和丈夫坐在客厅里，明亮的水晶灯下她感觉到安全，她在这安全感中轻描淡写地对女儿说："以后你就知道练舞蹈好了，这是为你好。"

女儿平静地说："即使我跳得再好也不能代替你，舞蹈不是我的梦想，是你的。"

丁薄言手里的酒狠狠颤了一下，她又端稳了问她："这都是谁告诉你的鬼话？"

"这还用别人告诉我吗？我早就知道了，这么多年你逼我压腿、下腰。就是为了在精神上做你的替身，我受够了。"丁薄言心里已经结疤的伤口被狠狠踩了一脚。她跳起来扑向女儿，掰着她的肩膀大声说："你这都是听莫长风那个混蛋的胡言乱语，我逼你跳舞是为了你高雅，为了你更美丽。为了把你身上那些小市民气质都去掉，都是从莫长风那里遗传来的上不了台面的样子。"

女儿不动声色，她冷冷地看着她，就像看一个可笑的陌生人。

丁薄言在这目光中失去了理智，女儿人虽然在这里，可她的心分明还是在亚塘市那个粗鄙的男人那里。

而那个男人都做了什么？

十年前季鸿离在机场接她，她跌跌撞撞拿着行李好不容易找到出口的时候，到达大厅里已经没有别人了。她一路奔波，整夜无眠，黑着眼圈凌乱着头发站在他面前。他还是那么温文尔雅，甚至更加体面。她的心被一根签子戳着，一路辗转鼓起的勇气像一只廉价气球，啪一声破了。心里的血一滴滴淌着，她一点点把头低下来。她不再是那个跳着天鹅湖的长辫子女生，她老了那么多，并且，还残着一条腿。

在他们通过的几百封信件里，季鸿离并不知道她的遭遇。他是学究，年少时爱过一个人就再无二心，当年匆忙离开对她心里的愧疚夹杂着爱情与乡愁，催化成丁薄言在他心中无人可及的位置。现在他看着她一步高一步低地走过来，泪水也漫上眼眶，他只迟疑了一秒钟，就掏出早就准备好的戒指单膝跪地。

丁薄言没有想到，她灰暗的人生中居然有这样一个华丽的中场。她捂着嘴点点头，在心里狂呼："我愿意，我愿意。"

这对于她的人生，是多么重要的一件事情。

而莫长风，他却做了什么？

他拒绝办理离婚手续。

一开始丁薄言以为他对她还有感情，心里得意自然就姿态放高，和他讲缘分已尽，不能做夫妻还能做亲人的道理。他压根不买账，后来又提出给他一笔钱。那时候他下岗有一段时间，生活还苦。那笔钱足以让他开个小店面，过得富足起来。可他一点儿都不愿意听。

丁薄言终于发怒了，用一贯的刻薄语气说："莫长风，我嫁给你这些年本来就是个错误。你根本就不应该能娶到我，现在我有个改正的机会了。你为什么不肯放开我呢？"

莫长风沉默了许久后说，希望小惜有个完整的家。

原来他还奢求着她会回去。

后来丁薄言干脆把女儿带来法国，前夫没有阻止，那时候他的生活没有什么希望，总觉得女儿来了这里会过得更好。

但是离婚的事情他却更不同意了，问得急了才说："丁薄言，要是我和你离了婚，你是再也不会让我见女儿的了。"她没否认，即使否认了也没有用，十年夫妻，他太了解她了。

又过了几年，莫长风买下厂区的一部分，卖钢筋和加工零件，居然风升水起地发了财。他把厂子全买下来那一年办了护照，那时候惜阳已经离开家三年了。

丁薄言和他说，惜阳还是未成年人，你即使来到法国来到我们家门口，惜阳见不见你还是我说了算。我希望你见到她的时候把签好字的离婚协议书翻译件给我。

又一次，她被拒绝了。

那天晚上季鸿离请她去米其林三星餐厅吃饭，餐厅是十六世纪的画廊改造的，二十米高的雕花穹顶。舒适的烛光中扎着黑色领结的侍者在古老的雕花圆桌间穿梭。

眼前的这一切是那么美好，季鸿离送她一双鞋，是那个以制作芭蕾舞鞋起家的著名品牌。他送的是一双小羊皮平底鞋，纯黑色鞋尖有一只小小的蝴蝶结。既简洁又及优雅。

季鸿离说："你记得今天是什么日子吗？35年前的今天，我第一次看到你。"丁薄言眼眶就湿了，她承受了那么多世间的煎熬与恶意，粗鄙与磨砺。她就即将要坠入到那灰蒙蒙永不见天日的人生里，就这样滑行下去了。

谁想到人生峰回路转，这唯一珍视他，待她如初见的男子就在眼前。

他又说："其实结不结婚的无所谓了，你看在这里，有一半情侣是相伴走完一生却没有领那张纸的。以后每年的这一天，我们就当作结婚纪念日过。"

丁薄言放声大哭，她用最恶毒的语言诅咒莫长风。

哭过之后，她就拉着季鸿离回家，甚至连最后昂贵的香槟酒都没有打开。她是回家彻夜准备材料，第二天递到大使馆申诉，说她被前夫莫长风长期精神与肉体虐待，要求法国海关禁止莫长风入境。

她只有一句话："拿到离婚协议，就撤销申诉。否则永远别想再见女儿。"

这件事情又过去了两年，惜阳已经五年没有见过父亲了。他们常常背着她通电话，有时候她在惜阳门口听到她在电话里和父亲撒娇，像一个小女孩。而不是她面前冷漠而早熟的少女模样，她就心如刀割。

而现在，女儿冷言冷语地要求停止练习舞蹈，那是她自认为和女儿不多的情感纽带中很重要的一环。虽然她已经二十岁了，但她还是每周三亲自带她去上课，坐在教室旁边陶醉地看着她旋转，跳跃。

她盘着头发露出光洁的额头和修长的脖子，就像当年不染纤尘的自己。

丁薄言这时疯狂地摇晃着女儿的肩膀，突然发现她锁骨间一闪。

她认出来了，那是莫长风母亲的陪嫁戒指，一枚不值什么钱的银戒指。她却宝贝一样地带在脖子上，就连熟睡时候也攥在手里。

丁薄言疯了一样撕扯那根红绳，绳子崩断了，她打开窗户把戒指狠狠扔出去。

原本不动声色的女儿惊呆了，她发出狼一般撕心裂肺的吼叫冲过去想和母亲抢夺，但戒指还是消失在茫然的黑夜里，连声音都没有发出来。

雷声轰鸣，大雨倾盆。

女儿用力推开从书房里走出来的季鸿离跑出门外。丁薄言跌坐在地上，她的眼泪也像雨水一样停不下来。

那天晚上她太累了，多年来的疲惫在这一刻爆发出来。她倒在床上就昏然入睡，在睡眠的黑洞中徘徊了两天两夜她才醒来。

守在床边的季鸿离告诉她，女儿还没有回来。

那天以后，惜阳就消失了。丁薄言去她可能去的所有地方寻找都一无所获，她不再去上学，而她并不知道女儿是否有什么朋友。每隔十几天却都有一个短信发到季鸿离的手机上，是隐藏号码，说她一切都好。这也阻止了丁薄言去报警。

她只好给前夫打电话，莫长风自从被列入海关黑名单之后就没有再和她通过话。她听得出他是在觥筹交错的饭局上，那边有人大声恭维着莫总的丰功伟绩。她冷笑着，真是老天开错了眼，什么泥都能糊上墙。莫长风的气场也不再一样，他略带讽刺地说："你们资本主义高级社会的事情我怎么知道呢？你这不是向瞎子问路吗？"

丁薄言被噎得倒抽一口冷气，就挂断了电话。

其实，莫长风不是不知情的。

女儿终于逃离开那个电话都被监听的高级别墅，她给爸爸打电话，告诉他自己现在很幸福，和一个叫路与昂的孩子在一起。莫长风从那天开始拼命赚钱，他的钱已经够在这世界上的任何国家富裕地过完下半辈子。

但是他不知道女儿需要些什么，他就是要把每一分钱都攒起来，给她和那个让她幸福的人。

半年以后，是一个男孩给他打电话。他说自己就是路与昂，他想向惜阳求婚，希望她最爱的爸爸能够当面把女儿的手交给他。

莫长风家财万贯，名与利都像秋天树林里的黄叶扫都扫不净。然而这些都买不回那一纸放着他照片的待调查报告。他太想念女儿，已经几近疯狂。女儿走的时候才十五岁，之前家里穷，他只有三四张女儿小时候的照片，放在上衣口袋里都磨得褪了色。

他一不做二不休，托了关系花了大价钱办下来一张旅游签证。出关的时候，海关关长亲自送他，拍着他的肩膀说："老莫啊，你被列入了调查名单，我这也是担了风险打个擦边球。到法国以后一切低调，万一被查了，没有十天半个月的出不来不说，以后限制入境，我也跟着要受处分了。"莫长风赶紧递上烟和信封。

那年初春，丁薄言也接到一个电话。对方说，知道她女儿在哪里，她和一个大学都没有毕业的导游在一起，已经同居并且就要订婚了。

丁薄言眼前晕眩，赶紧问对方是谁。

那人不说，只说她可以让女儿离开那男人并且回家来。但是需要她的帮助。

人的记忆力有时候真奇怪，这些年惜阳忘记了很多事情，去红房子的路，他们一起度过的假期。然而她却记得那天的每一个细节。

之前他们已感觉到离别的前奏，路与昂自从频繁接到匿名电话之后长时间的失眠。他总是在午夜无法入睡的时候仔细看惜阳的侧脸，她那么美。有时候嘟囔着蹭进他怀里。她又那样瘦弱，想让他带在身边时刻保护着。

他孑然一身，这些年在旅游圈这江湖上博得霸名就是从不曾害怕。

被谩骂、推搡、侮辱，甚至有人从包里拿了刀、在高速路上扑过来转方向盘。许多险恶他都不曾害怕。

可匿名电话的内容越来越多地针对惜阳，她叫什么名字，梳什么发型，长什么模样都说得清楚。直到有一次，电话里清楚地说出她当天穿的裙子颜色，路与昂才真正觉得问题无法解决了。

那天他做了决定，他要和她结婚。

路与昂要带她去马德里的前一天，突然发现车坏了，无论如何也发动不了，屏幕上反复提示无法分析故障，需要到汽修厂去。

他去旅行社借车，刚走到门口就碰到邱小雅，她说管车的小刘今天病假，正好有一辆新的奥迪，如果他要用就拿去。

路与昂拿了车钥匙，邱小雅说这车还没有办过户手续，暂时不是公司的。如果要借一定要压证件，赵漫漫这时候走过来听到了说："呦，路天王姓甚名谁，家住何方，家有几口人恐怕没有人比邱总更清楚的了吧。哪天他失忆了，恐怕还得麻烦你给他写个回忆录。怎么今天还要压证件了？"

路与昂把护照掏出来："那就按规定办吧。"

邱小雅脸一白："都是过去的事情了，祝你这次旅途顺利吧。"

他们一路唱着歌开到马德里，心里都对彼此藏了一个秘密。

路与昂的秘密是要去巴拉哈斯机场接惜阳的爸爸莫长风，他在格兰梅里亚酒店订了顶层的房间。他要给她一个正式的求婚仪式，在她最爱的人面前许她一生一世。

而惜阳的秘密却没有说出来，她怀揣着这甜蜜想要等到烛光晚餐时候再揭晓。

而谁能想到，他们两人的秘密就像是一团火焰和一片树林。一个有满腔的热情，一个有无限的生命力。然而碰撞在一起，却燃起冲天烈火，要使一切都燃成灰烬万劫不复。

他们在爱情与生命最高潮处跌落，跌进这滚烫的深渊。他们可以为了对方粉身碎骨却在漫天烟雾中看不清楚彼此的面容，最亲爱的人到从此陌路。

莫长风一走出航站楼就看到一个高大的年轻人站在一辆奥迪旁边，小伙子穿着一件黑色呢大衣，两条浓眉下闪亮的双眸。来往的一些导游模样的年轻人走过和他打招呼，给他递烟。他头也不回地挡回去。

两个人对视的一瞬间就知道是彼此了。

莫长风冲年轻人挥挥手，从心里觉得女儿的选择真不错。

路与昂也伸出手来准备接行李，正当这时候，身后的 25 号出口突然嘈杂起来。有一个尖利的声音用别别扭扭的英语说："是他，就是他。"莫长风不懂英文，然而却一下子听出来那是一个熟悉的声音，这声音来自多年未见的，他的妻子丁薄言。

他猛地回头，远远看到一个穿貂皮大衣的女人带着两个警察往这边走过来。那个女人边走边指指画画，她四处张望，可因为多年未见并没有一下认出他来。可是他却因为那女人走路的姿势瞬间明白了。

路与昂看到莫长风的脸色变灰，他伸出去要帮他拎行李的手被塞进一个大信封。"小伙子，我得走了。这是叔叔给你们结婚用的钱，请你，请你好好对惜阳。"

警察越走越近，路与昂曾经听惜阳说过父亲被列入海关待查名单的事情。听到他们的话马上就明白了，他知道一旦被警察控制住的危险，那将是强制遣送和永久禁止出境。

他一把推开莫长风说："叔叔，15 号出口前面是紧急售票处。你快去买张回程机票，你放心，我会好好对惜阳的。等我们一结婚就回国去看您。"

莫长风紧紧拥抱了路与昂，他在他耳边轻轻喊了一声："爸。"装满钱的信封被推回去又推过来。莫长风头也不回地向 15 号出口走去。

警察渐渐走近，丁薄言用疑惑的眼光看着往远走去的男人。他们正要跟上去的时候，路与昂突然拦在他们面前，假装懊恼地用西班牙语说："倒霉，怎么在这门口停一下就遇到警察了。"两个警察正要用对讲机和海关联系，听他这么一说，马上警觉地回过头去，一个人走过来说："你怎么乱停车？这是大巴停车处，私家车停在这儿要罚款。"

"罚多少？"路与昂一边掏钱包一边问，余光中看到莫长风已经消失在视野中。

一个警察绕到后面去抄车牌，打电话说了很久，然后走过来按住路与昂，给他带上了手铐。

他在拘留所住了整整三天，那是三天他再不愿意回忆的日子。

他在候审室里大叫，抓住每一个路过的人问什么抓他，和他们说多少罚款都行，甚至把车拿走都可以。但是请让他出去，惜阳一个人在酒店等他。

一开始还有人听他说话，等到午夜时候。警察突然多起来，隔着拘留所的围墙，他听到城市中心传来奇怪的声音。像是万人合唱国歌，又像是千百人同时哭泣。

无数个新闻记者扯着嗓子说些什么，而城市上空的风声融合了这一切。

他在黑暗的房间里冲着外面大叫："有人在吗？让我出去，我未婚妻还在等着我。"同室的老头去打饭回来和他说："别叫了，今天你喊破喉咙也不会有人放你回去的。听说市里出了大事，所有违法嫌疑人都要被彻底审查。"

"什么大事？"

"马德里火车站爆炸了，死了好多人。"是的，那是 2004 年 3 月 11 日，路与昂和莫惜阳生命中永远无法忘怀的日子。他们在这一天长久的别离，正如这城市中许多人一样。

三天之后，有人来看他。他顶着蓬乱的头发疲惫地走出去，看到了邱小雅。

外面阳光太刺眼，在低矮阴暗的室内生活了三天，让他的眼睛不再适应光明。邱小雅穿着一件白色大衣，把烫成卷的长发扎一个马尾辫。和外面那个明亮的世界合为一体。

路与昂第一次觉得，和她有些亲近。

邱小雅递给他一杯热咖啡，她说对不起，她并不知道借给他的那辆车是被偷来的。他因此被拘留，又因为没有证件等待了整整三天。

她从巴黎到马德里，机场和火车站都封锁了，她坐了一天一夜的长途汽车。她把护照还给路与昂，顺便把手在他手背上放了一会儿。

"谢谢，对不起。"路与昂说出这五个字就冲到路中间栏出租车，她还来不及叫一声，刚才还没有暖热的温情瞬间冰凉了。她一贯强势，也忍不住沮丧地低下头。

手机响了，那边说："谢谢你邱小姐，等女儿出院我就把她带走，希望我再也不要看到那个小流氓。你和他回国，走得越远越好，我可以出机票。"她还没有仔细问，电话就挂断了。

路与昂一路狂奔到达格兰梅里亚酒店，惜阳手机关机，他一头汗水衣着凌乱地冲向电梯。自从爆炸案之后，到处都增加了警力，马上有人过来问他："先生您订房了吗？"

他不记得房间的号码，报出惜阳的名字。前台摇摇头说昨天晚上就退房了。

他一把推开保安奔向楼梯，他连跑带爬地到达十五楼。房间的门开着，清洁工正在整理房间，他在楼道尽头看着那金发妇女把房间里的东西一样一样扔出来，不只是用过的床单、毛巾、拖鞋，他还看到他的睡衣、旅行箱、一件毛衣是圣诞节时候惜阳送他的礼物。她一样都没有带走，她一定是吓坏了以为被抛弃。

她得多么怨恨才能够把送他的礼物都遗忘在这冰冷的陌生城市里。

阳光从走廊的落地玻璃打进来，眼前一片茫然的白色。路与昂瘫坐在地上，被赶上来的保安拉着进了电梯。

电梯合上的最后一秒他还一直望着那间客房。他希望惜阳就在这时候走出来，从保洁太太的筐子里把他的东西拿出来，她会撅着嘴说，这怎么能扔呢？

他眼前出现幻觉，可是她却没有出现。

他打遍了能找得到惜阳的电话，没有人见过她，没有人知道她去了哪里。

他去了火车站，飞机场，甚至又回到警察局，别人听说是情侣吵架，又把他赶出去。

他有一种不好的预感，他不只在这里丢失了她，还在时间的长河、空

一路惜阳

184

间的宇宙中弄丢了她。

晚上，路与昂在卡萨多迪酒吧喝得烂醉。

他想起遇到惜阳的每一幕，这一年是他人生中最快乐的时光，也是最辛苦的岁月。自从那片别墅区前遇到她，他就深深觉得自己配不上她。近十年中，他带过的客人有亿万富翁、有政府高官、有不胜枚举的大明星小明星们。他都和他们谈笑风生，见面后不留一片云彩。

然而看到这个单薄的女孩，她身上闪耀出昂贵的光芒，使他瞬间怀疑自己是否可以给她幸福。

当他把第 8 杯威士忌举杯喝下的时候，眼前出现了幻觉。有一个穿白衣服的仙女走过来问他："你要跟我走吗？如果你放弃她就会开心点。"

他就被仙女带着，走入一片雪白茫然的境界。

第二天他醒来，发现自己一丝不挂地躺在床上。他使劲想也回忆不起来前一天发生了什么。卫生间的门一响，从里面走出一个穿深蓝连衣裙的女人，居然是头发一丝不乱的邱小雅。

她微笑着对他说："你醒来了？"

他翻身下床，把床单掀开裹在身上到处找衣服。

邱小雅扔过来一个纸袋："你的衣服都吐脏了，我扔掉了，这是新给你买的。"

路与昂不说话，回忆着当时穿的黑色 POLO 和深蓝牛仔裤是惜阳买的，他走到卫生间的垃圾桶里看，却什么都找不到了。

"保洁已经把垃圾桶换过了啊，你睡了整整一天了。"邱小雅在沙发上坐下来，一边欣赏着自己的指甲一边说。尽管声音不屑一顾，但只有她看到自己指尖轻轻颤抖。

路与昂不说话，在房间里找出皮包。把纸袋里的东西倒出来，扯下吊牌胡乱套在身上。他从钱包里找出几张纸币放到茶几上，一声不响地拎起包往门口走去。

虽然，他并不清楚地知道发生了什么。

然而多年的相处，他了解邱小雅，这是一个会不择手段得到一切的

分离

185

女人。

"路与昂你站住。"邱小雅终于叫起来。她快步走过去,掏出手机放到他眼前,上面的几个字让路与昂眼前一晕:"父病危,请转告与昂速回家。"

"打你手机不通,你父母请人发到我手机上的。"她又从包里掏出两张机票:"机票我买好了,今天下午的航班。"

后面的事情,赵漫漫就不知情了,她听到最后的消息是那天在马德里的酒吧里,路与昂给小周打电话,他含糊不清地说:"你过来接我,惜阳走了。"小周急忙和他说:"那你赶快给她打电话啊。"

"电话打不通,她发了一张这样的图片给我。"

小周看到路与昂转发过来的图片,上面是一栋高大的别墅,漆黑的大理石台阶两边是洁白的汉白玉罗马柱,中间的雕花大门上挂着白玫瑰做成的花环,花环中间落下白纱挽成的蝴蝶结。从门厅的落地玻璃看过去,有一件上身镂空裙摆用白羽毛拼成的婚纱。

照片下面写了一行字:"别找了,我要结婚了。这一次,本来就是分手旅行。"

而当小周连夜驱车赶到马德里,路与昂和邱小雅已经登上了回国的飞机。

"路天王托周磊找过你,但是那时候你家、学校都没有找到,你好像就真得消失了。"

赵漫漫说完这些的时候,天已经蒙蒙亮了。她翻了个身,呼吸声渐沉。

惜阳睡不着,轻声问她:"漫漫,那这一次,是你安排的吧?为什么安排我们带同一个团呢?"

赵漫漫嘟囔了几句,不知道是梦是醒:"你和路天王,怎么能不结婚呢?"又翻身睡着了。

失　策

一夜未眠的还有老牛和老黄。

躺在床上彼此无言，他们知道彼此都没有睡着。

过了很久，老黄深深叹了一口气。

"你今天怎么能冒那么大危险呢？要真在那个关口把那两个小子推下去，那用不着等回平旺镇了，在意大利就把咱抓起来。"

老牛突然从床上跳起，暴怒起来："我真他妈的受够了，路大庆呀路大庆，你当年把老子逼得无路可走，自己也弄得人不人鬼不鬼。二十年过去了，要不是因为你，我还用东躲西藏，还被那个小王八蛋打，要在平旺镇，谁敢动老子一根指头。"

老黄赶紧过去捂住他的嘴："旁边有人，你想现在就死我还想活着呢。"

老牛挣扎开他的手："谁他妈的想死了，我告诉你，想让我牛望财死我还真就是死不了。警察来吧，尽管来。我把牛红山那死鬼爸爸供出来，我黄土就要埋住的人了，难道会怕他吗？"

那几年间，老牛偷偷赚了很多钱，他拿了算命老头的药，给那些被打晕的人强行灌下，三天之内他们就像死了一样，连呼吸都没有。

矿上的人也不敢细瞧，赶紧给了钱让老牛自己打理丧事。老牛把他们拉到山上，三天以后，他们醒来就忘记了这件事，也变成了真正的傻子。

路大庆有一次去山上祭拜，发现老牛又抬了一个人。他冲过去，一拳把老牛打倒，掐着他的脖子说："你黑了心了，还在干这伤天害理的勾当？

我后悔第一次没有报警，现在你就和我走，咱们去警察局。"

牛望财使劲挣扎开，咳嗽了几声吐了口痰，冷笑了几声："哥，这些本来就是傻子，警察来了我给灌上药，他们醒来和以前一样，谁都不会管我。而且，你以为那些警察，就真得一点儿都不知道吗？"

路大庆抓着他的手颤抖着越抓越紧，最后嘶吼着又一拳打上去。

老牛没有回手，和担架上的矿工倒在一起。

他爬起来，半边脸肿胀，嘴角出了血。他看着路大庆，反而笑了："哥，这一拳是我欠你的，在你家吃的那些饺子，烤的那些火。但是这拳以后，咱俩各不相干，你要是再想管我的事儿，可就没有这么客气了。"

路大庆心里的火从心里一直烧到指尖，像要把这火烧到这片荒地，燃起熊熊火光。然而他却一点儿办法都没有，看着远处大吼了几声。

后来的半年里，路大庆还真的跟踪了老牛，但他行踪不定，又有老黄他们几个帮手，很难被逮个正着。也去警察局报过案，都是刚说到算命老头能让人失忆的药，就被当成疯子赶出来了。

镇上悄悄地出现了很多神志不清的人，在路边要一口饭吃，或者躲在角落里，看到行人来了就大叫着冲出去，唱着歌蓬头垢面地走在巷子里。

那年中秋节，亲戚家的饭店忙不过来，路大庆去帮忙，在厨房里听见一群人推杯换盏的声音。

"嘿，明年这时候，咱们可就不是在这儿吃饭了。"这是老黄的声音。

"那是，哥几个要发大财了。幸亏了老牛，要不然咱们一辈子挖煤，什么时候是个头啊。"这是程有强的声音。

"咱们敬老牛一杯！"吵吵嚷嚷的，碰杯的声音。

"先别忙着喝酒，事情是不错，可爆破工，还真不知道要找谁了。"老牛听声音也喝多了，把这保密的事情敞开来说。

"咱们这三城五县最好的爆破工路大庆，不是你哥吗？这还有啥说的？"

"唉，大庆这人太倔，和我吵翻了，肯定不会帮我。"老牛叹着气。

"是不是你小气，钱没给够？"有人问。

"老牛像是那小气人吗？就是路大庆那个死心眼，给多少钱都不行。"程有强接话。

路大庆在厨房里，停止了切菜，凑到门帘上仔细听着。

"那咋办？不行就找我表叔，是东山矿上的爆破工，咱们就在东山下手。"老黄恶狠狠的声音。

"东山好，那儿更偏僻，咱们想咋干就咋干，要是在那儿，就不止十几个人了，咱们三四十人都敢干。"路大庆听到这儿，手里的刀也拿不稳了。他解下围裙，从厨房后门出去，又从前门走进来，正好走到老牛他们一桌人眼前。

平旺镇东挨着县城，交界线上有个人才市场。

人才市场是最近的说法，以前就是一堆一堆的人凑在一起，举一个牌子，上面写着自己会干的工种，木工、水电工、装修、做家具。牌子有玻璃上描着白字，有木板刷着红色黑色的油漆，有的干脆就是一块写了圆珠笔字的纸板。这些简易的自我介绍就像他们所在人才市场一样，乱糟糟的众生百态。

来招聘的人也简单，看上谁聊几句话就领着走了。

牛望财以前经常来这里，后来事情做得多了也怕引人耳目就去远一些的镇子上。前天他领着一群人去镇上的酒店吃饭，正好经过那里发现了一群山楂弯的人。

山楂弯是省里最穷的镇，不仅穷还迷信。他们村传着一句古话，好汉不越幡，好女不出弯。山楂弯三面是山，只有东边通着一条小路可以沿着走向旁边的树姚村。偏偏这条路尽头杆子上挂着一面幡，已经被岁月侵蚀得看不出颜色，只剩下乌黑的几根布条了。

这就是山楂弯祠堂里留下的最后一样东西。

有了村里的古话，想当好女好汉的村民们都世世代代不越过旗杆。他们在村里婚丧嫁娶，他们在村里养儿育女。

几代人过去了，山楂弯的人在整个省里都很好认。他们都姓山，看人的时候都直愣着眼睛，话很少，但是一开始说就停不住。

外人听不懂，一旦仔细听了就发现来回说得都是同一件事情。

牛望财每次去各地市场都蹲下来仔细看，要看好几天才能认准一个不那么聪明的人带回来。这次他看到蹲在一起的十几个人，像个发现了米库的老鼠。感觉热血往头上冒，蹭一下通了顶。

他走过去和一个人聊天，那人就开始说话，一说就停不下来。然后第二个人加入进来一起聊，第三个人。最后他们围成一个圈，每个人都在念叨着什么，却谁也不看谁。

牛嫂远方堂哥在市里给领导开车，虽然说是司机，但到了平旺镇就是离中央最近的大人物。堂哥过年回家，老牛请他在镇上最气派的酒楼吃饭。

那一顿饭，他们吃了很长时间。饭店不能打烊，就留着两个服务员在楼梯上打盹。

她们心里嘟嘟囔囔地嫌楼上的客人吃得太慢，可是却不知道多少人的命运却从这一顿饭改写了。

堂哥喝得高兴了，就拍着老牛的肩膀，说出一个他最近听到领导在电话里反复指示的事情。

国有煤矿就要开放给个人了。

老牛你想想，你卖吃卖穿，赚的钱是一摞一摞的。可是开煤矿，每天的钱那就是拿筐装也装不完啊。以前那钱是国家的，谁也不眼红，可现如今，马上要变成个人的了。这干个三五年，那就是富可敌国啊。

老牛心里腾地起了一团火，又热又急躁。他飞快地在心里盘算了一下这几年赚的钱，算来算去都还是觉得没有把握。和堂哥口里竞标的数目差距太大。

这顿饭的后半截，他就没有吃到心里去。眼前都是哗啦啦的钞票从天上掉下来，从煤窑里溢出来。一撅头下去一百块的票子哗哗往上涌。

这顿饭吃到下午四点多，被一阵吵闹声打扰了。

"下去下去，老板不在，你别再来了。"服务员尖利的声音就在门口响起。

老牛出去看看情况，原来是一个穿着朴素的青年人来找工作。其他地方找不到人，就直接摸到上面来了。

青年低着头，小声说："那我晚上来行不？"

"别来了别来了，山楂弯的人我们不用。"服务员叉着腰不耐烦地挥挥手。

老牛听到这句话，心里哗地就亮了，像被人从后脖领里扔进去一把硬币。

傍晚，他绕着自家院子一圈一圈地转。老婆在屋子里打电话，声音尖利地说："月初才给寄了一千，咋才到20号又来要了？"

老牛知道，是在老家的二哥打电话来。老牛家三兄弟，牛大去世了，老二快五十岁才和村里一个寡妇住在一起。寡妇精明，早就知道他在镇上有个能赚钱的弟弟，她把牛二照顾得妥妥帖帖，但是也每个月两次地要起了钱。

牛嫂也不认输，在屋里理论了一阵挂掉电话，狠狠说了一句："说是要给他过年买身新衣服，傻子还过得那么好干啥，傻子就该死。"

老牛看着乌黑一片的天空，被老婆的这句话钉死了最后一丝决心。

二十五年前的平旺镇，和两万里外的威尼斯。时间空间上都长得看不清楚。

牛望财躺在这里，又想起这些年来他怎么也想不清楚的事。

明明当时在小饭店里，是路大庆撞到他面前，是他要坐下来喝一杯酒，是他当时答应了要帮他。

那一年路大庆已经三十八岁，他做矿工二十年，干爆破十八年。是远近矿上爆破的第一把好手。

可是，偏偏那一次，他为什么失了手。

那天是个大晴天，天上一丝云彩都没有。

老黄守着门，一起下井的有路大庆、程有强、牛望财的二哥牛生财，还有牛望财的三个亲信。

而牛望财本人，负责把他在人才市场里找到的人领过来，那是十九个山楂弯的人。

一切都很顺利，那十几个人从来没有出过弯，一个挨着一个老老实实地被他带到井下来。

突然，听到了他人生中最大的雷声。

即使在二十几年后的这一天，躺在威尼斯潮水的起落声中。牛望财和老黄依然无法忘记当年的那一幕。

那响声惊天动地，方圆几十里都被强烈地震撼。荡起一阵灰烟，松动的黄土弥漫在半空中久久不能消散。在那之后的平旺镇村民们脸上都洗不干净，老人的皱纹中，媳妇们的发髻上，孩子的衣领前都蒙着一层灰。很久很久无法消散。

平旺镇那一年出生的孩子，都是沙哑着嗓子哭泣。他们吸进了太多泥土。

那就是平旺煤矿爆炸留下的痕迹。

老牛和山楂弯的人们刚刚拐过路口，正走在恰好被这黄土埋了头却受不了伤的地方。

路大庆，你不会是失手。这距离算得太准。

那天是"寒食节"，平旺这古老的村庄还保留着禁食拜祖的传统。家家户户插满了柳枝。那天以路家小子路与昂带领着一众小朋友玩打仗的游戏，没有人愿意和程家的小眼镜玩。他在即将赢得游戏的时候突然从隐藏地站起身来看向远方。也是那天老牛的侄子，他二哥的儿子蹦蹦跳跳地从小吃部跑出来，他和擦身而过的路与昂、程望说，我爹死了，你爹也死了。那天山楂弯的人们在祖辈都未听过的巨大响声中连夜跑回家，从此更是把好汉不越幡，好女不出弯的古训传给了下一辈人。那一天补锅老汉的养女小艾正式许给了程家的小子。她剪了一绺长发给程望的奶奶烧在了祖坟上。

　　爆炸声、哭喊声、夹杂着黄土的烧焦的煤炭气味，在老牛多年来的噩梦中反反复复，挥散不去。

陈　总

又是一个夜晚，在路与昂眼里，黑夜赶路好过白天。黑夜使人疲惫，车上的人们渐次打起哈欠；黑夜使人沉静，即使没有睡着的人也抱着肩膀陷入自己的世界；黑夜使人畏惧，白天再难相处的人在无法控制的黑夜面前也温顺下来。

他喜欢赶夜路，车灯把前方的路像锦缎一样撕开。他觉得自己像一个侠客，黑夜使他感觉安全。

又来到西班牙，他坚持要自己开车。小周在最后面找了个座位和赵漫漫说悄悄话。

又是这个地方，旅行社偏偏又订了格兰梅里亚酒店。他用余光看看身后的惜阳，她头靠在窗户上，长发遮着半边脸不知是梦是醒。

正想着，身后突然传来一个微弱的声音："小伙子，小伙子前面能停车吗？我要上厕所。"他还没有答话，惜阳猛地抬起头走到前面，仔细看左右的路标，回头答道："爷爷，咱们还得一会儿才能到休息站，您能等吗？"她尽量压低声音，不吵醒睡着的人们。

"我……我能等。"老人回答。

惜阳正想说什么，路与昂一脚把油门踩到底。他们有这样的默契。

将近二十分钟的路程开了不过七八分钟，老人却等不了了，呻吟声越来越大。那是一位在旅途中从未被人注意过的人，他非常瘦小，坐在车厢后部靠窗的位置。他缩在宽大的黑外套里面，布满皱纹的脸痛苦地缩成一团。

他旁边的老太太拿着他的杯子问身边的人："有热水吗？还有热水吗？"

惜阳走过去看老人，老太太叹一口气小声说："老孙身体本来就不好，中秋前后老婆去世就更没有人照料他了。儿子还孝顺，给他报了旅游团散散心。谁想到他从昨天晚上开始吃不下饭，今天也吐了几次了。"

老人的呻吟声又从大变小，使劲闭着眼睛，浑身瑟瑟发抖。惜阳伸出手摸摸他的额头，心里不禁一惊。他额头火烧一样滚烫。

前面坐着的小牛牛红山突然说话了："美女，美女。"这是他在卢森堡那天晚上之后第一次叫她。惜阳假装听不见，心里恨不得冲过去打他的脸。

"美女，你有没有毛巾啊？我得把嘴捂起来，万一是传染病呢？我可不想那么早死哟。"小牛扬着嗓子喊得满车都听得到。

车里的人们都悉悉索索地议论开了，这时候老人不知道怎么越抖越厉害，突然哇一声呕吐起来。老人已经两天没有吃饭，只呕出一些积水。温暖的车厢内顿时弥漫开一股酸腐的气味，其他游客掩饰不住地惊慌失措，他们争先恐后地从行李架上拿出书包，翻出手帕、纸巾甚至用围巾捂住口鼻。靠窗的急忙开窗，在老人座位前后的人都挤到尽量远的地方。

只有那位穿着呢大衣的老人坐在前排岿然不动，他这时候转过身来着急地说："老孙，老孙你还能听见我说话吗？"老人不回答，只是哆嗦地上下牙齿碰出刺耳的声音。

呢大衣老人索性走过来，坐在他旁边拉过他的手。

车窗全部打开，十二月的冷风从两边横穿而过，人们厌恶的议论声中夹杂着几声咳嗽。

路与昂沉稳的声音从前方传来："小周把所有车窗都关上。"他知道这样的天气这样的车速，不出半个小时就会再有人病倒。他把空调模式从热风转到交流风，只开了一扇窗，是驾驶座旁边的。

"漫漫重新排座位，把最后一排空出来。"小周站起身来把窗户——

关掉，赵漫漫让大家一一坐下，安静下来。

"小……小惜，你扶着孙爷爷在后面躺下。倒数第二排旅行架上有保温毯。"

他用自己的节奏说完这几句话，却比谁都冷静清楚。

西班牙的急救电话是17，离下一个加油站还有五分钟，离酒店还有一个半小时。如果老人不出现休克，他可以开回酒店再送去医院。以往的经验来说，这天寒地冻的西班牙，把几十人扔在加油站会有意想不到的危险。

想到这儿，他又朗声向后面说道："大家系好安全带。我要加速了。"

陈祥巍二十年前是公派博士，毕业以后开过电脑公司，那时候在法国的华人能干大事儿的还少。他公司虽说只有不到十个人，但也是国庆中秋都能收到大使馆请柬的企业。他对员工好，趴在桌子下面攒电脑、挨家挨户敲门推销软件。这些事情他和大家一样亲力亲为。

赚点儿钱就一起出去喝酒，赚不到钱就把存款拿出来发工资。

谁知道经济危机来一茬他倒闭一次，后来开过饭店、批发过箱包，就离知识分子这条路越来越远了。

快五十岁上，听说印度餐厅赚钱，就假模假式地买了一些头巾，找了几个长得比较黑的服务员，额头中间点了红点儿就开业了。

菜不正宗，口碑差得很。

可是却有一对男女每周都来，男的比女的大十几岁。一开始他以为是父女，后来才看出来是偷着出来约会的情侣。男的四十几岁年纪，每次来都行色匆匆，却气场大得不得了，点一杯扎啤大口大口喝，把旁人都不放在眼里的样子。女的大概二十几岁，总是带着墨镜。他们坐在角落里，有时候说几句话，有时候一句都不说就握着手坐到打烊。在淡淡的咖喱气味和曲调奇特的印度歌曲中，这偶像剧的气氛显得很可笑。

店里生意太差，陈祥巍自己做服务生。晚上只有这一桌客人的时候他就凑在旁边想和人家聊几句。有一次男人皱着眉头问又要凑过来的餐厅老板："你这儿有包间吗？"

包间有，但陈祥巍毕竟也是做过多年生意的人，马上说："包间是给五位以上客人的，您两位就别浪费了吧。"

男人二话不说，从包里掏出一张五百欧让他去拿十个人的套餐来。他掏钱的时候陈祥巍清楚地看到那皮包里有整整两扎这样的深紫票子。

半年以后男人变成一个人来，他只点一杯酒坐着发呆。二十三点的时候起身结账叹一口气，脸上却藏不住笑容。十分钟以后，陈祥巍坐在空无一人的饭店里看到开向罗马的列车从东站缓缓出发，拉出悠长的汽笛。

有一次是这男人忘了手机，第二天有个头发上抹了一罐发胶的年轻人急急忙忙跑过来。一见他就问："贾老昨天在这儿吃饭，手机忘拿了。"陈祥巍问："昨天是有位客人丢了手机，可是并不老。"

那年轻人一脸不耐烦："贾老本来也不老，这么称呼他是因为他在咱们这行里的地位。贾老、贾老师、贾大导、贾阎王。"说着自己也笑起来。

陈祥巍这才知道那男人是个导游，作为他饭店唯一的忠实客人，他来并不是因为咖喱好吃，而是因为这里是东站前最偏僻街道上唯一的餐馆。

男人渐渐来得少了，最后来的那一次陈祥巍已经卖掉了餐馆。

他第一次坐下来和男人喝一杯酒。男人喝了挺多，喝完最后一杯居然一把抓住他，说："兄弟，我给你找个赚钱的门道。"陈祥巍吓坏了，以为是什么违法的事儿。男人口齿不清地絮叨了好久，最后陈祥巍才听出来缘由。

这男人的老婆本是欧洲最大旅行社的调度经理，有什么有权有势的团都留给自家男人带。

本来夫唱妇随过得挺好，谁知道他却偏偏有了二心。男人捶着自己的胸膛说："兄弟，我四十八你四十九，咱们摸爬滚打了这么多年，这个地方，这里，都是老茧，硬得都能胸口碎大石了。可突然她就像一把剑，把我这里挑开。我只有看见她，听见她说话，想到她。才觉得我是一个活人，我这儿还在跳着，还是热的。"他嘴里这个"她"就是带着墨镜和他握着手坐着一晚一晚的女孩。

陈祥巍在走了多年霉运之后突然就因为老贾"胸口跳动的声音"走了

好运，老贾凭借自己多年的关系给他开了个小旅行社。他只接从巴黎去罗马的团，唯一的导游就是老贾。两个团之间总要隔一个礼拜，但是发团单有两份，给老贾带回家的那一份中间没有间隙。

有时候他能接到老贾老婆打来的电话，那是个连声音都风风火火的强势女人。他总是急忙拿出老贾那份出团通知来和她一五一十地对日期。那边一声再见都不说，直接挂断。

后来东窗事发，老贾被老婆囚禁在家里。生出的几个孩子都和老贾一样做了人质。陈祥巍的旅行社突然失去了支柱，他原本应该像从前那样卖掉公司走人。可是那一年他已经五十岁了，认识了离婚带着孩子的玉梅。他居然抛弃了多少年知识分子随遇而安的性子，打起精神和几家国内旅行社联系。正赶上那几年欧洲旅游业的春天，业绩居然比老贾在的时候还好。没有多长时间就搬了大办公室，还起了个洋气的名字叫"曼联旅行社"。

陈祥巍有几年没有来西班牙了，他第一次来的时候车在一条小巷里熄火发动不起来。他从车窗看出去，就发现了一个古怪的雕塑。一个干瘦的男人拿着巨大的剑和风车斗争。他知道这是堂吉诃德的故事，这本没有什么稀奇，这国家隐藏着近百个以这著名作家命名的路标：塞万提斯大道、公园、图书馆、大学。然而这个黑铁雕塑却让他看了很久很久，他在五十几岁春风得意的时候，居然坐在自己熄火的宝马车里失声痛哭。

因为那一次的失态，他从此不愿意来这个地方。虽然西班牙经济日益萧条，把这里作为西欧几日游，比罗马要便宜得多，但他知识分子的脾性还没有改完，对西班牙这个地方总有些惺惺相惜，不忍心让成群的吵闹的人破坏了那份忧伤。

而此刻他不得不来，昨天接到投诉，客人说导游执意要把一车人留在马德里两天。车里有一个病人，听说此刻欧洲流行病盛行。几个VIP客人想扔下病人先走，却被导游一口拒绝了。

陈祥巍此刻坐在酒店大堂里等人，咖啡刚喝了一口，就看到电梯里走出一个器宇轩昂的年轻人。他蹙着两道浓眉，没有犹豫地朝他走来。

曼联旅行社这几年发展得不错，在欧洲业界都有些名气了。他也渐渐习惯了被人点头哈腰叫"陈总"，这会儿看到这年轻人走过来，他居然条件反射地站起来，伸出手来等着和他握。

年轻人雕塑般的脸上像蒙了一层灰，看起来很疲惫。他伸出手和陈祥巍握了一下，坐在对面要了一大杯啤酒。

即使进入这行的时候，他已经成了一个传说。但陈祥巍想，即使他还不出名，自己也能一眼认出这个叫路与昂的人。

"小路。"陈祥巍开口了："早就听老贾说过你，说你是年轻一代里最杰出的欧洲导游。"路与昂嘴角牵动了一下，摆摆手。

"我这个团真是多亏了你，导游这行门槛低，现在的年轻人只想赚钱不负责任。接机的时候幸亏你愿意帮我带，否则呀，我真是不知道该怎么办才好了。可是，小路，"说到这儿路与昂抬头看了他一眼，喝下一大口啤酒："你也知道咱们中国客人来欧洲，都要买医疗保险的，这个老头儿本来身体就弱，现在在马德里医院里面住着，就不用你管了。昨天我给你打电话，你不听我说。你把我这一车人都滞留在这里，真的没有这个必要。"

"我们有四个人，明天让司机小周和漫漫带着其他客人去巴塞罗那，可是我得留下来。"他言简意赅地说。

陈祥巍急了，客人反复投诉就是说了必须要那个漂亮的女导游。

"这样吧小路，"陈祥巍说着从口袋里掏出钱包："这就还剩下两天了，我给你加一倍钱，你们三个跟着他们走吧。"路与昂摇摇头。

"那你们也用不着两个人，让那个女导游跟着走吧。"

"不行，惜阳自己要留下来的，而且她会说西班牙语，我也不走，小周一个人带着可以，我们一两天就赶过去，赶得上送机。"路与昂没有说出口的是，他不放心惜阳一个人留在马德里。

这时候，陈祥巍身后出现了几个一模一样穿着黑衣服的人。路与昂头都没有抬，就知道他们身上一定写着"四海一家"。

领头的人挑着眉毛说："路天王，听说昨天你送去医院的老头儿，其实他没有保险，你给垫了一大笔钱？这实在是没有必要，你知道咱们组织里这些都管。有人给送医院，有人给他国内亲戚联系要钱，有人妥妥当当把他送回家。你这就跟陈总走吧，干嘛要耽误自己赚钱呢？这儿有弟兄几个你给搞定，谁让咱现在是有组织的人不是吗？"那人一边说着，一边走上来拍拍路与昂的肩膀。

路与昂厌恶地躲开了。"我不会签字的，不是你们'四海一家'的人。"

黑衣人中有几个早就听过路与昂的名字，小声互相打听："路天王还没签字？""不是说所有欧洲导游都签了吗？"

领头的气急败坏地高声说："都嘀咕什么？有人不知好歹，其他人也跟着起什么哄？都走都走。"他狠狠地瞪了路与昂一眼，扭头走了。

陈祥巍等人走远了，才小声问："老贾他们弄的这个，我认识的导游还真是都签了，其实还不错，你考虑考虑？"

路与昂喝了一大口啤酒，抬头盯着陈祥巍看了几秒钟，把他看得慌张起来。

"陈总，要是和那几个人，"他指指在不远处默默看着他们的黑衣人们："我可没有那么多话说，今天遇上这个事儿了，和你多说几句吧。"

陈祥巍放下手包，挥手也叫了一大杯啤酒。

"作为一个导游，工作上的很大一部分，就是处理麻烦事儿。这些事情，不管是路上遇上不三不四的人，还是客人病了伤了有麻烦了，的确都是挺糟心的。这些事儿啊，就像是你一个人一辆车要跑几天几夜几千公里，路上遇到的钉子。你时刻提着一颗心，不知道哪一天，轮胎就得爆了。"路与昂说着，从手机里翻出几张照片。

"这是老贾那天给我的合同，你看看这上面写的——所有旅行路线都流程化，一地一导；客人与导游旅途表现随时被记录，违规的客人由'四海一家'送到机场强制出境，并扣除旅游押金；客人出境携带现金情况，消费记录随时报告，由'四海一家'统一管理，并且发放导游提成；体弱、身残、年老的客人，由'四海一家'单独安排另组一团，同时收取附加服务费……"路与昂一边念着，一边冷笑着看陈祥巍的表情。对方明明很惊讶，他其实并没有真正看过合同，像大多数其他导游一样。

"陈总，你觉得这合理吗？这不是把咱们都当木头人吊起来了吗？"

路与昂扔下手机说。

"小路，你刚才说了，那些旅途上的麻烦事儿，就像是钉子，这不是，'四海一家'收点儿钱，就当是给你的补胎钱了。"陈祥巍还想劝几句。

路与昂抬起头，似笑非笑地看着陈祥巍："陈总，咱们干导游的，带一个团十几天，有人回头就把你忘了，但是有人能记得你一辈子。这十几天里，我是按天数、按公里数收钱，但我不是根据这些算计感情、算计精力。行行都有个门道，咱旅游大多数临时工，带了这一季不保下一季，赚了这一笔不知下一笔。可是，我觉得咱们也有个道，这个道就是十几天里，把活儿干漂亮，让这一车人高高兴兴的。"

他一边说着一边想起这些年来，有时候临时改道去看那些鲜有人拜访的古迹，吃那些当地人才知道的餐厅。有的节日、客人的生日、求婚，也会拿着酒在路边围成一个圈在各地广场上跳舞。客人走的时候，恨不得把口袋掏空了塞给他钱，也有的抱着他，一米九的壮汉哭个不停。

"'四海一家'，这是要把咱们这个行业里的血肉给滤干净了，就剩下流程、剩下他自己定的纪律。那还要咱们活人带团干嘛呢？他把这个行业的道生生给截断了，这不是给我补胎，这是把我的车轮子给卸了。"路与昂说到这儿，站起来走了。

"小路。"路与昂回头，陈祥巍欲言又止，最后和他挥挥手。

素　绢

冬至那天，程望在巴黎八区的公寓里一个人煮了点饺子。

他向来节省，那天却破天荒地给自己买了瓶酒，是中国超市买来的五粮液。他坐在窗口，喝一口酒吃一口饺子，不一会儿就醉了。

他从衣橱里拿出那套前几天买的 ARMANI 西装，黑色笔挺的面料上有细致的暗纹，经典的三颗扣款式，每颗手工打磨的扣子上都有黑体字 LOGO，领尖袖口熨烫得没有一丝褶皱。这套西装三千欧元，对于从前的他是一大笔钱。尽管努力假装镇定，但刷卡的时候他还是止不住颤抖。

三千欧元，就是差不多三万人民币，他也不是没有见过这么多钱的。

程望从小说话结巴，别人都说他家所有的嘴都长到他爸程有强身上了。

镇上没有其他孩子愿意和他玩，他爸就和他说，你要是总考第一，别的小孩儿为了抄你的卷子以后就会和你玩了。他就每天放学也在学校里做作业，后来就总是得第一名。

但他戴上了眼镜，别的男孩从山坡上疯跑下来，或者扭在一起满地打滚他都怕把眼镜弄坏。别人更不爱和他玩了。

但是他十岁那年，家里突然间就过得好了。他爸经常两三天不在家，回来总会哼着小曲，给他带一些稀有的糖，给母亲带一串项链或者几件新衣服。他妈那时候看到父亲进门总是紧张地冲过去，拉着他的胳膊问长问短。父亲安慰着她，两个人就走到房间里去说悄悄话了。

走出来的时候，母亲的笑容特别美，腰肢扭得特别好看。

父亲就坐在桌子旁边一边看她一边喝酒，第一杯总是洒在地上，沉沉地叹一口气。

有一次他爸不在家，他在门缝里看见妈打开一块手绢数里面的一大摞钱。看见他走进来，妈一把搂住他说，我儿聪明啊，爸妈再攒几年钱送你去大城市上大学，说不定还上到国外去呢。

"妈，我爸咋挣这么多钱？"程望那时候已经懂事，他突然问。

妈愣了一下说："不是小孩子管的事。"他闹着不走，妈才把钱小心地包起来，放进柜子里上了锁，然后又搂住他说："儿啊，这世界上有好人也有坏人，有在学校能打一百分以后能给国家给世界都做大贡献的，比如说我儿；还有的呢，就是考试总是不及格，但是把你们食堂的馍都吃了。你说这些笨孩子是不是没有用呢？"

程望似懂非懂地点点头。

妈眯着眼睛笑了："这就对了，你爸呀，他就是把这些笨小孩给卖了，卖他们的钱攒起来，给我儿上大学。"程望觉得，他妈笑得特别美，也就忘记问那些小孩卖给了谁。

但他爸那时候开始喝酒，再不像以前那样细声细语地和他说话。喝醉了就躲桌子下面哭，抱着桌子腿说有人要害他，谁劝都不出来。他妈总是把他从桌子底下拉出来，抱着他的头轻声细语地说："没事儿了啊，谁都找不着你。这是最后一次了，最后一次了。"

可这最后一次总是没有尽头。有一次妈不在家，他去拉他爸，被一脚踢开："滚，没用的东西，你除了会死看书还能干啥？要是那些傻子来找老子，你屁都不敢放一个。看看人家老路家的昂子，打架总能打第一，那才是个好小子。"程望捂着被踢得生疼的后腰，委屈地躲在门后面。

一切，都终止在那个天空异常昏暗的午后。

打仗游戏里其他孩子的喊叫声，土块砸在身上的印子，眼镜砸在地上破碎的声音，空气中弥漫着令人着迷又恐惧的烧焦的气味。

一切都从那里终止。

从那一天，到高中毕业的近十年间，程望大多数时候住在学校。母亲的精神越来越不好，小艾就干脆住进了家里。有时候他回家过周末，小艾总是怯怯地看着他，第二天起来总有洗干净叠得整整齐齐的衣服放在门口。

有一次母亲晚上锁上房门，却递给小艾一把程望房间的钥匙。她向门里面喊："儿子，你高中快毕业了，开春以后就和小艾把事儿办了吧。"他不开门，在里面一夜未眠，第二天天不亮就出门，看到小艾坐在地上靠在门边睡着了，她等了一夜。

后来他再不回家，也正式在心里接受母亲的确是疯了。

半个月以后，他考上省城的大学。医学院他选了精神病科。

五年以后，他拿到了公派留学名额，来到了法国。

不久以后，他是操着标准巴黎口音在国际座谈会上赢得一片掌声的程望先生，他是独来独往智商超群受女孩欢迎的梦中情人。这十几年的时间里，家乡的那场事故对于他就像是平旺镇的方言，放在心里一个漆黑的角落里，他走得越远就把那个角落藏得越深。

后来有一次，他听老家人说，路家的小子也在巴黎，还给了他一个模糊的地址。

他拿着那人给的地址，在那一片楼群中走了整整一夜，天亮时候开始下雨。他又在雨中徘徊到黄昏，年少时候的往事像被风吹过的书页一篇一篇都在心里重演。母亲光洁的脸庞，突然长出枯枝般的皱纹；父亲曾把她放在膝头，一转眼变成一把白灰。

他心里有多少恨，就有多少怕。他以为自己把平旺镇的往事都忘得差不多了。其实一丁点儿都没有，他记得每次玩打仗游戏的时候，昂子握紧的拳头，狼一样的眼神，心里不由地颤抖。当了博士又有什么用，再次面对他，还是会被他一拳打倒吧。

黄昏时候，他已走了一天一夜。终于在夕阳就要落下的时候冲进雨里。

他这一生都不会忘记那一天，不是因为没有找到路与昂，而是就在那个黄昏，他看到生命中的天使。

那天的雨越下越大，他浑身滴着水走到那个地址的时候，才发现那并不是一户人家，而是一片红砖砌成的古老别墅。透明的玻璃门里是淡黄色的信箱，上面用粉色花边纸古体字写着住户的名字，他使劲趴在门上看，却一个字都看不清楚。

他冒着大雨在小区里奔跑，淌着水摇摇欲坠。

就在这时候，一个美妙的声音响起："你没有带伞吧，你就住在这附近吗？"他抬起头，一片光芒在眼前慢慢放大，光晕中是一个非常美丽的亚洲女孩。

她穿着红裙子，裙摆散开成一个圆形，那光芒一下子就罩住了他的心。

女孩微蹙着眉头把伞塞到他手里，云一样飘走了。

那天回去以后，程望就发了高烧，整整两天昏迷不醒，梦里全部都是红裙子女孩的身影。

醒来的时候他是在学校医院，实习医生看到他醒来用对讲机说："老师，他醒来了。"在一群穿绿色消毒衣的医生中间，一位身着深灰西装的中年华裔男子走在最前面。他走过来仔细看看监控机器上的数据，回头微笑着用中文对他说："是程望吧。"他点点头，中年人接着说："我是医学院的教授季鸿离，早就听说临床系出了几年来的第一个华裔优等生，没想到第一次见面是在这里。"

更没有想到的是，一年以后季鸿离成为他的导师，五年以后即将成为他的岳父。

杯子空了，他倒满杯子仰头一口喝下。

惜阳离家一周多了，他也有五天没有去过教授家。

想起几天前他去给丁薄言送支票，她还没开口就笑起来："程望啊，我和你伯父已经写好了邀请函。本来呢应该按照标准格式写的，我和你伯父说呢，怕什么啊，就写两个孩子要办喜事，请亲家来法国玩玩。同时呢，听你说过爸爸妈妈都是有名望的医生，你伯父还张罗着请你们学校几个老学究一起，办一场学术研讨会呢。你看怎么样啊。"

数九寒天，程望顿时一身冷汗。"我……伯母……我爸妈他们当然是盼着来，见见你们也见见惜阳。他们……他们最近出差，还没有定下来日期。"

丁薄言笑得更开心了："都是大忙人呀，你看你伯父，明天也要去德国参加国际会议了。就我一个大闲人在家，你知道德拉诺城堡的主人是我的老朋友了，他们已经答应城堡借给你们办婚礼，那里可有北郊最大最古老的舞厅。别人一年前就要预定呢。我呢，也不能趁着交情坏了规矩，下个礼拜我就两万欧元交给他们。我就这一个女儿，多出点钱没关系的。"

程望靠在墙上，后背早已湿透。

"伯母……我……我爸妈说了，他们人晚一步到，但是婚礼的钱他们出，让我给您把支票送来。"他把支票从信封里拿出来。

丁薄言假装推脱了一下，还是第一眼就把数字看得清清楚楚了。

"哎呦，真是破费了。不过做父母的都一样，一辈子辛苦赚钱最后还不都是给了孩子嘛。"

那张被汗水浸湿的支票上写着"三万欧元"，他脑中响起号称父亲旧友的老黄交给他那张十万欧支票时候说的话："事成之后还有一半。"他是从牙缝里挤出这句话。"好好想想，有你求得着叔的地方。"

程望看着这张支票，他想用这一博把惜阳拉到身边，一辈子不分开。不知道为什么，却觉得会把她推远。

没想到两天以后，就出了意外。

丁薄言打来电话，语气还是热情："程望啊，今天伯母被银行叫去了。说是前天你给我的支票存不了，账户里没有钱。我和他们理论，说肯定是你们搞错。我亲家是北京医院的专家、主治医生。但他们给我看退回来的支票，我也只好相信了。我就说啊，你告诉你爸爸妈妈，他们在外面玩，几天没看账户是正常的。你和他们说啊，我们不着急，订城堡的钱伯母先给你垫上了。毕竟我们也是嫁女儿呀。"

程望的后背一阵发凉，他赶紧说："伯母，伯母，肯定是他们一时疏忽忘记给我开支票的事了。我爸妈，他们是对钱不怎么有数的。"

丁薄言在那边笑了一阵，接着说："我也是这么想，对了，你伯父昨天和安迪大使一起吃饭了。大使说了，你父母的签证能特批多给半年。就当是他给你们的贺礼了，在这边儿好好玩玩。这样，你先把我亲家的护照发给我，剩下的事情你不用担心，我们全包了。"

程望忘记自己是怎么挂掉电话的，不知道什么时候打开窗户。数九寒天下着大雪的天气里，他穿着衬衣整个后背都湿透了。

他拨打那个自称黄叔的人留下的电话，刚拨通又挂断。

他打给惜阳，刚按了号码却不想拨号，他把手机远远扔在床上，自己却倒在沙发上把头埋进手里。

他想了一整夜，第二天打开手机，留言信箱是空的。他再次拨打老黄的电话，没有人接听。他几欲疯狂，不知道自己掉入了一个怎样的陷阱里面。他觉得自己是全天下最愚蠢的人，他居然拿惜阳做赌注来押下半生的幸福。

那天他接到这个奇怪的电话正是颁发毕业证之前，他正在试衣服，黑色长袍，领口系一只黄色蝴蝶结。他从未穿过这样宽大的衣服，多少年来他的衣服都小。

在法国度过的第一年中，有一次房东好心帮他把衣服放在洗衣机里，然而那些粗糙的面料一经热水就缩得不成样子。那个冬天特别冷，他却只有那一件小得遮不住腹部的毛衣。从此他只用冰冷的水手洗衣服，为了能够多穿些时候他甚至不敢长胖。

那天他被罩在礼服下面，觉得没来由地安心。

几天以后，校长将会把毕业证书一一颁发，他是最后一个上台的，别人的毕业证是一个扎着蝴蝶结的纸卷。而他的，却被镶在镜框里。

发须皆白的老校长会用夸张的声调赞扬他几近满分的成绩，令他更加高兴地是导师季鸿离就会站在讲台侧面用欣赏的目光看着他。在他接过毕业证的时候，导师会告诉校长："这小伙子即将成为我的女婿，我们会在毕业典礼上宣布。"校长一定会夸张地表示庆祝，和导师拥抱。

他和惜阳在一起一年多的时间，在他眼里她是巴黎塔尖一样的女子。

很多时候，即使她就在他身边，他都觉得无法触及到她。她笑起来会弯着眼睛，月光一样美丽。然而他却时常看到她笑容后面的寂寞。他有时候，拿着手术刀也会突然走神，想要用最温柔的手法，剖开惜阳的心，看看她到底在想什么。

他曾硬撑住自己，信赖自己的勇气，在考上医学院的第一年里觉得自己无所不能。然而得到了惜阳之后，他虽然感觉到深深的幸福，可是幸福后面是无所适从。他从未对自己有这样少的把握，像一片叶子想拼命留在树上，可风太大，叶子多么绝望。

老黄看看洪水一样涌过来的短信，按灭了还一直震动着的手机。"老子还聪明，儿子却是个蠢货。"他已经从银行知道了支票兑现被拒绝的事情："事情还没办好就想把女朋友撤出来。"他又回过头看老牛："还有三天，咱们只要再拖住他三天就行了。"

老牛没有答话，他看看身后的座位上的母女俩，老妇人今天出奇地安静，抿着嘴看向窗外，老牛想，她不说话的时候，没人知道她是个疯子，虽然和二十年前没法比了，但还是挺耐看的呢。

那一年，是很多年前。门外传来一曲古怪的歌声："弯上湾，弯过弯，河湾对面美人山。山上住着老神仙，神仙打个红喜字，恩恩爱爱一辈子。"这歌声好像是轻柔，但是又透过酒店坚实的墙壁，在走廊里若有似无地飘着。

素绢的记忆是凌乱的，有时候她记性太差，她压根不记得今天中午吃了几碗饭，睡的床是在什么房间里。然而有些事情却记得清楚，比如19岁那年她去镇上买花布，那个年轻人是怎么假装买家在旁边挑挑拣拣。店主问他："这给女人做衣服的布，有强你凑啥热闹？"他脸一红就跑掉了。那天的天气真好，她记得他头发梳得锃亮，太阳照上去发梢闪着光。还记得那时候她长得美，来提亲的人数不过来。程有强家条件好，但也不是最有钱的，素绢她爹本来不答应，他初次上门提了那天她看中的一卷布，本

素
绢

209

来那样巧言善变的一个人变得结结巴巴。素绢的心一下子就软了。

程有强对她好，没辜负过结婚那天在祖先像下面许的愿。别人都是三班倒，他宁愿每天都上夜班，就为了白天能陪她多说说话。一开始他下井干活，别人半年下来手上都磨出老茧，他却还是一双嫩手捋着头发。别人都说他干活偷懒，可看在他能说会道总给大家解闷的份上就笑笑算了。

他和谁都称兄道弟，直到有一天带回来一个外村的年轻人。

程有强叫他望财弟，他第一天来家的时候在素绢身上扫了一眼。这一眼不到三秒钟，素绢却隐约觉得身上冷。

一个深夜，程有强突然带回来很多钱。那是冬天最冷的一天，他把一摞票子塞到素绢手里，脸通红身上不停地颤抖，不知道是因为兴奋还是寒冷。素绢吓了一大跳，问他钱哪儿来的。他一开始支支吾吾不肯说，后来喝了几口酒才说，以后家里就有钱了，他和望财弟找到一个发财的门道。

素绢的记忆力已经混乱了，她隐约听到别人叫她疯老婆子，她以为那是说别人。街上的人都不对劲，想看她的脸但是都偷偷摸摸的，又扭过头去捂着嘴讲话。她昂起头走过去，扭着腰身冲他们笑。

她记得程有强和她说老牛发财的门路，素绢听了，她把手里的钱一下子扔掉："这事咱们不干，你明天就去把钱退掉。"

程有强走过来抱住她，把她勒得那么紧："素绢，你跟着我这些年，我连一样好首饰都没有给你买过。"他一向语速极快，说这几个字的时候却缓慢低沉，把素绢的心都带到黑夜里去了。

他们几人的分工是这样，牛望财总负责，找人都是找无依无靠的外乡人，最好是脑子真有些慢的。老黄带他们下井，在他们喝的水里下药，并且在耳朵后面猛地打一铁锹。人一旦昏迷，程有强会扮演家属嚎哭着去矿上，说他的兄弟失去了性命。那年头，非法煤矿多，他们随便去哪一家，都会马上拿到一笔钱，这时候几个人要一起上阵，把钱扔到地下说一定要告到上面去。

然后，他们就会拿着多三倍的钱回家。

程有强每月都会去一次外地，走的时候把素绢和儿子抱得紧紧的，回来的时候脸色都青白,得在家休息好几天。素绢有一次在他熟睡的时候坐在旁边看他,看着看着就落下泪来。黄昏的时候他醒了,搂着素绢的肩膀说:"这一次,是在咱平旺矿上,这是最后一次,往后咱一家人好好过日子。"素绢点点头,那天程望第十次考了全校第一,老师说保送他去省里的高中。

后来那天的事情,素绢一点都不记得了。她是怎样在十里八乡都听得到的爆炸声中狂奔向煤矿,她是怎样在废墟中挖到一只鞋,里面垫着她亲手绣的鞋垫。她是怎样被人拉着回到家,在拉扯中她的衣服被扯碎,意识也被撕碎成一片一片。

她这些年都继续绣着鞋垫,一边绣一边唱歌:"弯上湾,弯过弯,河湾对面美人山。山上住着老神仙,神仙打个红喜字,恩恩爱爱一辈子。"这是她当姑娘时候学的歌,她唱着这首歌,唱着唱着就走到镇上的集市去看布,看布的时候就遇到那个头发锃亮的年轻人了。

鞋垫绣了满屋子,小艾和她商量去卖掉。她赶紧抱住正在绣的这一个:"怎么能卖呢?有强还少一只呢。"

纪念日

马德里夜晚的喧哗和巴黎并不相同。

如果说巴黎是用七彩羽毛环绕着年轻身体的康康舞女郎，在华丽的灯光下、万人瞩目的舞台上尽情旋转，她的美在于铺满你的眼睛，占据此时此刻你内心所有的爱恋。翻腾起来，舞蹈起来，呐喊出来。所有的热闹所有的精彩都被你一人占尽，没有人因为奢华而羞耻，没有人因为狂欢而低落。

今夕何夕，笑尽欢颜。

那么马德里就是穿着红黑相间长裙的佛拉明哥舞者，青春不再，容颜老去。半生流离，心中藏了多少苦楚，但就在每一个拿起响板穿上舞裙的夜晚，把这些暂时抛下吧。

用力旋转、用力歌唱，每一个踏步，每一声高歌都牵动命运中一个悲伤的转音，但还是用力舞蹈无法停止。

没有一个佛拉明哥舞者能够懂得另外一个。这舞蹈鲜艳，却寂寞。

路与昂无法入睡，拿过床头的手表，显示一点半。

此刻本该万籁俱寂，他拉开窗帘就着路灯，看沉睡的街道、草木、漆黑的天空上点点繁星。

失眠的人是这样的，先是焦虑，入睡前喝热牛奶，泡热水澡想让自己放松下来；然后是恐慌，强迫自己闭上眼睛，把幻觉当作梦境；再然后是悲伤，发现时间过得比想象中更慢；然后是绝望，睁着眼睛看天花板到天边发亮。

路与昂也经历过这样的阶段，但有一天起来喝水，拉开窗帘后突然就想通了。既然睡不着不如享受这一刻独处的时光吧。

他把窗户打开一条缝，点燃一支烟缓缓抽起来。

这时候他突然看到一个身影出现在空无一人的街道上，黑色斗篷遮着瘦弱的身形，她带着黑色长手套，怕冷一样紧紧抱着自己的双肩。她低着头疾走，尽管从楼上看不到那人的样子，但路与昂一眼就看出那是惜阳。

他掐灭了烟，穿上外套飞快地跑下楼。

那个黑色斗篷的身影走得很快，尽管加快步伐他还是追了好长一段。

身边霓虹闪耀在灰蒙蒙的建筑物上，这整个城市都散发出古老的悲伤的气息。

惜阳的身影在前方不远处愈发渺茫，她消瘦的肩线如榛果顶端优美的圆弧。

身边的人渐渐多起来，手表显示凌晨两点半。

他来过这里许多次，西班牙人并不以早起著称。

本应该寂静的凌晨街道，从不知名的角落走出许多同样穿着黑衣，幽灵般的人。他们都低着头朝一个方向快速走着。他们都不看别人却清晰地知道自己的方向。

路与昂一边走一边回忆起这里，上一次从这里徒步经过，他正经历着一场劫难，从天堂跌落到地狱。本应该在马德里明亮的月光下，格兰梅里亚酒店的顶层向他最爱的女人求婚。

然而却电闪雷鸣瞬间跌入万劫不复。被囚禁、被欺骗、被侮辱，他失去了身份证件，失去了装满现金的钱包，失去了从不离身的手机，他在这条宽阔的大街上狂奔，那天风和日丽，是一年中这城市最好的季节。然而他却觉得天黑不见底，浑身冷得发抖。

他在这黑暗和冷风中奔跑，目标是市中心的格兰梅里亚酒店，24层住着他的公主。他的箱子侧面有一个小盒子，里面是为惜阳选好的戒指。他用尽全力奔跑着，跑向一个光明的温暖的怀抱，那是他们两个人的未来。

然而，当他跑到酒店，几乎爬到24层才发现一切都不在了。惜阳走了，他的行李、衣服被扔进垃圾桶里。那天的最后他只记得自己跌坐在房间门口，眼前一片漆黑。后来他是怎么被抬下楼，怎么被扔在人行道上，已经不是那么清楚了。

　　现在，这城市依然一片漆黑，从四面八方走出来的黑衣人越来越多，越来越多，人们汇成河流，变成狂风从街道、楼群、甚至地下、天空中涌出来。路与昂不知道此刻是梦是醒，只能紧紧盯着已经走远的惜阳的背影，他认得那背影，即使在同样衣着的千万人中。

　　她急速穿过马路，并没有向左右看过一眼。她径直走进一幢恢弘的建筑物，这建筑物占地足有四五千平米，从外面看是两栋方形建筑中间隆起尖顶。路与昂跟着走进去，里面却像一个巨大的天然植物园，百米高的穹顶上覆着半透明的彩色玻璃，一层一层向周围散开，愈往中间愈加透明。

　　大厅正中间是一蓬热带树木，郁郁葱葱一眼望不到树冠。周围的人们像蚂蚁一样微小，他们在几百种热带树木间，色彩斑斓的鱼类和缓慢游动的海龟中间穿行。

　　路与昂这才发现这里他曾经来过，是著名的阿托查火车站。他不知道惜阳为什么要来这里，他回头惊恐地看到黑衣人们也都涌进来，他看看周围人们的表情是否和他一样，然而火车站这样巨大，几百辆火车鸣着汽笛带人们走向世界各地。没有人注意到那些没有表情，一身素装的人。

　　惜阳却越走越快，他小跑着才能勉强追上。

　　她并没有登上任何一辆列车，而是横穿过火车站，走进一道门。四周的人们也都在那道门前站住，然后缓缓散开围成一圈。路与昂抬头看看周围，跟着她走进去。

　　突然，周围传来一阵歌声，路与昂凭着仅有的西班牙语大概听出来他们在唱"荣耀，荣耀，至上的光芒，如金子般闪耀；生命，生命，在你眼中，是敞开的心。"歌声原本低沉，却越来越响亮越来越响亮。他抬头看到身处在一个半透明的建筑物中央，他知道是黑衣人们在门口歌唱，他远远地从门口看到那些人自动在这椭圆形建筑前围成一圈，不知道从那里拿出蜡烛，一位发须皆白的老者为他们将蜡烛一一点燃。

他们借着烛光凝视着建筑物上镌刻的文字，小声但坚定地唱着："血色与黄金，不朽的旗帜，在你的颜色中，合在一起，是肉体与灵魂。"他们每个人手上还有一支洁白的玫瑰。

路与昂呆住了，这时候一袭黑衣的惜阳站在大厅中间，她也唱着那支歌，歌声清澈入耳，引起回音袅袅。

她端着蜡烛，深情地看着建筑物周围的铭文，月亮像一只眼睛从这水晶般的建筑顶端洒下柔和的光芒，瞬间照亮了四周。

惜阳缓缓把蜡烛放在地上，她跪坐在地上，怕冷一样紧紧抱住自己，轻轻地颤抖。路与昂看出来她在哭，他的心像被一把结冰的剑戳穿了。他走过去，故意放重脚步，想让她听到有人在后面。他走近些，也蹲下来。这才看清楚地上还放了花，除了其他黑衣人都有的白玫瑰以外，还有一朵带着露水的小雏菊。

即使这样悲伤的场面，惜阳美丽的侧脸和花朵还是像一幅油画那样美丽，使人不禁恍惚。

"与昂。"他正想着要如何开口的时候，惜阳说话了，她那样叫他，像从前他们还在一起亲密无间时那样。

"你知道今天是什么日子么？"她纹丝不动像一座大理石雕塑，本来别在耳后的头发却落下来，有一缕挡着脸颊。月光打在她脸上，她的表情却不清晰。

"你的生日。"路与昂回答，他不可能忘记。

"五年前的今天，这个日子，是我们最后一次见面。"她淡淡地说，把哽咽藏得很深。

他把这个日子刻在心里的，他本来应该在那一天向她求婚，这将是他们余生中一个重要而甜蜜的日子。然而谁能料到就在那一天他们在人海中走散，就走散了那么久。

"3月11号，不止是我的生日，也不止我们最后一次见面的日子。还是一个纪念日，外面所有那些人，这个城市、这个国家、整个欧洲甚至整个世界的纪念日。2004年3月11日，马德里连环爆炸案。"路与昂心里一惊，他不是不知道这西班牙历史上最黑暗的日子之一，十个炸弹在四辆载满乘客的火车上爆炸，水族馆一样美丽祥和的车站变成一片恐怖的废墟，车厢被从中间炸断，人们惊恐地嘶吼着躺倒在血泊中。

那一夜，马德里不眠。被悲伤和愤怒擒住的人群自发地走上街头，那天下着绵绵细雨。百万人缓慢而坚定地前行着，重伤者生死未明，轻伤者带着渗血的绷带走入人群。伞下伞外都在落泪，哽咽声汇成一片，与此相交汇的是人们愤怒的目光。

那一夜灯火通明，人们举着条幅，捧着蜡烛。烛光映照在黑眼睛中。

路与昂抬头仔细看身处的这椭圆形通体透明的建筑物，像在梦中惊醒一般发现，原来这是311爆炸案纪念馆。那些捧着蜡烛的黑衣人们在外面歌声愈发响亮："血色与黄金，不朽的旗帜，在你的颜色中，合在一起，是肉体与灵魂。"他们把白色的玫瑰放在纪念馆下，像给一块水晶镶上了蕾丝花环。惜阳依然保持一个姿势坐着，轻轻哼着歌，把白色玫瑰一片一片撕下来，扬手撒向四周。花瓣在她身边慢慢散落。

最后，她轻轻地拿起地上的小雏菊，像怕惊醒这朵花一般，把它完整地放在玫瑰铺成的温床上。她轻轻抚摸这朵小花，路与昂看不到她的脸，却看到有几滴泪水掉下来，洒在雏菊上。

"与昂，我们曾经有过一个孩子。"她止住歌声说出这句话。

她声音并不大，而在路与昂心中这句话像被放大了千万倍，像身处的这栋百米高的建筑物突然倒塌，重重砸在他心上。轰隆一声，震耳欲聋。

惜阳记忆中的离别都是在春天，15岁的时候有一天父亲早早来学校接她，直接带她去了餐厅吃饭。惜阳懂事很早，已经知道爸爸没有了工作，虽然她的零花钱还是比其他小朋友多，但她偷偷看到父亲把自己的一件皮大衣拿出去卖掉了。那天在餐厅他们吃得很开心，到最后他还请服务员拿来一块奶油蛋糕。惜阳的眼睛一下子就亮了，那时候奶油蛋糕好少，她只在一个同学过生日的时候吃过一点点，那是她记忆中最好吃的东西。爸爸给她一大块，看她一点一点眯着眼睛珍惜地吃完。

爸爸伸手擦掉她鼻尖上的奶油，问："小惜，蛋糕好吃吗？"她使劲点点头，那时候她已经知道笑的时候要尽量笑得再灿烂些，爸爸会更欣慰。

爸爸也笑了，但是笑得很勉强："小惜，你妈妈回来了，她会带你去一个每天都能吃到奶油蛋糕的地方，你说好吗？"惜阳不知道每天都能吃到奶油蛋糕意味着什么，但是妈妈这两个字像一根羽毛，在她心上刮了一下但是什么都没有留下。

"我是要去外婆家吗？"惜阳当时担心的是周末要回并不怎么熟识的外婆家。

"不是的，小惜。妈妈要带你，去一个很远的地方。比外婆家要远。"爸爸低下头，拉着袖口上一个已经松动的扣子。

"那我要去几天呢？"惜阳计划着最好是周四去，这样周五下午就可以回家，周末爸爸会带她去厂区里捉迷藏。

爸爸突然抬起头，像下了很大决心一样和她说："小惜，你听爸爸说。你要跟妈妈去一个很远的地方，可能要去很久很久。你会在那里有奶油蛋糕、有漂亮的裙子、皮鞋，有好多好多玩具。你会……你会很开心的。"惜阳突然之间就明白了，她盯着爸爸看，直看到他眼圈红起来。

那一天，是她 15 岁生日。

她还没有认全报纸上的字，可是她已经敏感地知道，爸爸心里有一样东西碎了。就像她自己一样，她知道自己又一次被抛弃了。

当妈妈离开她的时候，应该也是春天。那天她紧紧攀着爸爸的脖子，她对眼前这个香味刺鼻的烫着夸张卷发的女人并没有多少感情。但想到以后可能再也见不到她还是有些难过，但是爸爸粗大的手掌拍着她的背，她就在回程的车上睡着了，睡醒以后并没有多么悲伤。只是列车上那种晃啊晃啊的感觉刺进她的感官中了，她觉得自己像一株草，被风吹着就这样摇摆。

15 岁那年的早春，她和父亲踏踏实实地坐在饭店的木头椅子上，可是她却觉得身体左右摇摆。她不知道风要把她吹到哪里去。

2004 年，那一年的春天暖得特别晚。

惜阳觉得路与昂变了，他从前看到她就马上亮起来的眼睛暗淡了，甚至还在躲闪着什么。他背着她打电话，看到她靠近就马上挂断。并不是没有机会的，她总可以找到机会看一看他手机上的通话记录，然而只有一次她犹豫地趁他睡熟拿起来，又马上放回原位。那一刻悲伤突然涌上心头，是恐惧、是失望、是万分不舍还是无助。她说不清楚，但在这深深的悲伤后面，她更加清楚地看到了对这个男人的爱与依赖。

她并不知道，他收到的那些恐吓电话，那些偷拍的他们的照片。他从未在任何危险下低过头，但是因为身边有她，居然不自觉害怕起来。

有一次惜阳撒娇地对路与昂说，"听说有个地方叫波多黎各，是世界上有最多鸟聚集的地方，我们去那里玩好吗？"路与昂想了想，皱着眉头说，"欧洲还有好多地方没有玩过，去那么远干嘛呢？"

惜阳愣住了，她不懂他的担心，只是从未受过他的拒绝。她觉得路与昂变了。

也是在那一天，她发现自己怀孕了。

那年的立春没有风，暖融融的天气里蔷薇园的柳絮慵懒地四处纷飞。惜阳在某一天的午后觉得身体里像有一只毛茸茸的小猫蹭来蹭去。她是在路与昂接到那年第一个长团的下午确定自己怀孕的。她怀揣着这个消息一个人坐在客厅里，自从离开母亲和继父的家，她很久没有想过一些词汇，比如说"未来"，比如说"安稳"，比如说"家庭"。

然而她即将会有一个路与昂的孩子，他是一个那样冷漠而坚硬的人，仿佛那双好看的眉毛生来就应该蹙在一起。可是他看到她的时候，无论何时何地，双眼就会从一湖坚冰变成初夏的池塘，里面漾着溢出来的温柔。

她早已知道人生离别苦难多，然而这个新生命将会有他和她的影子。他会用那样深情的眼神长久地注视这个孩子。

想到这里，她开心地想要落泪。

她揣着这个秘密，等啊等啊。等到路与昂从罗马归来，他开了一夜的车就是为了早一天回来。他一进门就仰面倒在床上睡着了。

半梦半醒间他对惜阳说："小惜，我们去西班牙。"一边说着一边把头蹭进她怀里，满意地叹了一口气就睡熟了。

那一天，在马德里最高的酒店顶层，她坐在宽大的落地窗户前看街上的景色。路与昂说他要去接一个客人，应该马上就会回来的。

她陷在自己的沉思中，渐渐忽略了眼前的景象。

突然间，一声巨响。整个楼群都在响声中颤抖了一下，隔壁的人在狂欢，她以为是谁在她耳边开了香槟。还没有等她从错愕中回过神来，巨响接二连三地传来。她才发现这不是香槟，也不是雷声，是一种她从未见过的粗粝的响声。像是把天炸开，伸出一把利剑劈向大地，又像千万支尖刀飞在风中，劈开楼群、树干、山峰、田园，把所到之处全部摧毁。

巨响过后回音久久不散，天空中漫起一阵烟尘，霓虹灯虽然还在闪耀，却像是几十年前的旧画报。

惜阳惊恐地抓住手提包跑出去。楼道里响起广播，先是西班牙语，然后就变成英语。惜阳终于听懂他在说什么，马德里三个火车站连续被炸弹袭击了，十个炸弹被引爆。

走廊里都是狂奔的人们，一个身高巨大的胖子在恶狠狠地踢电梯门。身后是他瘦小的妻子，她正在一边穿高跟鞋一边小声安抚着身边的四个孩子。电梯楼层每一个数字都忽明忽暗地闪着灯，却始终没有打开门。

人们从各个房间涌出来，在电梯口越挤越多，不知道谁喊了一声："别坐电梯了，如果再爆炸我们都会困死在里面。"

这时候她已经换上晚宴要穿的衣服，一条黑色的蕾丝裙子和银色闪亮的高跟鞋。那双鞋子是路与昂某次去意大利帮她订做的，他在一个下雪天回到家，从包里拿出那双鞋子，蹲下身帮她穿上。

鞋子铺满细碎的闪耀的水晶，她看到低着头的路与昂，他的头发上，黑色呢大衣的衣领、肩膀上都铺满了融化的雪。也像是这绵密的钻石，闪着温和耀眼的光芒。

而此刻她被人群推着，身不由己地往前走。她索性脱掉鞋子，赤脚狂奔下楼。

所有街道都变成广场，人们脸上满是浓缩了的惊慌悲痛的表情。包着头巾的穆斯林老妇人抓着路过的人们，嘶哑着喉咙大声问，有没有人看到她在车站做搬运工的儿子们；长裙姑娘被人踩了裙摆，倒在地上虚弱地站不起来，她茫然地看着四周想要找到从外地赶回来度周末的未婚夫；年轻的母亲半张着嘴仰望天空，脸上是干涸的泪痕，怀中的婴儿饿得大哭，她却因为悲伤挤不出一滴奶水。

惜阳抓到一名警察，用英语问他："飞机场……飞机场怎么走。"她没有问出口的是，炸弹是否也埋伏在了那里。

警察抖动着胡子摇摇头："小姐，这里都要封闭了。所有交通工具都没有了。"他一边说着一边向西南方向跑去。

惜阳顺着他奔跑的方向看过去，这才发现成千上万的人从贝西莱斯广场、从普拉多大道、从都会大厦、从太阳门、从马德里灰暗的天空下涌出来。他们哭喊着向一个方向奔过来，是已经戒严的火车站广场。

惜阳至今记得那一幕，她眼睁睁看着警察一边大声回答她一边朝人群冲过去。身穿制服的人们想要排成一列，安抚激动的人群。然而他们寡不敌众，再加上悲痛给予人千百倍的力量，人们冲破封锁线，向着惜阳站着的方向冲过来。她被无数只手推着向前走了几步，最终摔倒在地。那一刻，她才知道，电影里看过的慢镜头原来都是真的。她就那样慢慢地慢慢地倒下来，最后的记忆中她一只手拎着的鞋子甩起来飞到人群上空，空着的一只手条件反射般护着黑色长裙下的小腹，她最后看了一眼马德里的天空，已经黑透了，和这世界上任何一个黑夜没有区别。那双银白色的高跟鞋像月亮一样，是那天城市中唯一的光芒。就那样一闪，刷地一下就过去了。

陆续有人倒下来，压在她身上。

她被突如其来的剧烈疼痛所击倒，彻底陷入深不见底的黑暗中。

在失去意识的前一刻，她在脑海里轻声说，与昂，你在哪里？你怎么还不来找我？

她在这黑天鹅绒铺成的、细腻的黑暗中睡了很久。醒来的时候，身边有人用蹩脚的法语拿腔拿调地和人讲话："好的，谢谢您，绅士。"现在哪里还有人叫别人"绅士"？"我们会遵从您的雁帛，小女将善养身心。"

那是她已经许久未见的妈妈丁薄言，惜阳睁开眼睛，目光所及之处看到一支墨绿色羽毛斜插在深粉色宽沿尼帽子上。她试着动动身体，却发现身体轻得像棉布纸一样，她醒来好久母亲才发现。她戏剧化地冲上来，亲吻她的额头、脸颊、眼角，惊呼着："宝贝，亲爱的，蜜糖儿，你总算醒了。吓死妈妈呀。"

惜阳看着她，目光是冷的。

她这时候已经想起来晕倒之前的事情，虽然那像是过了几个世纪，但是她记得路与昂还在西班牙，他们应该在那天晚上交换一个秘密，她的是自己怀着一个他的孩子。然而他们却在混乱的人群中走失了。

她飞快地想到几个问题，她身在何处？路与昂又在哪里？母亲肯定会更加严格地看管她，那么什么时候她能够逃出去？她的手机还在身边么？路与昂找不到她肯定急疯了。

想到这里，她条件反射般地伸手摸摸小腹。

这时候，充满房间的医生护士都纷纷退出去了，他们被丁薄言的一腔母爱所感动，有一名小护士还擦了擦眼角。

头上插着羽毛的女士微笑着一一答谢，她的笑恰到好处，中间夹杂着深深的感激，对女儿的怜爱，无法马上脱身出来的后怕，还有希望大家给母女留一些空间独处的羞涩。

这一位前芭蕾舞演员，虽然已经久不上台，可表情方面的基本功还是有着深厚的底子。

当她回过头来的时候，笑容瞬间就消失了。她摘下帽子，换上另外一副面孔。惜阳躺在床上不愿意看她，但那两道目光的冷她感觉得到。

她等着母亲问她，这两年去了哪里。她可能知道她怀孕的事情，她一定会暴怒地问是谁的孩子。暴怒之后她会声泪俱下地问，她为什么要这样对待她。

当她们——惜阳和母亲单独相处的时候，她不再是住在富人区的教授太太，而是马上变形到亚塘镇的女人。那里的母女没有亲吻，没有昵称，没有拥抱，像许许多多个被生活磨出老茧的乌烟瘴气的市镇一样。

然而，她等着，母亲却没有提问，反而用几句话解决了惜阳所有的疑问。

她说："这是你爸爸学院的附属医院，我给你要了最好的房间，你就住在这里。"那么她已经不在西班牙了。

"哦，手机在这里。"她从口袋里拿出一支黑色的手机递给她。

惜阳没有伸出手来，母亲拿着手机向前伸了伸，她最终接过来。

虽然有密码，但是待机画面就是她和路与昂的合影，照片是抓拍的，她低着头看一本书，路与昂走到她身后低下头吻她。

这是赵漫漫在蔷薇园的他们的公寓里抓拍到的。

所以无需开机，母亲应该看到了这个人。

她输入密码，一条短信横挂在屏幕上，这条信息很短，只有七个字，但是却像一块陨石从天空坠落，恰好砸在惜阳身上。先是地震般地震动，然后是惊讶和不解，最后才是剧烈地疼痛。

这信息是路与昂发来的："惜阳，我走了，再见。"手机清空了。

"你流产了，要在这里呆两周。我会叫人送饭来的。"

惜阳已经不记得，她有多久没有在母亲面前落过泪了。她性格一向坚硬，只在全然信任的人面前难过。自懂事以来，父亲只要话讲得重一些她就会放声大哭，一半是委屈，另外一半是撒娇。难过就像一张光滑的纸，因为信任所以哭过不会留下痕迹。

而母亲却相反，无论再怎样尖刻凉薄地讽刺，指桑骂槐地苛责，甚至有时候操着亚塘镇的土话谩骂，她都只是在心里冷笑，眼睛干得出血。

母亲多少次说她心硬。

这一次，她也不想哭的。可是疲倦像洪水冲开了那道防备的墙。眼泪像倒塌的水晶烛台，硬冷的珠子猝不及防地落了一地。

她太虚弱，甚至没有力气止住眼泪，像从前一样在母亲面前维持尊严。

满天满地只有那七个字："惜阳，我走了，再见。"

她盯住那几个字使劲摇头，想要把自己从这场梦境中摇醒。醒来后她还会在蔷薇园柔软的铺满白色玫瑰的床单上，睁开眼睛只要轻轻叹一口气，无论多么小声，无论路与昂在哪一个房间都会跑进来，趴在她旁边的位置静静看她的脸。

然后，一个吻就落在额头上了，第二个吻，第三个，再一个。

她使劲摇着头哭出声来，母亲就那样站在门口，一手扶着门一手抚着脖子上的新项链，鲜红的指甲压着颈部的皮肤。她得意地看着这个从不肯在她面前失态的女孩，她终于赢了他们莫家人一回。

出院以后，有半年的时间，她用尽全力疯狂地寻找路与昂。

她回到蔷薇园，公寓早就租给了别人，房东说他们剩下的东西有一个年轻姑娘来取走了；她去旅行社门口等，萍水相逢的导游们也只知道他在法国的手机，从分别那天起就一直是关机；她这才知道，她不是唯一一个在寻找他的人。

惜阳这才发现，那样亲密的两个人，可以抵了性命来守护对方的两个人，居然对彼此的了解这样少。她甚至说不来他老家那个拗口的县城名字，更不要提千山万水跑回国找他，就是从母亲枕头下面偷出护照都不可能。

路与昂，欧洲导游界的一个传奇就这样消失了，消失得干干净净，消失得了无痕迹。几个月后，传说又起，那年春天从业界消失的人除了路天王以外，还有旅行社的调度经理邱小雅。有人说看到他们一起牵着手上了飞机，有人说参加了他们在国内的订婚宴，有人说最近狂风一般的千人大团就是他们联手策划的。

惜阳每听到这些话，就请别人告诉她消息来源。但消息源头总是很快断掉。

她渐渐地也灰了心，她一个人的时候，就带着一瓶红酒坐在塞纳河边发呆，河对面影影绰绰有几对情侣依偎在一起。天慢慢黑了，下起雨来。雨水顺着她的额头流下来。她喜欢这种感觉，如此这般，她的眼泪便无人觉察。

她在这雨天里把路与昂和她之间的事情从头到尾想了一遍，她是如何在那个雨天的家门口的草丛里第一次看到他。他弯下腰看她在找什么，她抬起头正好对上他的眼睛，那双满含忧愁的眸子，一下子，就看进她心里了。

她又是如何在那个月光很好的晚上，站在窗台上轻轻喊他："哎。"他含着微笑走过来，就那样伸出双臂等着她。她跳下来，一下子，就落进他怀里了。

他是如何飞快地租下蔷薇园，蒙着她的眼睛牵她走进去，当她看到那间童话般的公寓，他的手插进她的长发深深亲吻。

他又是如何向她求婚，在婚纱店里大声告诉每一个人他要娶她，他要买下最昂贵最美丽的婚纱。

她一桩桩一幕幕地回想起来，这半年间不敢触碰的边边角角她都狠狠撕开。那些往事啊，就像陈年的玫瑰，芳香和美丽都干枯了，花刺却愈发尖利。一根一根扎在她心上，她疼得发抖。

那是在巴塞罗那，深夜的海滩。她一个人走在结冰的栈道上，漆黑的海面浪很大，又咸又苦的泡沫结成冰棱打在她脸上，像无数支细小的刀锋。她陷于这黑暗中抱紧自己，寒风把她的身体吹透，像一片树叶身心都被搅得七零八落。就在这时候，她居然还想到那个人。如果他在这里，一定会把只到自己肩头的她藏进怀里。他会拥着她，一步一步坚定地向前走去。那么惜阳她自己，就可以在这个温暖安全的怀抱里抬头看看星星。漫天的水花将不是要伤害她的冰刃，她一定会笑着和他说，多美呀，像银河系。

这个时候她才发现，人生中最美的夜空，都是和他在一起的时候看到的。因为和这个人一起走，不怕冷，不怕黑，也不怕迷路。

她想到这里，微微笑了一下。心里却是已经麻木的疼痛。这一次她带来了两箱东西，是马德里的格兰梅里亚酒店打电话去请她取回的，两个人最后留下的一些行李。

她签字，拿走那两个箱子。在12月31日凌晨大喊一声，都去死吧。

她把深灰色的一个箱子用尽浑身最大的力气扔进海中，一个大浪打来，箱子消失在茫茫黑暗中了。

而深棕色的那一个，她拿起来几次，都舍不得扔，最后想了又想，推到岸边上。

海浪翻腾着，几欲将箱子卷走。惜阳蒙着眼睛，然后又突然睁开，追着海浪跑了几步。浪花翻腾着，把她浑身都打湿了。长发披散开，发丝混着泪水粘在脸上。最后，箱子还是被海浪冲上了沙滩，她冲上去抱住这个深棕色的皮箱，抱得紧紧的，放声大哭，心疼得撕裂，也不愿意放弃他最后留下的一点痕迹。

此时此刻，欢快的倒计时声从城市广场中央传来。午夜钟声响起，礼花绽放。像喷薄而出的日出伴随着响彻天际的交响乐。

人们热情拥抱亲吻着，携手跑向这边。原本地狱般的海水也被冲天而起的烟花所照亮。

她连悲伤都无处可藏。

同是光芒，惜阳此刻身在烛光中，想起五年前那个夜晚还是冷得发抖。她抱紧自己，低头仔细看着纪念碑上那一小块地面，纪念碑落成时，她专程来到这里，在西南角靠近门口的地方，刻下一朵小雏菊。她那天黑衣黑裙，却想象着会有一个女儿。她会给她梳好看的辫子，买很多开满花朵的衣裙。在多少个梦中，她就是那样，甩着辫子在前面跑呀跑呀，她叫她慢一些，她就嘟着嘴回过头来看，和那个人，路与昂，一模一样的清亮眉眼。

路与昂从震惊中清醒过来，低下头看到惜阳。她乌黑的长发飘在地上。他蹲下来想要扶起她，才发现对于这个瘦小的身体如此力不从心。或许是她承受了太重的悲伤，或许是她已被抽空了力气。

他只有跪下来，一把把她搂进怀里。他感受得到她身上那么多那么痛，他只想把这痛连同眼前这个人一并塞进心里，用这血肉的躯干保护她这一生都不再受颠沛流离，不再有相思入骨的痛。怀中这个瘦小的身躯挣扎了一下，没有挣扎。就由着他紧紧抱着，开始小声哭泣起来，然后哭声越来越大，终于她在他肩头狠狠咬下去。

他感觉到入骨的刺痛，却丝毫不想躲闪，只想这痛来得更尖锐一些。仿佛这样就能够抵消她心里的那些伤痕。鲜血顺着他的侧肩流下来。

不知道过了多久，路与昂被手机铃声惊醒，是小周打来的。

"哥，你在哪儿呢？"

"在市里，和惜阳在一起。"他一手拿着电话，另外一只手并不放松怀里的人。

那边沉默了一下："你快回来吧，有人找你。"

"谁？"路与昂问。

小周不说话，那边突然响起一个声音："你就告诉他，我，找，他。"这声音并不大，却尖利如刀锋，不像是从某人嘴里说出来的，倒像是从牙缝里射出来的箭。

尽管路与昂不相信自己的耳朵，可他知道自己不会弄错的，这声音来自于，他听了五年恨了五年的，他的未婚妻。

邱小雅

邱小雅是个习惯早起的人，每个清晨五点她都会准时睁开眼睛。

时间太早，世界一片寂静。她已经穿好衣服，整齐地站在穿衣镜前面注视自己。

她会这样看着自己，一直到窗外人声渐起。

她看镜子里面的自己并不看其他地方，只看着自己的一双眼睛。

她是非婚生女，懂事起母亲已是精神出了些问题。她从不知道父亲是谁，家里却总有些凶巴巴的来讨债的人，他们一开始拿着木棒菜刀，冲进她家破旧的单元房居然发现门都没有锁，家里也没有一样值得拿走的东西了。

母亲眉眼温顺，瘦弱地坐在窗前一张小板凳上贴信封。这是社区给她找的工作，她那样小心地把纸铺平、裁开，像一个大家闺秀在晴好的日子里写诗作画。然而只有听到人声之后，她斜起眼角瞥着来人说："你们来找他下棋呀？等等吧，孩子爸就回来了。"

人们看她家里再没有什么好拿走的东西，只能看着躲在床上蒙着被子，只露出眼睛的她，恶狠狠地说："这双眼睛，长得和她爸一模一样。"

邱小雅就把这句话记在心里，从孩童，到少女。

14岁上，她和母亲莫名得到一笔遗产。母亲多年来积攒的力气好像都在遗产单上签字的一瞬间爆发出来，在一场撕心裂肺的痛哭之后，她就彻底失去了语言能力。

邱小雅突然有了很多钱。

后来从学校毕业，公派出国工作。她一早就从家里搬了出来，公寓和时区都换了，然而这习惯却纹丝不动。

她每个清晨五点准时醒来，在镜子前狠狠瞪着自己的眼睛看。

刚满 18 岁她就做了近视眼手术，几年以后又割了双眼皮。她很早就学会化妆，如何用一支炭笔把眼缘上方画一条弧线，弧线要中间粗，两边越来越细。她那双细长的眼睛会因此放大。

她带蓝色紫色的隐形眼镜，她每天要用半个小时贴假睫毛。

她把自己的眼睛弄得面目全非，好似任何人都不会再说，她脸上的这个部位和那从未见过面的亲生父亲一样了。

然而，每个安静的可怕的清晨，当她从梦境中挣扎着醒来时，镜子中等待她的，是那么一种目光。它无论盛在怎样的眸子里，在怎样的粉饰下，都还是一样的。是那种不为任何悲痛而触动、不为任何喜悦而欢欣、不为任何惨烈而怜悯、不为任何恳求而回头的冷。

这目光冷得可怕，从她身体里阻挡不住地窜出来，从她的眉梢眼角寒风一样呼啸而出。

她确定，这就是那个人的目光。

基因多么强大，她逃不开他的脸。

她在这绝望中长大，过了一天又一天。

在长久的岁月浸淫中，她几乎已经麻木到忘却。不只是对于这一部分的记忆，她好像是一个被蜡封存起来的人，各种感觉都不是很灵敏。

然而她工作起来却拼命，在旅行社做调度以后，西欧十几个国家酒店、饭店、车公司的电话地址只要看一遍就能记得住。

她心肠硬，不为任何事情所动。

却在看到路与昂的那一天，一切都天翻地覆。

是旅行社老板带他走进来，给大家夸张地介绍道："这是谁大家都知道了吧，咱做这行的，就是不认识法国总统也得认识他是吧。我好不容易把他挖过来给咱们今年旺季带团，大家可得好好供着啊。"

那个男人，她当然知道他是谁，全程低着头玩手机。等到介绍完毕大家一通鼓掌之后，他才抬起头来四处看看，然后招招手，随随便便地说："嗨"，他吐出这唯一一个字的时候正对着邱小雅，蹙着眉头，眼睛中却有一丝笑意。说完就低下头继续玩手机。

这一丝笑本不经意，却狠狠打进邱小雅心里了。

那天晚上她睡得很好，一夜无梦。第二天睁开眼居然已经九点钟了，邱小雅看着表在床上呆坐了好久。然后就疯了一样冲到镜子前面，她看着里面的脸，狠狠抚摸着一寸一寸的肌肤，又哭又笑。这是人生第一次，她不再痛恨自己的眼睛，因为她在那其中看不到父亲的痕迹了。能够看到一个新的人，一双新的眸子。

从此以后她就有了一个秘密，她怀揣着这个只属于自己的讯号拼了命一样工作。

每一单客人她都挨个查过身份背景，估算消费能力。每一个行程她都数着公里数，找最出彩的风景，最轻松的路途。

在两年多的时间里，她的工资大部分都给各地外事办主任送了礼，为了多组一个团；她的所有假期都在路上，从酒店到餐厅，一点一点记下来。

然后，这些倾注了她一部分生命的旅程，都像一件郑重的礼物，包装起来，小心翼翼地交给那个人。

可是他路与昂在业内已经足够有名，其他导游打破头才能抢到的团他轻轻松松就有几十个等他挑。

邱小雅一面诚恐诚惶地等待他的挑选，一面暗地里问自己是否值得。

然而，当从初见之后的那个清晨，她从镜子里看到自己的脸，她就要再撑下去，撑到他终于注意到她的那一天。

是这个人让她有了新生命，一个完全属于自己的生命。关于狠狠被压在心里，叫做"私生女"的三个字，只有当她想到路与昂的时候，才能够被忘却。

日子过得飞快，她从普通的调度做到经理。

路与昂对陌生人一向冷淡，和她也不过是点个头的交情。可是四年后的一天，他突然捧了一束鲜花走进办公室。邱小雅用一个巨大的玻璃杯喝水，他看了看就直接把花插进去，说："送你吧。"随即绽开一个笑容。

那一瞬间，邱小雅耳边传来遥远的风声，整个人像失重一样旋转起来。

她想她终于是等到了这一天，他早已经看到了她。

这时候办公室的小姑娘赵漫漫正好走过来，笑着说："哟，路天王送花啦？鲜花配美人哦。"

路与昂转过头说："哈哈，星期六小周去我家，你也一起去，让你们看看什么才是真正的美人。"办公室其他几个小姑娘听到这话也都跑过来闹着要看美人的照片。

路与昂被缠得受不了，从钱包里拿出一张纸给大家看。

邱小雅一个人站在那束莫名其妙的鲜花面前，她终于看清楚那是些怒放到即将颓败的花草。应该是他买了束带着露珠的新鲜玫瑰，店家随手送的。她看着面前围成一圈的女孩们，她不知道照片上那人长什么样，然而大家在看到照片的那一瞬间都是几秒钟的沉默，然后才一致轻声感叹起来。

路与昂那样小心，即使只是一张照片还要一只手护在上面。

还有一次，从来不苟言笑的路与昂哼着歌走进来，她的心一下子就收紧了。但还是像若无其事一样在键盘上打字，甚至越打越快。

他走到旁边的办公桌旁，指着桌子上一个深紫色的羊皮小背包问："这个包是谁的？"旁边办公桌的实习生小姑娘笑眯眯地说："这是我的。"

"在哪儿买的？"他问。

"咳，路天王，你的客人每天买多少个你还不知道吗？这个包限量版的，贵上天不说只有VIP才能买到呢。我这个呀，国内同学给带过来的A货。真的咱可买不起。"

路与昂笑一笑，马上掏出电话来走到旁边打。办公室的其他人继续忙碌着，只有邱小雅断断续续听到他电话里的话："对，就是这牌子的销售，你有认识的人吗？帮我买个包，我把照片发给你，特小巧特好看，惜阳肯定喜欢。没事儿，要是人家不卖多给加钱，反正你给我买到了。"

邱小雅震惊了，

她侧眼看着路与昂，挂断电话以后还意犹未尽地冲着手机笑，好像把心里所有的爱掏出来给她都不够。

她本来也不知道，自己那么爱路与昂。她理想中和这个人应该像父母一辈日久生情的爱，他总会有一天来拿客人名单时候说："我车里空一个座位，带你一起去玩吧。"或者结清工资的时候说："这个团收获挺大，晚上请你吃饭。"

然而她等了那么久，他只是安静地来来去去，却就这样突然爱上了别人。

她从不做没有把握的事情，这一次，也是一样。

她秘密去过莫惜阳的家乡，几天的探访摸清楚了莫家的往事。

她找到了莫惜阳妈妈丁薄言的电话，和她在和平酒店大堂里喝过咖啡。就在那一次她告诉了丁薄言女儿的去向，在寻找了女儿将近半年之后，她终于知道了莫惜阳居然和一个当导游的小伙子住在了一起。

丁薄言觉得万箭穿心，仿佛整个巴黎学术界精英都端着红酒，仰着头讲他们的笑话："鸿离大师的继女和一个社会渣子住在一起了。哦呦呦，FILLE FACILE""你还不知道吧，那是和她的母亲一样。鸿离大师的妻子也曾经嫁给一个没有上过大学的人。哦呦呦，有其母必有其女。"丁薄言光是想一想就觉得天旋地转，她一秒钟都不能等了，要去把女儿抓回来。

她拉着邱小雅问："小姐请您告诉我，这个骗走我女儿的人到底住在哪里，我现在就去把女儿抓回来。"

邱小雅摇摇头，拉着她坐下来，一起从长计议。她不要短暂的胜利，那只会把这对恋人推开再让他们爱得更疯狂。她要让他们长久地分离。

邱小雅早就胸有成竹，只是没有想到，一切来得那样快。

她用了一大笔钱在黑市上买了一辆偷来的奥迪车，卖主奇怪地看着她掏出一大把现金，讨好地说通过在警察局的熟人可以拿到合法牌照。

而这位戴着墨镜的亚洲女士说，不用了。

她要把这辆车借给路与昂，只等他带着莫惜阳走出法国就匿名报警。

西班牙的一战可以说是完美，一切都出奇地顺利。

警察不止带走了路与昂，还顺便驱逐了莫惜阳的爸爸莫长风。这样一来，丁薄言找回了女儿又报复了前夫，最后掏出一大把钱来感谢她。对她接下来的计划更是言听计从。

路与昂被邱小雅从警察局保出来，之后就会马上收到假号码发来的分手短信。而莫惜阳，也是一样。

没有想到，他在拘留所里并不止呆了一天，而是整整三天。马德里爆炸案，天灾人祸都助了她一臂之力。她想这应该是上天的指示吧，她应该得到这个人，把他拴在身边，一辈子。

她不顾许多年来无数个岁月里他对她的忽视，忍受了自己等了三天三夜，然后把他从拘留所保出来之后，他就疯了一般奔向另外一个女人所在的酒店。

但那又有什么关系呢，她带他回国，几年如一日照顾他病残的父亲。虽然从前那个不可一世的路天王已经不复存在，可以让她瞬间脱胎换骨的笑容消失得无影无踪。

一开始他不肯说话，抱着电话狂躁地拨号码，从早到晚。邱小雅心里很清楚，那边是永远的忙音。她就由他打，不动声色地帮他交着巨额电话费。

终于有一天，他拨通了电话，那边是一个女人说着标准的法语，"这里是季教授宅邸，请问您找谁？"路与昂突然挂断了电话，像化成了灰一样失望了。

手机被他生生捏碎，碎片扎进掌心。居然没有一点声音。

这些年，她顶着路与昂家门口所有人奇怪的目光进进出出，照顾他瘫痪在床的父亲。一周、两周、一个月、两个月。终于，在秋天来临的时候，有一天邱小雅在路家干完所有的活儿，外面下起了暴雨。路与昂的妈妈留她住一晚，她就住进了他的房间。

那是怎样的一个夜晚，在那一天她才知道，路与昂再没有过连续的睡眠。他闭着眼一声不吭，然而表情还是出卖了他。被捏坏了手机的碎片有一小块恰好在掌心中间，路与昂不愿意拔出来，就留着伤口。

邱小雅决定从这里开始，她轻轻拉过路与昂的手，用镊子把那一小块坏死的皮肤剥开。他猛地一抖："忍着点儿啊。"邱小雅用一种完全不是自己的声音对他说，用另一只手轻轻摸摸他已经出汗的鬓角。

她猛地把玻璃拔出来，像一个微型钢笔头一样，血喷出来。路与昂把一声低吼压在牙缝里。

邱小雅的眼泪猛地涌出来。她等了那么久啊，就像是这个伤口，应该好了，应该有个尽头了。

最后，用蘸了酒精的棉花涂在手心里，她故意用力压了压，路与昂自动握紧拳头，就把她的手也握了进去。

这是多久以前的事情了，四年，这四年中路与昂没有再出过国。而他去西班牙启程求婚的那一天，邱小雅就递了辞职信，并且带走了公司所有的资源。她没有给自己留任何后路。

她在国内的旅行社也做得风生水起，这中间路与昂不是没有想过再到法国来。然而父亲的身体时好时坏，每当他决定要走的时候，总会来一张病危通知。

邱小雅劝他："爸年纪大了，不想让你走。"他点点头，当时却并不知道这一切都是身边这个人的处心积虑，有一次她甚至拔了老人的呼吸机，再叫来医生抢救了一天一夜。

这一夜的西班牙，注定是一个充满故事的夜晚。格兰梅里亚酒店经历过百年风尘，像一位有些年纪的名媛矗立在灯红酒绿中，任多少悲欢流云般飘过。她兀自不动，只是轻笑一声抿一口红酒。一切尽在不言中了。

小周站在房间的一角，手撑着额角使劲想。

邱小雅

陪着路与昂的这一程不是不知道会经历辛苦，老人生病、老牛找茬、惜阳和路与昂不停地争吵、和好，自己还无意中和前女友复合。这些都发生在短短几天，一千公里的路程里。真让他这简单的头脑一下子消化不了。

现在倒好了，难得安静的一个晚上想好好睡觉。突然半夜被砸门声惊醒，一开门，就疯了一样冲进来一个女人。

她一边在房间里四处找一边大喊："路与昂你给我滚出来，王八蛋。"小周在震惊的瞬间还记得先开灯，看了半天才回过神来，发现来的人并不是别人，正是多年前欧洲旅行社最精明强干的调度经理，女朋友赵漫漫以前的上司，路与昂的未婚妻，邱小雅。

几分钟后，她终于看清楚屋里只有一个人。她见过的导游太多，对小周叫不出名字。只是指着他问："路与昂呢？"

小周结结巴巴地摸着头说："出……出去了。"

"去哪儿了，让他回来，现在就马上滚回来。"什么叫声嘶力竭，小周这才见识到了。她哑着嗓子，发出嘶嘶的声音。

小周一时不知道这人要干什么，愣住了没有回答。

邱小雅看他不吱声，跑到窗户前面，拎起手边能找到的东西没命地往地下扔。她站在背光处，小周看不清楚什么东西成了牺牲品，却赶紧跑过去拦腰抱住她。

她拼命挣扎："王八蛋，一家老小都是骗子，活该死的死病的病，天打雷劈的要遭报应。你要死老娘陪你去死，咱俩同归于尽。"窗户被推开，小周更使劲地拉着她，怕一松手她会整个人冲向窗外。她却是拼尽了全力，撕拉一声，邱小雅的外套被撕下来一半。

她听到这声音反而愣了一下，小周趁这几秒钟的时间抓起电话就打给了赵漫漫。

路与昂回到酒店的时候，小周刚把邱小雅的双手用毛巾捆好，赵漫漫踮着脚尖扫地，一边扫一边问："周磊，你捆紧了没啊？"

房间里能够看到的东西都被砸碎了。她像一只被激怒的母狮，把该骂的话都骂了个遍之后，红着双眼嘶吼着。小周身上、脸上都被抓得道道血痕，万不得已才想出这个办法来。

路与昂一进门，小周赶紧走过去说："哥，你可算回来了。这个女人彻底疯了，怎么都拦不住，我只好给捆起来了。"

"给她解开。"路与昂冷静地说。

"哥，我这是为她好，你看她鞋也疯得丢了一只，这满地的玻璃碴子再给扎一下。"

"给她解开。"路与昂重复。

小周不再吱声，看看赵漫漫。对方看得懂，却迟疑着没有动。

刚才还喘着粗气满口脏话的邱小雅，突然间一声不响了。她颤抖着嘴唇，看着路与昂。

她看着他，直到眼睛里几乎滴出血来。

然而，却没有泪。

邱小雅记事起就很少哭了，她从小就知道自己是个私生女，只要一哭别人就会说，看啊，像她妈妈一样的狐狸精，装可怜擒住了一会儿男人的心。

她就这样呆呆地看着路与昂，她干裂的嘴唇动一动，没有发出声音。

路与昂走过去，亲手把她手腕上的死结打开。那是一双瘦弱的手，毛巾的边缘在皮肤上磨出肿起的印子。她曾经多么用力地挣扎。

"路与昂。"她叫他。

"回去吧，我和你之间，没有什么好说的了。"路与昂说着，不再看她一眼。

她打翻了卧室的花瓶，被单上满是掉落的叶子。路与昂抬手想把被单抖落干净，她却俯身过去一把拉住他的衣角。

"回去吧。"他依然没有抬头。

"路与昂，你到底要怎么样，我哪里做错了我可以改。路与昂，一日夫妻百日恩呐。你爸临死前，到底和你说了什么？我和你在一起四年多，没有爱情也有恩情。你怎么能这么狠心。"赵漫漫看着眼前这个瘦骨嶙峋的女人，她真得老了好多。不是都说爱情可以让女人面容娇美，长生不老吗？怎么她眉间的纹路愈加深得如刀刻一般呢？

"邱小雅，我们一起过了四年，你骗了我四年。我们之间没有恩情，更没有爱情。我爱的，是她。从来就只有她。"路与昂甩开她的手，指着没有关上的门。

邱小雅被甩开的手僵在半空中，几秒钟之后冲向门口，拉开门。

她看到莫惜阳站在门口。五年过去了，路与昂五年没有见到她，邱小雅也是一样的。

在最初的一年里，丁薄言还偶尔给她打电话，希望她能帮着了解前夫莫长风的近况，怕他卷土重来再想出什么办法来到法国抢女儿。

后来，就是在路与昂终于让她在房间过夜的那个晚上。

她一个数字一个数字地把手机里很多东西都删除了，其中有丁薄言的电话号码，有莫惜阳几十张照片，都是偷拍的。

他们站在阳光下拥吻，手里的樱桃冰淇淋甜蜜地慢慢融化；他要开始一段远行，她在窗口挥手，他抬头看她，即使是侧面也看出眉梢眼角都是宠爱的笑；她一个人去超市买菜，像个真正的小妇人一样对比鸡蛋价格，然而即使普通的衣裙都像个皇后。

有一次她实在忍不住了，带着墨镜悄悄走近她。她想凑近了看看她的模样，皮肤细致的纹路，身上若有若无的铃兰香气。如果运气好的话，她或许会和她讲几句话。那么她就能够听到她的声音。她疯狂地想知道，路与昂爱上的这个人，她的每一个最微小的细节。

然而她走近了，走得那样近。近的她认为莫惜阳甚至听得到她紧张的呼吸声。

她手里拿着一小瓶精磨芥末酱，那种小瓷瓶装着的有黑黄色芥末颗粒的。她对比着两种之间的成分，完全没有看到身边靠近的女人。她又看了一会儿，把其中一瓶放回货架，拿着另一瓶走了。

邱小雅紧张的心一放松，随便拿的玻璃瓶子从手里滑落下来，在午后安静的超市发出巨大的声音。穿着红色马甲的工作人员跑过来，一边跑一边大声说着："没关系没关系，酸黄瓜就放在原地吧，太太你自己小心不要扎伤。"她才发现摔在地上的瓶子是做调料的酸黄瓜，也是怀了孕或者馋嘴的女人热衷的食品。超市里的人们都回头看她，莫惜阳也看了一眼，但马上就回过头去走向收银台了。

她心里的挫败感一下子爆炸了，恨不得捡起一片玻璃割腕自杀。酸黄瓜的气味充满了这个小超市，莫惜阳在她的视线中结账，轻轻笑着和收银员先生聊了几句，对方帮她把东西装在袋子里，甚至还顺手抽了一枝花给她。

而自己，像一个偷窥公主生活的女佣。

邱小雅把这些照片一张一张重新看过，狠狠按下"删除"，她终于迈进了路与昂的生活。她相信自己即将会成为他的妻子，和他过一辈子的人。她不再需要这些电话号码和线索，她要这个女人从此以后消失在自己的生活中。

而五年之后，在她觉得自己就要成功的时候。居然再次看到了这个女孩。

五年前的西班牙，她是最后一个近距离看到莫惜阳的人。

在最后的时刻，那场马德里全城浩劫中，警报在每个人头顶炸响，人们尖叫着四处逃离。空气中弥漫着尘土夹杂硫磺的气味。

邱小雅刚从机场回来，她眼睁睁地看着路与昂被警察带走。酒店楼下的咖啡馆空无一人，服务生都颤抖着托盘用英语对她说："小姐，听说市里出了大事，死了好多人。马上要全面封锁。您快走吧，我们也要走了。"邱小雅不说话，压了一张五十欧元在桌上，只要一杯双倍黑咖啡。

她慢慢地品尝着这杯咖啡，让那苦涩的味道有足够的时间在舌尖上打转。她对自己说，记住这个味道吧，你人生从此所有的苦都在这一刻结束了。

一开始是酒店广播的声音，说电梯封锁，请大家走安全通道。然后就是哭喊尖叫声。没有人注意到邱小雅，她却享受着这一刻。

然后，她终于等到了她要等的人。

莫惜阳光着脚下来了，她茫然地看着眼前混乱的人群，身不由己地随着人们往前走。看到她的那一刻，即使是邱小雅也不得不承认她的美丽。她赤着脚穿一条长裙，雪白的肌肤和丝质裙子。

　　邱小雅鬼使神差地跟着她，莫惜阳惊惶地四处张望，她赤着脚一开始还踮着脚尖，后来就被涌过来的人群推着，身不由己地向前走。人们尖叫着，痛哭着，推搡着，广场上人流汇集在一起。莫惜阳双手紧紧抱着自己，想在人群中找出一个空隙深呼吸。她抓住一个过路的年轻人，用英语问他发生了什么事情。年轻人大声告诉她，火车站爆炸了，死了好多人，还有飞机场，还有公路。斯文的年轻人说着说着眼泪就涌出来，他再也说不下去了，冲着天空吼出一句脏话。

　　惜阳惊呆了，几秒钟后她回过神来，大喊着路与昂的名字。她明明知道这人海茫茫，不知道他身在何处。她的声音被千万声呼喊盖过，掩埋其中。但她还是大声喊着"路与昂，路与昂"。她开始发抖，一边抱着自己的双肩，一边看着身边路过的每一张面孔。这时候，有一个女人发疯般地嚎叫着："孩子，孩子，谁看到我的孩子了，伊万……伊万。"

　　她的声音太过惨烈，惜阳刚一回头看她，就有一个七八岁左右的小女孩从她侧面跑出来。飞快地冲向女人。她跑得太快了，没有注意到面前穿着黑色裙子呼喊着她爱人的亚洲女子。也许小女孩从来都不会再记得曾经和这个人擦肩而过，然而，她却彻底改变了这个亚洲女子的人生。

　　她飞快地跑过来，一头撞上正在回头的莫惜阳。她只觉得身体被猛烈地冲击，然后就是尖利的疼痛从腹部猛窜上来，好像一把钝剪在身体里戳了一下。她身体一软，跪在地上。

　　疼痛擒住了她所有的理智，头脑中有一条金属线大声嗡嗡作响。她身体里的剪刀没有章法地胡乱戳着。最后的画面，她看到黑色裙摆下面鲜红的血，缓缓地缓缓地流出来。在这人人泣血啼哭的马德里夜晚，没有人注意到她。

她觉得天一下子黑了。

邱小雅在混乱的人群非常冷静，好像在看一出戏，女主角在乱世中挣扎喊叫，男主角应该像一个勇敢的骑士，扬鞭策马而来，把她拦腰抱起拥吻在一起。

她冷笑着，这剧情不会发生了。

突然，莫惜阳的身影越来越低，她就要看不到她了。邱小雅紧走几步，想凑近看个究竟。就在她走到莫惜阳旁边的时候，仙女一样的女子缓缓倒地。她的指尖在那个时候触到了邱小雅的衣角，当她看到鲜红的血从她身体里流出来的时候，也被惊呆了。

她像一个孤注一掷的盗贼，想要把偷来的金银财宝藏进枯井。没想到包裹刚刚落井，生活就推下了无数大石头。

这个她曾经悄悄跟踪过许久的女人，她终于有机会仔仔细细地看她。她蹙在一起的眉毛，紧紧抿着的嘴唇。她都一寸一寸看进心里去，她不愿意承认，但其实又恨不得把浑身的骨头血肉都敲碎，重新捏在一起成为她。

邱小雅守着惜阳坐了一会儿，没有人过来问一句话，他们都以为这是又一个因为悲伤而晕倒的人。惜阳如云的秀发铺在坚硬的地上，脸上的血色一点一点少下去。邱小雅才拨通电话叫了救护车。

最后，她把丁薄言的电话写在了莫惜阳手腕上。

那是邱小雅最后一次看到这个女子，惜阳虽然意识模糊，却仍然小声说着："与昂，我们不去波多黎各了，好么？"

后来，邱小雅在广场的台阶上坐了一晚上。她不停地哭，却没有眼泪，最后变成哀嚎，像要把这一生的委屈都发泄出来。她是害怕了，用尽了心思，一步一步像走钢丝的人，任何大一点的风、飞翔着的鸟儿的翅膀、一片云的影子都可能让她坠落，掉入万劫不复。

这些年来她向前冲，不许自己往后看。可是这一天，她把所有的委屈想了个遍。上天对她太过苛责，她祈求请成全她这唯一一件事情。从此之后她可以为这个男人付出所有，再不求荣华富贵。

她哭了一夜，第二天天一亮就打起精神去警察局接路与昂。

尽管他出来之后直接冲向莫惜阳的酒店，甚至没有多看她一眼；尽管他扔掉了她买的衣服；尽管后来的无数个夜晚，他都在梦里念着她的名字；尽管她也在心里知道或许从未被爱过。

但她还是认为那一天的愿望，被上苍的某位神仙听到了。

事情非常顺利，莫惜阳被母亲带走以后住进了巴黎最好的医院，据说一开始她还闹着要跑出去找路与昂问个清楚。直到收到分手短信之后，她就彻底沉默了。

邱小雅本以为，守着这个人日子就过去了。几年以后生个孩子，他们就是孩子的爸爸妈妈，好多人不就这么过了一辈子吗？没有想到，她夜夜噩梦中见到的那一幕，还是来了。

自此以后，路与昂再也没有笑容，他沉默着，与这个和从前完全不同的世界对峙。即使睡在一张床上，他也紧紧贴着床沿，和邱小雅之间隔着一尺，但这一尺在一张双人床上就是天与地的距离。

四年来，他们在一起的次数很少。往往都是路与昂父亲闹一次病危，全家彻夜未眠地守着，疲惫到顶点了，邱小雅才会蹭到路与昂怀里说："爸常说，有个孙子一辈子才圆满了。"

路与昂叹口气，闭上眼睛。

有一次，冲上顶端的时候。路与昂喊"惜阳"。邱小雅愣了一下，男人已经草草结束，翻身坐在床边，他狠狠扇了自己一个耳光，又转身去抱住她。

"对不起。"他在她耳边喃喃地说。

邱小雅紧紧抱住他，觉得这一局，自己算是真正赢了。

而这以后的几个月里，路与昂好像松动了一点儿，送过她几样东西，在家的时候也能多说几句话了。尽管，他还是没有笑容。但邱小雅觉得她要的生活，一点一点近了。

可是，没想到。

有这么一个黄昏，路大庆在长久的昏睡之后，突然觉得一阵风吹来，整个人又清醒又轻松。这个二十年前的爆破工，在残疾了以后，甚至之前很久都没有这种轻松了。他睁开眼睛，仔细听着窗外的鸟叫、树叶摩擦的声响，深深叹了一口气。

妻子就守在不远的地方睡着，被他这一口气惊醒。两人互相看着，妻子的眼中充满了泪水。

路大庆又叹了一口气说，叫儿子进来。

那一天，父子俩的谈话从黄昏直到第二天中午。邱小雅几次觉得心慌，想进去看看，都被搬了张椅子坐在门口的女人拦了下来。

出来以后，路与昂的眼神像结了冰，看她的眼神前所未有的冷。

邱小雅觉得，她世界里好不容易才建立起来的一个围墙，轰一下倒塌了。自从她第一次来路家探访，就早早问过医生，老头在矿难中被炸碎了浑身骨头。在长久的疼痛中，早已失去了意识。听力、视力、味觉都因为要抵御疼痛而退化了。

邱小雅没想到有这一天，老头能耳聪目明口齿清楚地和儿子有一场长谈。

她不知道自己做得哪些事情，老头告诉了路与昂。

也许是她为了和路与昂亲密，而几次拔掉输氧管，然后哭天抢地给医生打电话。

也许是在偷了路与昂每月给父母放在大衣柜里的钱，并且把他所有的钱都转到自己私人账户上。

也许，还更糟糕。这些年她在老人这里打扫卫生、守夜的时候，都会仔仔细细，用最恶毒的话诅咒莫惜阳。她憋了太久了，把所有的恨意、所有用过的伎俩都翻来覆去地讲。而这些时候，老人只是闭着眼睛，呼吸也轻到听不真切。

路大庆是第二天中午走的，这些年来他拒绝去医院，妻子和儿子平静地帮他擦身，换好衣服。路与昂紧紧搂着母亲的肩膀。母亲沉默了许久，拍拍他的手说，儿子，这么多年，你终于自由了。

老头躺在床上，他的妻子和儿子站在旁边。邱小雅在两米之外，从小到大的噩梦卷土重来，几乎把她打倒。这么多年，她不过想要一个家。然而，所有和"家"有关的人与事都把她隔绝开。

即使这家里有一个人已经不在这世界上，他们依然在一起。而自己，明明活着，却在他们眼中如死亡一般地存在。

就好像此时此刻，站在她眼前的明明是生活了四年的未婚夫。

而他却在自己拉开门的一瞬间，几步跨过来，挡在莫惜阳面前。

小周也跑过来，对跟过来的赵漫漫说："你和惜阳先回房间。"这是多年来兄弟间的默契。

"对不起。"路与昂看着对面的门关上了，在沙发上坐下，直视着她的眼睛，说出这三个字。

邱小雅原本如寒风中岩石的心，突然被这句话戳了一个洞。她是他什么人呢？对，她狠狠伤害了他的女人，让她今生难以见到最爱的父亲，让她失去孩子，让她和爱人天各一方，让她可能今生都不再有快乐的日子。

她借着他父母的善良，甚至制造出一次次病危，来靠近这个男人。

这几年路与昂的钱都被她管着，自从回国以后，他再没有看过一眼自己的账户。邱小雅每个月给他的钱甚至都花不完。她也就把这些钱慢慢都转到自己的账户里了。

可她是想着如果被求婚，这些钱就拿出来办婚礼。

然而，她却没有等到一场婚礼。这些钱就是你路与昂欠我的。

时间越久，欠得越多。

她毁了他的事业，让本来在欧洲导游界，风生水起的路天王一蹶不振，只在国内带一些散拼、接机的活儿。四年来他没有认真对待过什么工作，他是心死了吧。

她甚至毁了他整个人，放任他没命地喝酒，直到他胃疼得晕倒，直到他大口大口吐血。她爱他，却不知道为什么要冷眼看着这些。潜意识里，她知道这个男人不属于自己，只有他毁灭了一点，更毁灭一点儿，只剩下残渣，她才配得上。

她已经有一个月没有好好睡过觉了，在无眠的深夜里，她都想好了和路与昂的对峙，她应该会大骂，撕破脸打他、抓他。他走的时候连头都没有回，甚至连分手都是短信通知她的。那么他应该会大声羞辱她、指责她的无耻。毕竟，他也从来没有爱过她吧。

没有想到，在这个夜晚，她曾经差点儿要了他女人半条命的酒店里。路与昂居然会和她说对不起，居然会和她道歉。

路与昂低着头，他继续说："这些年，我心里没有过别人。也耽误你了。对不起。"

邱小雅想要伸手抓住他，他却坐在一米外的地方，冷冷地看着。她的心，一下子就塌了，准备好了的话都不想再说了。

"那你把房产证给我吧。"

路与昂也明显松了一口气，"我不欠你什么钱，房子是我用自己的钱买的。这些年你从我爸妈那儿拿的钱也够了。"

女人突然间暴怒起来，随手拿起桌上的电话砸下去："路与昂，不给是吧？我难道不知道你的心思吗？对面那个贱人知道你的来历吗？要不要我去告诉她？你是一个活死人的儿子，说不定你爸是个在逃犯，要不然为什么老死在家里也不敢出门？你别以为我不敢查，你今天不给我把钱吐出来，我就是拼到死也要拖你一起死，你要是比我先死，我也会咒你转世不得超生。"

"你闭嘴！"邱小雅说到父亲的时候，路与昂被激怒了。

小周在门外守着，听到声音赶紧冲进来了。路与昂一只手狠狠捂在邱小雅嘴上，另外一只手刚砸在墙上，鲜血顺着拳头流下来。他因为愤怒而颤抖，正举在空中想要落下来。

小周一个箭步冲过去抱住他："哥，快松手。你要闷死她了。"路与昂气急了，使了大力气，就连小周也拉不住。"哥，你这次来是要办大事的，不能惹事儿啊。"他不打女人，他只是想让她闭嘴。

路与昂听了，又一拳打在墙上，捂着邱小雅的那只手才松开了。这些年生活在一起，路与昂像是一个被抽了灵魂的人。从来没有明显的喜怒哀乐，这是第一次，她看到他暴怒的样子。即使做了心理准备，还是被着实吓了一跳。

小周趁他喘气的时间，和邱小雅说："旁边 316 我给你开了房，房卡在桌子上，你赶紧走吧。让路哥休息休息。"邱小雅还犹豫着，喘着粗气张张嘴。

"你给我滚。"路与昂低声吼着。

"我，我不走。今天不把我要的拿回来，我是不会走的。"邱小雅虽然没有了之前的底气，也还是梗着脖子说着。小周把她从沙发上拉起来，连拖带抓架着她的胳膊，把她拖出了房间，出门之前，她瞪着路与昂，狠狠地说："你给我钱，我要钱。"她声音嘶哑，双眼血红。

几分钟以后，旁边房间的门砰一声关上，世界才清净了。

小周躺回到床上，关上客厅的门，他知道路与昂想要一个人呆着。窗帘密不透风，路与昂还在黑暗中，他一个人坐在这里，这一天对于他太过漫长，他伸手想要抓住些什么。才发现惜阳的披肩就在手边，他迫不及待地抓过来，像一个即将渴死的人看到了甘甜的泉水。他把头深深埋在披肩里，贪婪地呼吸着她的香水味。

今天发生的所有事情，混在一起像一把钢针，在他胃里搅动。一天忘了吃药，现在才感到难忍的疼痛。他扔下披肩，冲到卫生间里，掐着喉咙想要吐出什么，干呕了一阵，只吐出几口鲜血。

天边微微发亮，黎明已近。

对　峙

清晨如期到来，它并不因前一晚人们的恐慌而迟到。

这是旅行的最后一站，按预期老人们将跟着小周和赵漫漫去巴塞罗那，然后由那里登上回国的飞机。路与昂等客人到齐了，拿起话筒说："各位都知道，昨天咱们团里的孙爷爷病倒了，既然我带了这个团，就要负责到底。今天，我和惜阳要留在马德里。由小周和漫漫陪同各位去巴塞罗那参观。巴塞罗那是我们这次行程的终点，它是巴泰洛尼亚首府，也是西班牙的明珠，设计师高迪的天才之作。公司为大家在当地安排了精彩的游览，我和惜阳，在这里祝大家接下来的旅途愉快。"他声音浑厚坚定，说完之后几秒钟，大家都还沉浸在余音中。

"不行不行，我们不干，这个美女是我们选的导游，凭什么陪着生病的老头子？不行，我们要这个姑娘陪我们到底。"老牛突然站起来，梗着脖子喊道。

路与昂捏了捏拳头，压着火气说："小周是很有经验的导游，漫漫是安排旅行的行家。他们两个人配合，能把最后一天带得非常好。不会让您有什么不满意的地方。"

"一个老头儿病了，要那么多人陪着干啥？明显就是看不起我们，我们要投诉，现在就给旅行社打电话。"老牛斜着眼睛继续喊。

路与昂没有说话，他其实也知道，再为了病人负责任，只有自己一个人留下也合情合理。然而前一天晚上，病得神志不清的老人拉着惜阳的手，一定要说她是他已经断了联系很久的女儿。只有惜阳在的时候，他才肯吃药，才肯让医生打针。而他自己的时间也不多了，和惜阳在一起的每分每秒，他都不想浪费。再加上这一伙人，虽然卢森堡那一夜被他暴打一顿，但也还是没有收起看惜阳时候那色眯眯的眼光，自己不在这里，他不能把惜阳给他们留下。这其实是留了些私心的。而在他当导游的生涯中，这是为数不多留了私心的时候。

老牛说到做到，走到副驾驶座上，翘着腿拨通电话。他按了免提，一声之后就响起陈祥巍的声音。

"牛总啊，一路玩得还高兴吗？"他还没说完，老牛就冲着话筒狂骂："老陈啊老陈，你知道我这个团的价格，你知道我在平旺镇的影响，多少人求着我请我出国玩，我是给了你脸了，就报了你们公司的团，你怎么给我保证的？给我最好的导游，最周到的服务。一路上我受得这是什么待遇，又是合团又是要换导游，你是把我当猴耍吧。看我一回国，不弄死你。"

小周坐在驾驶座上，没有回头，用后视镜看看路与昂的表情。他就站在老牛身后，面无表情，被三个字死死钉在原地，他听见了老牛说的话，他说："平旺镇"，离别之前，父亲一天一夜的谈话；年少时，家门口荡起满天满地的黄沙。

那三个字，那是路与昂离别已久、再未曾回过的家乡。

老牛糙黑的脸在他眼前放大，无限放大，每一个毛孔都渗出岁月的烟尘。他在接机的时候，已经知道了这是家乡的人。

然而此时此刻，他紧紧咬住牙，用力地几乎要颤抖，电光火石般他想起来眼前的这个男人，为什么初见面就似曾相识。

赵漫漫也听见了老牛的话，她最了解陈祥巍，这几年旅游界竞争多，不好做，这老牛还真是在他们周边几个镇有点儿影响力，和市政府拉了线，说好回去就给他们一年的团量，社里是的确很重视的。这下告到他那边去，估计惜阳是得和路与昂分开了。

正在这时候，他们却听到电话那边说："牛总，对不起。这样吧，我给你再安排个当地导游，对西班牙熟悉的，专门陪你们玩。"

老牛没有料到还有这一出，愣了一下马上拒绝了："不要！那么多人来，是为了陪着我们呀还是监视我们呢？我们跟这个小女导游熟了，就要她陪着我们。"

对面的旅行社经理又说："这样吧牛总，我团费给你打折，还派这个地陪跟着你们，你看行吗？"

"不行，这是什么道理？生病的老头儿扔给地陪！我们这么一大群人，还不能要求把导游给我们留下吗？"

正在这时候，后排的一位老人站起来，说："我不走了，我留下来陪老孙，这样去巴塞罗那的人少一些，负担轻一些。"路与昂回头，看到正是穿着呢大衣的乔爷爷。他声音不大，却不容置疑。

后排的老人们开始轻轻议论起来，听了老乔的话一个个纷纷站起来："我也不走了，留下来陪老孙。"

"我们两口子也不走了，就从马德里回国了。"

"要不走都不走吧，还就个伴儿。"

一时间，后排的爷爷奶奶们都站了起来。惜阳回头看他们，爷爷奶奶们投向她温和的目光，仿佛在对她说："姑娘，别担心。"

路与昂没有回头，眼眶热热的。

乔爷爷看了一下人数，扭头对赵漫漫说："姑娘，虽然我团费不高，但是现在我们三十几个人，要求两个导游，是合理的吧。"

漫漫使劲点了点头，拍了张照片发给自己老板。

老牛愣在椅子上，按了免提的电话还没有挂断，那边陈祥巍也听见了大巴车里的声音，他说："牛总，你们六个人，我还给你两个导游加一个地陪，你看这事儿总说得过去了吧。"声音高了些，也带了点儿得意。

老牛骂了几句脏话，对着电话那边喊："算了！谁稀罕去什么巴塞罗那？老子也不去了！"说完就摔了电话。

老人们纷纷坐下，大巴车上一度沉默下来。

路与昂面无表情地说："既然这是大家的意愿留在马德里，那请要去巴塞罗那的客人举手。"车里没有人举起手。赵漫漫早就写好一份自愿修改行程说明，让大家一一签字。老牛不签，赵漫漫斜着眼睛说："那请牛总下车，我们安排一辆小车带您一个人去巴塞罗那。"他只好不情愿地乱画了几笔。

既然马德里的观光已经结束，但毕竟是这欧洲之行的最后一站了。几个年轻人商量了一下，决定加一个景点——一百公里外的风车镇。

惜阳和漫漫回到医院，照顾生病的孙爷爷。小周开车，路与昂带队。一路无话，在崎岖的公路上颠簸前行。

坐在最前面的老牛和老黄一开始还骂几句，后来也觉得没劲闭上了嘴。

只是没过多久，老黄的手机手机响个不停，尖利的民歌曲调几秒钟就响一次。

老黄靠在椅背上，看都不看已经响得发烫的手机，让它响几声，再掐掉。

最后叮的一声，短信来了。老黄提着嘴角冷笑了一声，把屏幕给老牛看："黄叔，求你接我电话吧，药我给你搞来。"

"他怎么搞来？"老牛问。

"谁管他，去偷去抢还是自己造，反正咱们拿不到手就不给钱。那小子就要结婚了，不知道和那女娃家里扯了什么慌，要不哪儿能这么急赤白脸地要钱。"老黄惦着手机说。

"程有强啊程有强，你小学虽然没毕业却聪明了一辈子，你儿读书读到国外了，说到底还是个傻子。"老黄把一条腿翘上来，惦着手机说。

"啊……啊……啊……"身后的老妇人突然大声喊起来，坐在她旁边的小艾赶紧上来抓住她的手："妈，怎么了？"老妇人不说话，推着老黄的椅背大声喊着："啊……啊……啊……"老牛转身扔给她一瓶水："小艾给你妈喝口水，她渴了。"

程望是在第三天收到银行的电话的，他这些年经济上一直窘迫，虽然读书已是博士，却听到银行经理的声音，心里还是没底。

可现在不一样了，他存了一张十万欧元的支票，清了清嗓子，接起电话。

"程望先生吗？我是里昂信贷的COHEN，您的理财经理。"那边的声音像个机器人。

"是的，请问有什么事？"程望下意识地觉得似乎不像是什么好消息。

"您最近存入银行的十万欧元支票，是跨境支付。这么大一笔钱，请问是什么来源？"机器人一字一句地说。

"哦，这是我叔叔，我远房叔叔给我的。"

"也就是无偿赠与对吗？"

"对，对，无偿赠与。"程望头上渗出了汗，心里埋怨自己没有把事情做好，应该提前和银行打个招呼。

"程先生，这张支票在赠与人国家，是设置了时间和签字授权的。没有授权不能入账，您能尽快把授权书给我们传真过来吗？"机器人措辞礼貌，却像是警察在逼供。

"授权书？"程望心里凉了一下。

"对，而且我们核对过了，这上面的签字和赠与人以往的签字并不相同。如果没有授权书的话，我们会把这张支票当作支票盗窃来处理。金额太大，总行直接控制这件事情。"盗窃两个字像两个耳光，啪啪打在程望脸上。

"那……那怎么办呢？"他在和电话里的人说，其实像是自言自语。

"入账时间就设置在本周末，现在是星期三，还有两天。以我的权限最多给您保存到下周一，所以请您尽快把授权传真给我们。"机器人说完这些话，后面还说了些什么，程望已经不记得了。他已经浑身大汗，衬衣粘在身上。

那时他正在实验室里，挂断电话后，他就在角落里，靠着墙慢慢矮了下去。

这时候，电话铃又响起来。他看也没看把手机扔到一边。铃声断了，五分钟后又响起。他抬头看了一眼，上面显示"师母"，他赶紧接起来。

"程望啊，这个时候在忙着做实验吧，伯母打扰你了吧。"丁薄言的声音懒洋洋的又透着精明。好像是在提问，但其实也没有给别人更多回答的选择。

"不，不……伯母，不打扰。我正想这几天给您打电话，看看家里有什么能帮上忙的。"程望赶紧说。

"哎，你这孩子。伯母这里能有什么事儿啊，哪件事能比筹备你和惜阳的婚事更大的呢？"丁薄言话中带笑："知道你们这些做研究的人，一钻进去了就不能被打扰，这真是有个好消息，伯母也是忍不住想给你报个喜。"

程望应承着，脑子里一片混乱。

"就是上次和你说的，德拉诺城堡的主人，昨天我请他来家里喝茶了。你知道他那儿多抢手，都是贵族政要开舞会的地方。你猜怎么样？以我和他多年的交情，他不但把城堡订给咱们，为了你们的婚礼，日子让咱们选，还特别把从不对外开放的卡农厅给你们跳舞用。订金我是先给了，日子么要等你父母来了，一起商量个黄道吉日。"

"伯母，一切听您安排就可以了。我爸妈，他们可能工作忙，现在还，还定不下来。"程望结结巴巴地说。他等着一个炸弹，浑身的血都凝结了，像细小的冰雹在血管里流动。

"嘿，这我都知道。他们和你伯父一样，都是大忙人，双方父母里只有我是个闲人，就让我多操点儿心，为了我这个宝贝女儿，我是越忙越开心呢。哦，对了，上次你给我三万欧元的支票，你知道法国这边，支票存不进去啊，一个礼拜就要退回来了。真的是没关系的，我和你说一声，你也就告诉你父母，别急着看账户了。"轰隆一声，炸弹拉响了。

"伯母，伯母，我这两天没顾得上和银行打电话。支票的事情没问题的，下周，下周钱就能到账。"他不知道是怎么说完这一番话的。

丁薄言像是听到了满意的答案，答应根据自己和银行经理的私人关系，再保存几天，又再三保证不需要这笔钱，让程望父母放宽心才好。

挂断电话，程望才发现自己还贴在实验室的墙角里，他想往前走一步，却怎么也迈不开步子。支票、盗窃、授权、签字这些字眼在他脑子里轮番上阵，把他扎得体无完肤。

他颤抖着找到老黄的电话，拨过去，只响了一声那边就接起来了，好像是在等着他打这个电话一样。

"喂。"老黄粗重的声音应答。

"黄……黄叔。"程望不知道如何开口，从何说起。

"哦，小眼镜啊，你给叔打电话，是不是上次让你拿的药搞到了？"老黄的语气听不出情绪来。

一句话，程望瞬间被就明白了，他感觉到实验室在缩小，三面墙都向他砸过来。就在这几秒钟的时间里，他虽然没有把这件事情从头到尾捋清楚，但是心里已经响雷一般炸开了。

从接到号称父亲世交老友的电话开始，到把惜阳安排当导游，到卢浮宫拿到支票，再到铁塔下的见面，他一步一步走入一个圈套。

他没有时间想，这些人为什么要选中了他。他只是心里有一个声音在大喊，支票是假的，他是个冒牌货，他是一个死去的矿工和一个疯女人的儿子，他是个家徒四壁甚至都没有家的人。

这所有的一切，这些事情马上就要被所有人知道了。他努力了这么多年，或许导师会发怒，在他的毕业证上做手脚。也可能会取消他研究院的资格。他会变成一个彻头彻尾的笑话。

然后，他才想到，惜阳在他们手里。这个声音让他绝望地发狂。

最近实验室里的研究成果，让人瞬间失忆的药，只在小白鼠身上试验过。无论是从剂量还是结果来看，远远没有到了可以在人类身上使用的标准。何况这药物的特殊性，在实验室是严禁外传的。他在电话里绝望地哀求着："叔，这个药现在还不能用啊。"

那边只说了一句话："眼镜，拿到药再给叔打电话。"就挂断了。

程望的单身公寓有四十平，窗口能看到铁塔。他却觉得自己像关在一个笼子里，已经三天三夜没合眼。他喝了酒，彻夜在房间里、客厅里狂躁地踱步，他不能停下来，一旦闭上眼睛，噩梦就像一床潮湿发霉的棉被捂上来。

他臆想中自己变成了实验室的清洁工，学弟学妹们穿着白大褂指着他窃窃私语，丁薄言和季鸿离拉着系主任的手，一惊一乍地说他骗子，母亲披头散发站在村口，小艾要拉着他回家，回那个一贫如洗的黑洞一样的家。他嘶吼着不回去，大使馆的人把他的签证扔出来，他再也拿不到任何国家的签证了。

最后，是惜阳，她远远站着，像一尊绝美的白玉雕塑，她叹一口气说，程望，算了吧，反正我也没有爱过你。

他一个耳光扇在自己脸上，把自己打醒，不允许进入这些残酷的梦境。

在第三天晚上，他终于披上大衣，冲向实验室。

勒内·迪卡尔医学院的实验室大楼在东边一座楼群里，楼群由三栋建筑物构成，两边的高，中间的矮。

就快要满月了，月亮照在最左边的楼上，好像把每间屋子都照得很清楚。程望轻手轻脚地按了密码，没有坐电梯，而是摸黑在楼梯上轻轻走上三层。

按密码，再用钥匙小心地在锁孔里转动。

门开了，他借着月光走进去。小心地避开实验器材，慢慢走进里间。药粉就锁在1号保险柜里，他靠近柜子，正打算输密码，突然发现，柜子居然是开着的。他心里吃了一惊，按亮手机屏幕，发现药粉已经从密封的实验瓶里装了一些在一个小玻璃瓶里。最惊人的是，旁边还放了几张纸。

他飞速扫了一遍，这几张纸是一份合同。

里面写了要把药剂卖给一个医药公司做研究，这个医药公司臭名昭著，专在落后国家斥重金用大型动物做研究，甚至还有很多不可告人的可怕秘密。程望吃惊地发现，条约上给出的天价数字，和最下面的签字：药剂所有人以及单独研究者——JI HONGLI

看到这里，程望条件反射般合上合同。从大衣内侧口袋里掏出一个瓶子来。他想着只拿两勺，两勺，是足够五十只小白鼠失忆的计量。然而他的双手剧烈颤抖，没有灯光，瓶子口又小，粉末撒出来几次。

突然间，身后的灯亮起来。一个声音说："谁在那儿？"

声音不大，在空旷的实验室里却震耳欲聋。程望被灯光刺得睁不开眼睛。瓶子还拿在手里，盗贼被抓了现行。他闭上眼睛，不敢马上睁开。

脚步声一步一顿地走近，快到身边了，才说："哦，原来是程望啊。"语气明显松了。

程望睁开眼睛，也听出来是导师季鸿离的声音。

"这么晚了，是还来做实验吗？"程望始终没有回头，任凭身后人语气似笑非笑。他可以现在关上保险柜，应承下这句话，转身走出去。他是季鸿离最得意的博士生，也是他未来的女婿。盗取研究成果的后果严重，但按情分，他会放自己这一次。

但药粉已经在勺子里了，程望内心一片冰凉，咬着牙又狠狠舀了几勺放进瓶子里。

"程望，很晚了，做完实验就回去吧。好好睡一觉，明天来家里。让你伯母给做顿好吃的。"

季鸿离一边说着话，一边走到程望身后，一只手放在他肩膀上，不是轻轻放上去的，是压着他的肩膀，拿药瓶的那只手。

程望眼前一片混沌，手机屏幕暗了。月亮被云遮住了一半。他摸黑拧紧药瓶，正要装进衣服口袋里，被一只手紧紧抓住。"程望，你回去吧，这个给老师，就当今天你没有来过。"

程望猛地抬头，直视着对方的眼睛。他不记得什么时候，这样近距离大胆地看过季鸿离，哪怕是在他被选入他博士生的时候，哪怕是在他论文答辩得到全场最高分的时候。他都只是远远地看着他，这个传奇中的华裔教授，别人来实验室都穿着随便，套在白大褂里面。他却总是敞着扣子，露出里面不同的名牌西装，永远打着领带，衣领挺拔。

他金丝边眼镜里的一双眼睛，从前程望从没有看清楚过，而此时此刻，借着微弱的月光，他发现了这双眼睛好像属于一个陌生人。

"老师，让我走吧。明天我去家里拜访。"

"程望，你疯了吗？你是我最得意的学生，你知道盗窃研究成果有多严重？不要说你这个行为，你告诉我，你拿这个药要干什么？成果还没有完善，用在动物身上都很危险，更不要说人了。"季鸿离加重了语气。

"我需要这个药，老师，我现在得把这个瓶子拿走。"程望猛地站起来，他比季鸿离高半个头，挡住了光。

"不行，我作为你的导师，也是实验室负责人，今天不能让你把药拿走。何况，程望，你在这里生活了几年，难道不知道这里布满了摄像头吗？今天，即使我让开，其实你也走不了的。"季鸿离挡在程望面前，手指着房间四个角落。

"老师，"程望本来刚才还缩成一团的心，突然间放松了，他嘴角挂了一丝笑："打开保险柜之前，我还担心摄像头。看到里面的几张纸，我一点儿都不担心了。您进来之前，应该早就把摄像头都关了吧。"

"你……"季鸿离本还侥幸他因为夜深心急没有看到文件，听到这句话，彻底明白了。他突然冲过来，嘭地把保险柜关起来，挡在前面，语气软了下来："程望，我这是为你好，你拿这药是要干什么？用不好会出人命的。你是我最赏识的学生，又马上要和惜阳结婚了。别胡来。"

听到惜阳的名字，程望突然间感觉到悲伤："老师，我就拿一点儿，我会小心的。"

"不行，程望，你不能拿出去。"季鸿离坚决地说。

"为什么老师？那份文件我看了，您单方面把药的配方卖给了 CCIS 公司，这家公司的名声您比我更清楚，不要告诉我您是为了职业尊严才不让我拿走这瓶药？如果说出卖尊严，我只是舀了一勺，您是出卖了整个配方。"

"程望。"季鸿离喊了一声，声音不高，嗓子却变了。他沉默了一会儿，最后一只手撑在实验桌上："你知道我为什么选你当我的研究生吗？"他靠在保险柜上，一字一顿地问。

"因为，你最像我。你知道咱们作为一个华裔，在医学界立足有多难。过上上等人的生活有多难，我见过多少孩子。好家庭出来的，花着真金白银来读医学院。一年读不出来就读两年，两年读不出来就读五年。没关系啊，家里有钱。而你不一样，我第一次看见你，躺在 A 楼的病床上，你那件西装质量真差，沾一点儿雨就掉颜色。可你脸上那表情，就是那种今天拿不到奖学金，明天就交不起房租，一个长棍面包都买不起的那种神情。从一开始，我就没有相信过，你会是大城市主治医生的孩子。我从来不相信，但是也没有和任何人说过，哪怕是薄言，哪怕是惜阳。你知道为什么吗？因为你和我年轻的时候，真像。38 年，38 年我没有回过家。我也是个没有家的人。我只有薄言，还有惜阳。虽然她不叫我爸爸，也和我不亲，那这也是我这辈子唯一的孩子啊。咱们就要去蒙彼利埃大学了，你以为，一个医学教授，能拿到什么薪水？你看看你师母，她过得这种日子，是一个大学教授的工资能承担得起吗？"

程望惊呆了，看着眼前平日儒雅的教授，像困兽般对着他低声嘶吼。月光下看得到他眼中的血丝。

两个人面对面站了一会儿，都没有说话。

"老师，你说，咱们学医到底是为什么呢？"程望突然问。

"本来是为了救人，但越学越发现，要救人还容易些，治好自己，最难。"季鸿离轻声回答。说完这句话，他扭过头，指着门口说："你走吧，拿着你要的东西。就当今晚咱们谁都没有来过。"

程望犹豫了一下，想说些什么，又觉得眼前这个男人陌生得可怕。他揣着药瓶，转身走了。他不知道自己是怎么走到楼下的，夜更深了。

路大庆

　　风车镇孔苏埃格拉坐落在一片广袤的田野之中，因为塞万提斯的作品《堂吉诃德》，这里成为了许多人的朝圣之地。

　　这里是旅行团很少会来的地方，但是路与昂喜欢，有时候在马德里送了团，会一个人开车到这里来坐坐。他喜欢坐在古风车中间，远远地看着山丘下的镇子。落日的时候，烧红的天边和金黄的茅草地，晕染出油画中也没有的美景。

　　客人们都去拍照了，路与昂点燃一支烟，抽了一口，缓缓吐出来，看着烟雾在风车翼中间慢慢消散。

　　小周走过来，在他旁边坐下，问他："哥，想什么呢？"

　　他望向远方说："我在想我爸。"

　　路与昂的爷爷，路大庆的爸是个走村串巷的说书人。他从小被扛在肩上，长大一点儿也拿个板凳坐在台下面。听爸手舞足蹈，说《三侠五义》，说《群英传》，说《杨家将》，说《聊斋志异》。

　　别的小孩儿爱听些神神鬼鬼的，他偏爱听大英雄的故事。

　　站起来顶破天，坐下来压塌地；横腿八马倒，倒拉九牛回。

　　万丈高楼一脚蹬空，扬子江心断缆崩舟。

　　每次说到这段，他都站起来，在戏台前面拿着根树杈四处飞舞。大人们哈哈一笑，爸拿回来的赏钱多，晚上高兴的时候，喝上几口还能专门给他讲一段。

爸死得早，他十几岁就下井当了爆破工。后来结了婚，有了孩子。昂子像他，虎头虎脑的，是这一片的孩子王。

牛望财刚来矿上的时候，本来是指给他当徒弟。他看这人总是低头猛干活，眼睛里却有一股子狠劲。劝过他说："老牛，咱们干爆破，其实要比的是细心，安全。不比狠。"老牛难得笑了一下，说："哥，我知道。"但是不久以后就去当了挖煤工。他知道爆破工清闲些，但是拿钱少，不比一镐头一镐头挖出来的来钱快。

但老牛在矿上和他最近，他也看老牛饭盒里没啥油水，把自家贤惠老婆带的菜给他塞一大半。

昂子八岁那年冬天，去了一次北京表姑家。他第一次看到堂哥有台电脑，这孩子动了几下居然就会用了，堂哥带着去计算机班旁听。孩子听了几次，老师就和姑姑说，给这孩子家里也买台电脑吧，他机灵，有天赋。

那几年，路大庆的妈病瘫在床上，每个月大半的工资都交了医药费。昂子从北京回来以后，每天都在说电脑的事情。说得路大庆烦了，还在他头上狠拍过一下。

牛望财在几年间发了大财，平旺镇却出了许多神情恍惚的傻子。有个从前成日街上手舞足蹈唱戏的，有个其实不是那么傻还能帮着爹娘打水的，都和牛望财的一场交情之后消失在了镇上，回来以后就变得沉默。人们像被抽了魂魄一样在街道中静静游荡，身体甚至也慢慢萎缩下来了，不几天就缩成小小的一团。

然后，就消失在人们的视野里，慢慢不见了。

这其中的事情，早就听别人在议论。街上这样的人越多，牛望财的钱包就越鼓。

路大庆的一生经历过很多事情，在人生最后的时刻，他已经失语。却在某个初冬的清晨，他觉得身上所有的地方都不痛了，张张嘴居然说出话来。他心里一沉，马上把儿子叫到了身边。

那一天的谈话持续了很久，母亲几次进去要打断都被父亲严肃的眼神阻止了。他们这一家，从路与昂少年起就颠沛流离，彼此之间有着深沉的了解。

母亲觉得劝不住，就搬了凳子坐在门口，把头深深埋进掌心。

父亲在那一天，首先说了自己。儿子八岁时候那场全村的浩劫中，他被炸断了全身的骨头，从医院出来以后，就过起了东躲西藏的日子。

"我没有错。"他说，我没有错。

"你爷爷我爸爸，从小带着我走街串巷，等我三岁上就知道拿一把茶壶在旁边等着候场。你爷爷讲三侠五义，讲岳飞传，都是一些大英雄的故事，听得多了，这些故事都记在心里了。"

那天他闭着眼，脑子里却都是不同的声音。"说书唱戏劝人方，三条大道走中央。善恶到头终有报，人间正道是沧桑。"爹带着自己走街串巷，累的时候唱一段小曲儿，他光着脊梁也跟着大声唱。别人夸他，爹就呵呵笑着和人家说，我儿以后要当大英雄了。

他又想到有一年，有钱人家听爹说书入了迷，非要把他请到家里专门给他们全家说，一个月就说两场，给的钱比走街串巷多十倍。可是爹不肯，说一个说书人就是要把这故事给越来越多的人讲。他说这就叫做莫忘祖师爷。

又听到第一天到矿上当爆破工，师傅给讲的一番话。说到底咱做得这是最脏最累最危险的活儿，可是矿工中间又有咱们这技术员，看起来是炸山的，其实是给这一山的人保平安的。

牛望财有一天晚上来了他家，说出了他可以让人假死一天，拿到抚恤金背起那个人就走。那人会在三天后转醒，但是大脑受了治，人就变成了平旺镇街上那些缩成一个黑点的人们。

他想要阻止牛望财，但是赤手空拳又拦不住他。直到那年年关的时候，他在亲戚家的厨房里，听到了牛望财一伙人的计划。

他听得仔仔细细，终于明白了。

他惊呆了，他牛望财是硬生生要把山楂弯几十个人炸死。这是杀人，是十恶不赦，是要遭天谴，是要下地狱的啊。

他想到要报警，可是那时日牛望财已经发达了，镇上的公安没有和他不认识的。何况没有做成的事情，以什么名头报警。

他又听说他们已经找好了邻村的爆破工，那人二话不说，拿着厚厚的钱就能把整座山都炸了。

他脑子一热，横下心来就从前门出去，假装和牛望财偶遇。他又假装家里缺钱，拿了老牛半信半疑塞过来的一把钞票，就答应成了他们的人。

那天晚上，他一夜未眠。

天亮的时候，他起床看着东方未明的天，轻轻说，爹，大庆对得起你，大庆要做大英雄了。

那一天的天空特别蓝，午后的人们都有些犯困，有一下没一下地敲着地表深处。远远地，路大庆听到嘹亮地口号声，像一群去春游的小学生，他们整齐地喊着："一二一、一二一。"再走近些就听到牛望财的声音："就快到了就快到了，去挖金山银山喽。"

那群人就欢快地跟着喊："金山银山，金山银山。"

这些人排成一排，前面走着程有强，一边和他们说着话一边想引得他们走得快些。后面跟着的，是老牛的哥哥，再往后，是老黄，挡在后面像一堵墙。这一队人走着，唱着。村里人有几个侧目的，也被老黄高大的身体挡住了目光。

路大庆记得昨天他和老牛说的话："先装好药，你带人从西边儿下去。人都下来了，我就拉线儿。炮眼0.6，封一半泥。拐弯长度50米，对着盲巷轰一炮，把巷口堵住了，里面的人封住了，外面不会伤着一个指头。"

"那哥，你自己咋办呢？"老牛居然黑了良心，还想到了他。

"没事儿，我一开了炮，就往井下避难室跑。被呛一阵子，但也出不了人命。"话是这么说，但他心里明镜一样，闭上眼都能看到工作了半辈子的井道里样子，要想这一炮不偏不斜，正轰到井口，让山楂弯的人害了怕又伤不到人，他自己，就有可能被埋在井里。

那天的天气真蓝。

山楂弯的人们傻了一辈子，在大难临头突然精明起来。时辰到了，硬弩着不下去。老黄和牛二看不过，一脚踹下去一个。那人却力大无比，扭打中先把程有强推了进去。

程有强和牛二、老黄大喊。

"大庆，等人都进来了再开炮。"说这话的时候，山楂弯的人们在洞口慌成一团，老黄个子高还硬撑着，程有强和牛二一步滑下井里。

这时候，炮声响了。

"胳膊肘儿往外拐，调炮往里揍。良心往嘎及窝里一夹，咱就做了贼了。"失去意识之前，路大庆满脑子都是爹拿着台木，挥着扇子，讲这句话的样子。

"爹，大庆该是做了大英雄了。"

那天，平旺镇上刮了有史以来最大的一场风。路大庆的儿子昂子、程有强的儿子眼镜，和村里十几个孩子玩打仗的游戏。几十年以后，他们都不会忘记那天的大风，刮来的尘土不是灰黄的，而是煤灰色的，像之后许多年里，他们的生活。

山楂弯的人们哭喊着四散开："井塌了，井塌了。"村民们从四面八方跑过来，找着自己的亲人、孩子。混乱中没有人注意到，瘫坐在地上的老牛。

程有强和牛二，是过了三个时辰才挖出来的。路大庆睁开眼的时候是第三天傍晚了，老婆看见他醒来，自己喊了一声就晕过去了。昂子坐在墙角，乌黑的脸上一道一道的印子。

"咋哭了？"路大庆挥手叫孩子过来。

"没，流的汗。"昂子低着头说。

路大庆拍拍自己的腿，在腰上掐一把。一点儿知觉都没有。他心里就有数了。他抬头，看看窗外湛蓝的，没有一丝云彩的天，突然就笑了。

"爸，你笑啥？"孩子瞪大眼睛问。

"昂子，爸这大半辈子就干了个爆破工。我为啥笑呢，因为我没有一炮放错的。炮炮都放在点子上。这叫啥？像你爷爷说的，不辜负祖师爷。"

村里过了一段时间才恢复平静，但也有一些人再也没有能够等到来年的春天。程有强的老婆疯了，整日站在村口拿着树枝喊些别人听不懂的话，一夜之间头发全白了。老黄被炸瞎了一只眼睛，做了几次手术才把另外一只保住。老牛本想拿二十人的丧葬费，没想到最后连自己亲哥哥的都没有领到。但煤场老板不知道因为啥跑了，走之前却用极低的价钱把煤窑盘给了老牛。

牛望财坐在他老婆的叔叔算命老头床边，和他说了一天一夜的话。"人是得狠心呐，一狠心天都帮你。"

他再也没有用过算命老头儿给的药，几十年把煤场做成了望财有限公司。

有限公司占了全村十分之一的地，还有一部分延伸到邻村去。而从前的老煤窑，他却没有再动过。多少次别人劝他，不如填平了盖个厂房。他不愿意，觉得犯忌讳。

这些年来，他一直想找到路大庆，就是想问一句那年的事情，他当了一辈子爆破工，没有放过一个空炮，这一炮难道是故意打歪的吗？快二十年了，他一喝了酒，就翻来覆去地念叨着这个问题，解不开这个结。

谜　底

路与昂坐在风车村的山丘上，这一路上的事儿在心里盘旋着。他想起爸临死前，让他给拿张纸，老头使劲撑起脖子，让儿子一只手扶着他，一只手扶着白纸。他闭上眼睛，许久未曾动弹的手指，握着一支粗黑的铅笔，在纸上缓慢而深重地画下线条。一笔笔，一道道。

他用了很久很久才画完，睁开眼看了看，对路与昂说："你知道这是啥？"路与昂摇摇头。

"这是你爹工作了一辈子的老煤窑，我这些年做了个很长很长的梦，闭上眼睛，都是在这巷道里走啊走啊，怎么也走不到头。现在好了，我走到头了。你爹我，走到头了。"他说着，就闭上眼睛，慢慢睡过去了。

路与昂对走过的路，去过的地方都是过目不忘。爸留下的最后一张地图，他看了一眼就刻进心里了。这时候，他拿着半根树枝，在地上有一笔没一笔的画着。今天在车上，他听到老牛说起平旺镇来，爸没有提过牛望财这个名字，那年以后，爸甚至再没有提过平旺镇的任何一个人。

他这一路，已经招惹了不少是非了。不想再多一桩。

他的手机响了几声，他看看没有接。

过了一会儿，小周的手机也响起来，他看了一眼，走得远一些接通了。

有一个人慢慢靠近路与昂，也和他一样坐在地上。他静静地看着他，在他身后欲言又止。

"你也是平旺镇人吗？"路与昂没有回头，直接问道。李生吓了一跳，他不知道这个导游有多少双眼睛。

"恩，是。"他回答。

"也没什么好瞒你的，我家以前也是平旺镇的。"路与昂说。李生吓了一跳，他没有想到这个帅气的男人居然是他的老乡。

"我……我以前是邮递员，镇上的人没有我不认识的，你家住哪儿？"

"那是很久以前了，我家早就在平旺镇没有地址了。"路与昂依旧没有回头。

"你不像他们。"他没头没尾又说了这么一句。

李生往前坐了坐，也点上一支烟。

"出来玩么，都是为了高兴。你们团里那几个，跋扈惯了，看样子也不是出来玩的，不知道揣着什么坏。可你不是，你不像他们。"路与昂侧过头看了看李生。

"导游，我想问。咱们的护照都在你那儿吗？"李生紧张地看着路与昂，问了这么一句。

"在，怎么了？得到命令要逃跑，黑在这儿了吗？"路与昂似笑非笑地说。

李生没有想到自己控制不住地和路与昂说了这些话。这个高大帅气却消瘦的年轻人，一路和牛望财硬碰硬，甚至在卢森堡动手把他打得鼻青脸肿。按理说自己是牛总一伙的，理应也不该靠近他。

可是这几天来的变化，让他太害怕了。他没经历过啥事，小时候搬过一次家，高中毕业就当了邮递员，人生里最重要的事就是和小娟儿结婚。

可是这几天，他已经找不到小娟儿了。电话打不通，让人去家里找，门也敲不开。

他像抓住救命稻草一样，一把抓住这个双眼放出刀剑一样凛冽光芒的导游，想让他拉自己一把也好啊。

一阵风吹过来，远处的风车加速转动，发出吱吱呀呀的声音。他脑子里也吱吱呀呀的，一下子把什么都说了。

叫王烈的年轻人是去年年关的时候来的矿上的，之前几年，老牛的生意做得顺风顺水，谁能想到一年前赶上国家收紧私有煤矿，每个镇上只能留一个煤矿。本来望财有限公司也是镇上唯一的煤矿，可是和临县的大发煤矿间隔不到二十里地，上面规定，两个公司只能留一个，要么整改要么关门。

这些年来，虽然老牛早就收心做起正规生意，但底子薄，老牛心眼小，留不下人，跟着他干的没有几个技术过关的。虽然公司的牌子做了三十米，但矿道里面、安全通道都经不住细看。

风声早就传来，说市里派了检查团，让望财有限公司关门。但两个月过去了，反而是临县的矿工都来找工作，说是大发煤矿被取消了。大发的老板和老牛年纪相仿，都是下井出身，多少也听说过一些他的传言。曾经带着人来公司门口堵着门大骂，说老牛是吃人肉喝人血的畜生，吸了人的骨髓养胖了自己。最后还是被牛嫂带了一群人赶出了平旺镇。

但他走的时候跳着脚叫着："牛望财，你等着，我叫人把你的老底揭穿，看你还能人模狗样当几天大老板！"

叫王烈的年轻人，是矿上的老刘推荐来的，说是自己一个失去多年联系的远方侄子，大学毕业想留在镇上。又说望财有限公司是镇上最有前途的大企业，让年轻人坐办公室给写写文件、做做宣传就行。

原本公司里会用电脑、能写会算的只有李生一个人，但毕竟只有高中文化，听说老牛要评选优秀企业家，很多发言稿也是几夜几夜的熬着，抄了几十份发言才拼凑起来。听说要来个大学生，看着他白白净净又客气，李生也凑过去说了几句好话。

王烈就留在了公司。办公室里只有李生和他两个人，平时也聊几句，但李生偶尔觉得好奇，从口音到生活习惯，王烈就真得没有一点儿平旺镇人的样子。但是工作挺勤奋，每天李生下班的时候，他都还在办公室里。公司里有一个巨大的柜子，里面堆着陈年的文件，从来没有人看一眼。柜子是玻璃门，李生有一天经过前面，发现里面的纸被整理过了。

出事那天是中秋前后，那天小娟儿回娘家，李生和公司的几个单身汉喝酒，大家说快到中秋了，就别去饭店了，在厂区后面一边喝一边赏月吧。

喝完酒凌晨已过，李生晃晃悠悠地往家里走。突然听到远处一阵嘈杂声，有三个壮汉驾着一个人，从他斜后方出来。被夹在中间的人明显在挣扎，不停地扭动身体，企图挣脱他们。而围着他的三个男人力气比他大，把他抓得死死的。那个人大喊着："你们放开我，我什么都没有干，我就是加班。"然后嘴就被捂住了。

李生吓了一跳，酒也醒了一半，他觉得那声音耳熟，是平时沉默寡言的，坐在他对面的新同事王烈。

再回头的时候，那几个人已经消失了。月光下只有石子路上仿佛有人被拖过的痕迹。

第二天，王烈没有再来上班，也没有人告诉他为什么。

那年老牛为了保住公司，不知道给人送了多少钱。年关的时候给工人发不出工资来，大家围住他闹了一通，要到些钱，第二年开春有十几个人约好了都再也不来了。

矿上急着招人，凡是来找工作的一律都留下，这里面就来了个男人，叫王寻烈。

他自己说，下矿已经十年了。但是在一群黑黝黝的人中间，他的皮肤白得刺眼。

王寻烈干活狠，话不多。几个月里迅速得到老牛的信任，又介绍进来几个老家的亲戚，都是白白净净的。

李生说到这里，伸手问路与昂："有烟吗？"

路与昂从口袋里掏出一根给他，他几次点不着，路与昂拿出打火机，从他眼前扫过一下点着了他的烟。

"这事和我有什么关系？"路与昂平静地听着，他离平旺镇已经很远了。

"这次……这次老牛带我们出来，可能是想让我们偷渡出来，留在这里。昨天晚上，我听见他和老黄说，这一两天就要逃跑了。"李生颤抖着，声音嘶哑。

路与昂缓缓转过头看着他："我告诉你，我们带国际团，天天在路上跑的人。这种事情每月每年都有。我和你们不过就是十几天的缘分，谁脑子里打得什么主意，这几天里都看不清。你们想跑就跑，护照在我这儿，行程我走完了，你不是在我面前逃跑的，旅行社最多是交点儿罚款，和我本人一点儿关系都没有。"

李生一只手撑在地上，手指用了劲，插进草丛下面的泥土里。他突然回头看向路与昂："路导，听你口音是在北京长大的么？"

路与昂点点头。

李生直视着路与昂的眼睛："我听矿上的人说，王寻烈失踪之前，刚从北京回来。矿上的情况，是听了在北京养病的一个老矿工家人说的。"路与昂皱了一下眉头。

李生继续说："咱平旺镇人保守，很少出省，能去北京那么远的地方的更是数得出来。"

电光火石般，路与昂突然想起，在爸去世以前的半个月，他有一天回家，看到从爸房间里走出来一个他不认识的中年人。路大庆这几年半睡半醒，家里已经很久没有过客人了。

路与昂正要上前去问，被母亲的目光阻止住。

那人和他点了点头就出去了，母亲也陪着出去，在家门口的小饭店里坐了很久，一直到黄昏才回来。回来之后，路与昂想问些什么，母亲挥挥手说很累了，就回房休息了。

那个人是白白净净的，人很消瘦，蹙着眉头像个解不开的结。

路与昂闭了一下眼睛，发现自己不自觉地拿着一根树枝，在地上画着什么，那是爸临死前画下的地图。

这时候，他听见小周说："我们还没签约，当自己凯撒大帝呢？欧洲还不是你的，永远也不可能是你们这群人的。"他回头看小周挂掉电话，气冲冲地走过来。

"又是'四海一家'的人？"路与昂问。

"是，说是咱们改了行程，应该让一车人都多交一天的钱，一半交给他们。又说昨天病的那个爷爷身体太弱了，以后老弱病残出国费用不能和其他人一样。还说明天要派人在机场等着送机，顺便让咱们把合同签了。什么破组织，欧洲其他导游眼睛都瞎了吗？说是百分之九十的导游都已经签了字了。"小周气鼓鼓地说。

"小周，算了。"路与昂说。"走吧。"

天色暗下来了，大巴车往市里开去。

车里的人各怀心事，老牛一上车就说："来的这是个什么破地方，把老子累得要死，导游，今天我们不出去吃饭了，先把我们送回去。"

路与昂没有回答，从后视镜里看看李生，他也在紧张地看着自己。

马德里的夜并不静谧，灯光照在古老的建筑物上，折射出橘红的光影，整个城市沉浸在浓烈而忧伤的色彩中。有人跳起弗拉明戈，一男一女站在街角，裙摆飞扬，鬓上一朵鲜红的绢花已经有些年岁，就像是女人有了岁月痕迹的面孔，只有在敲着响板引吭高歌的男人眼中，她还是美丽的。

格兰梅里亚酒店闹中取静，越是高层，离橘红色的城市越远。

2103 的房间门响了两声，坐在里面的两个男人对望了一眼。

高个子戴着墨镜的一个，起身去开了门。

门口的年轻男人戴着鸭舌帽，一副金丝边眼镜，牛仔裤、旅游鞋，羽绒服下面却穿着一件西装外套。

"进来。"年轻男人刚想开口，就被戴墨镜的打断。犹豫了一下，四周看看，闪身进了房间。

这是酒店里最好的一个套间，另外一个黑胖男人翘着腿坐在沙发上。

"黄叔，牛……牛叔。"年轻男人疑惑又紧张地看着这两个人。

"侄子啊，东西带来了吗？"和老黄的面无表情不同，老牛居然还挤出了一丝笑容。

"恩。"年轻男人掏出一个瓶子。"使用方法在这儿，服药以后……服药以后十五分钟之内，同时微电击太阳穴，人会暂时眩晕，醒来以后就记不住事了。"

老牛点点头，老黄伸手要去拿瓶子，年轻男人突然闪开，把瓶子藏在衣服里。

"干啥？"老黄呵斥他。

年轻男人掏出一张纸："黄叔，这是银行存支票的证明，你给我签个字吧。"老黄自然是看不懂外语，但是看了银行的抬头和金额，冷笑一声，胡乱在上面签了个字。

"小眼镜，事成之后叔再给你汇钱。"老牛闷声说。

老黄在程望眼前伸出手来，他还是护着瓶子，一只手把签了字的纸叠起来，塞进西装内兜里。

"叔，这个药，非用不可吗？"他怯怯地盯着两个男人。

"眼镜，叔没在钱上亏待你，是把你当亲侄子。你妈早几年就在村里说，她儿子出息了，要研究一种让人能不忘事的药。去年又说，给研究反了，研究成让人忘事的药。其实，我觉得你没研究错，忘事比记得太多事要好。现在叔糟了难，一帮人要把叔送去枪毙。不到最后关头，叔也想不到这一招。要是程有强活着，他也愿意这么帮帮叔。"老牛一边说着，一边抖着脚。

他有万全的把握，这个戴眼镜的小子，他妈、他未婚妻、他定了亲的女人，现在都在他手里呢。

"叔，那我有三个条件。"程望握着药瓶，握得十分用力，想要把他捏碎。

"你说吧。"

"第一，我还要五万欧元。"老牛和老黄交换了一下眼神，冷笑了一声："行，给你。不愧是有强的儿子，会算计着呢。"

"第二，让惜阳今天就跟我回去。"他声音有些颤抖了。

老黄呵呵笑了几声，"那我们说了可不算，我们让她回去，人家还未必跟你走呢。"

"这是什么意思？"程望瞪大了眼睛。

"什么意思你自己去问你的妞儿吧，她一路上可快活着呢。"老牛说。

程望一时间说不出话来，只管瞪着眼睛看着两个男人。

"你还有什么条件吗？快说出来你赶紧走吧，一会儿导游就回来了。"老黄开始不耐烦了。

"我想，我想看看我妈。"程望最后小声说。

老黄没有言语，老牛深叹了一口气，站起身来往外走："来吧。"

坐电梯下了一层，老牛按了门铃。

过了一会儿，才传来问话声，"谁？"程望听出，是母亲的声音。

"素绢，是我，开门。"老牛闷着嗓子说。

门迟疑地打开了，门里面矮小的女人被老牛强壮的身子挡着，程望闭了一下眼睛，没有看到她。

老牛回头和老黄说："你别进来了，她胆子小。"

老黄让开一步，程望跟着走进去。

房间里只开着一盏壁灯，灯光昏黄，女人背光站着，程望看不清楚她的脸。他拿下帽子，一步一步走近她，女人开始是疑惑，然后开始颤抖，她跟着他的脚步后退了一步，又往前走了两步。

"我……我不认识你。"女人说。

"妈。"程望一下子跪倒。

他有十年，没有见过母亲了。而这之前十年的记忆也已经模糊了，他不记得母亲散乱着头发，拿一根树枝漫天挥舞的样子，也不记得她从早到晚都拿着一只鞋垫，不停缝缝补补的样子。甚至也不记得她偶尔清醒的时候，也会进房间来摸摸他的头，摸摸他的书本，给他端一碗面的样子了。因为那时候，她已经老了，她已经不再美貌了。她甚至不是一个神经正常的人。

然而，此时此刻面对她的时候，他还是被她的苍老所惊吓住了。她脸上的皱纹像是一块被使劲拧干的布，头发已经全白了，散乱地披在肩上。瘦的像一颗干枯的种子，没有一点儿水分，也没有一点儿生机。

她颤抖着嘴唇，走近了，摸摸程望的头发，又摸摸他的眼镜，摸摸他的西装，又摸摸他的脸。

突然，她疯了一样大哭起来，一边哭一边使劲打跪在地下的男人。

　　"二十年前死了丈夫，可是儿子没死啊。儿子没死怎么和死了一样，十几年都生不见人死不见尸呢。"

　　"妈。"程望也说不出话来，直挺挺地跪着让她打，只是抬了抬肩膀，略微挡住脸颊。

　　这个动作居然被女人看了出来，她更加用力地朝儿子脸上打去："我把家底儿都卖了让你读书，读什么书啊，还不如村里那几个弱智，弱智还知道孝敬爹娘，都比你强百倍。有强，有强你看看你这个黑了良心的儿子。"她使劲打着儿子的脸，每一下都打在他的金丝边眼镜上。

　　程望的眼镜掉在地上，他也不捡。

　　"还有小艾，你不见我就算了，可是我小艾是个好闺女啊，我那年就这样打她赶她走，她哭岔了气都硬是不走，说是要给我养老送终。你老程家欠人家一辈子啊。"她一边说一边指着后面，程望这才看到，套间门口站着那个瘦弱的女孩。她被眼前这一幕惊呆了，这时候才几步冲过来抱住女人。

　　"妈，妈你别打了，当心又犯了哮喘。"她一边说，一只手揽着女人的肩膀，另外一只手在她胸口轻轻拍着。

　　女人停下了打骂，却不肯坐下，她指着小艾说："你今天来了，不用带我走，我回平旺镇一个人老死。但是你要带小艾走，今天你就把她带走，和她结婚，和她生娃。"

　　程望不说话，低头跪着。

　　"你说话呀，你带她走。"女人嘶吼着。

　　"妈，妈快坐下，先别说这些了。我不嫁人，我跟着你一辈子。"年轻女人哽咽地说着。

　　程望这时候才抬头看了一眼，记忆中那个瘦小的女孩已经长大了，她随便扎着头发，没有化一点儿妆，也看得出是从不用什么护肤品的，苍老瘦弱地不像她这个年龄。她那么瘦，却那么有力气，母亲在她臂膀中渐渐安静下来了。

她看了程望一眼，又紧紧闭上眼睛。

"小艾，你也打我吧。"程望说。

女孩摇摇头，抬头眼泪一滴一滴落在地毯上。她看着男人，一直看着，想要把他刻进心里一样。

"那年订婚，是我想要订给你的。我爹说以后你要出息了，未必会愿意娶我。那年我才几岁，就已经知道了。可是我想要等着你，万一哪一天，你愿意了呢？你没错，我爹也没错，是我错了。"女孩说完就回过头去，再也不看男人了。

"你来这儿干啥？"突然，门口响起老黄的声音。

房间里的人都猛地回头，门口站着的人，穿着一袭洁白的冬衣，她手上原本拎着两个饭盒，现在也掉在地上。她呆呆地看着这一屋子的人，目光指向跪在地下的男人。男人的眼镜刚才被打掉了，眼前一片模糊。

但即使这样，他也瞬间就认出了门口的女孩。

"惜阳。"他想站起来，因为久跪，双腿发麻又摔倒。他支撑着一边想站起来一边往门口爬："惜阳，你别走，你听我说。"

女孩飞快地跑了。

男人追到楼梯口，又使劲去按电梯，这时候，老牛和老黄跟过来，和他一起上了电梯。抓住了他想按1层的手，按了21层。

"叔，让我走，让我先去把惜阳找回来。"程望求他们。

"反正你女人已经跑了，先把事儿办完你再追，不差这几分钟，谁知道你们是不是耍什么花招。"老黄说。

老牛用眼神制止他："让你在门口看着，咋还让这个丫头看见了。"老牛问。

"还不是这里面不让抽烟，我烟瘾犯了，下去抽一支，上来她就已经在门口了，不知道看了多久。"老黄回答。

电梯一层一层的上升，程望感觉到脚下的虚空。他闭上眼睛，仿佛有一整栋楼坍塌的声音，那是他十几年来建立的自己。

地　图

　　路与昂是在 15 层的安全通道里找到惜阳的。

　　他送了老人们去旁边的廉价酒店，再去孙爷爷的医院看他，医院说陪了大半天的两个女孩已经走了。再回酒店，正好撞见匆忙跑出来的赵漫漫，说是惜阳去给团里的母女俩买饭菜，就再也没有回来了。

　　一行人毫无头绪地在外面找了好久，几个小时过去了，路与昂灵机一动，沿着酒店的楼梯，一层一层地爬上去，在 15 楼的时候，他看到了惜阳。

　　她就坐在楼梯上，头埋在手心里，像一只小猫蜷缩着。白色的羽绒衣沾满了灰，不知道她在这里坐了多久。

　　路与昂慢慢走过去，怕吓着她，又怕她突然抬头更加惊讶。他小声叫她的名字，惜阳一动不动。

　　他给小周发了个短信："别找了。"走过去在她身边坐下来。

　　惜阳还是没有动，他就坐着仔仔细细地看她，看她的每一缕发丝，耳边的皮肤，听她的每一次呼吸。

　　"小惜。"他像从前那样叫她。

　　惜阳慢慢抬起头来，侧过头看看他，咬着嘴唇不出声。路与昂把她护进怀里："我在这儿。"

　　她在他怀里开始小声抽泣。

　　"我真傻。"她一边哭一边说着。

　　"对，你是全世界最傻的姑娘。"他顺着她说。

她很快停止了哭泣，擦着眼泪说："与昂，我应该是被骗了，可是我现在还想不清楚，他们为什么要骗我。为什么要指定我当导游，那帮人，他们，他们明明就是认识程望的。而且，程望有未婚妻，小艾就是程望的未婚妻。小艾的妈就是程望的妈，可是程望明明就说他父母是北京医院的医生，医学专家，下个月他们就会来巴黎，来参加，来参加……"她突然停下来，在路与昂面前，她说不出"婚礼"两个字。

路与昂本来不知道程望是谁，也听不懂惜阳混乱的叙述。但他心里像针扎一样，恨自己，也恨这个叫程望的人，既然你拿走了我最心爱的姑娘，那就要好好待她，怎么能让她一个人深夜在楼梯间痛哭。

"小惜，可能这些话，我现在不应该说。咱们这一趟行程，就要结束了。有很多事情，也结束了。你当初，是因为他，离开我的吗？"远处的教堂敲响了午夜的钟声，新的一天已经到了，而这是此次行程的最后一天。出发的时候，路与昂给自己一个时间，一个期限。见到惜阳的时候，他也给了自己一个期限。这个期限，就写在发团单上，就写在每个客人的行程表里。

他的事情做完了，他也感觉到生命像手中的沙一点点流逝。这几天，他越来越疲惫，越来越力不从心。他本来不想问的，然而这将是他与自己最爱的女人相处的最后一晚，他还是想知道这个答案。

惜阳推开他，盯着他的眼睛，不可置信地说："路与昂，你在说什么？当年，不辞而别的人，是你。是你把我丢在马德里，丢在这家酒店里，丢在大爆炸那天晚上的街上。我有多害怕，我满街找你，被人推倒，疼得失去知觉。我以为你会来找我，我以为你是被人群挡住了回来找我的路。然而，是你后来了无音讯，你的手机我打了几千次几万次，是你妈妈告诉我，家里给你介绍了女朋友，你要回去结婚了。那个时候，我没有别人。这五年来，我都没有别人。一直到现在，路与昂我恨你，我在心里恨透了你。可是，一直到现在，我心里还是没有别人。"惜阳说着，紧紧抱住自己。

她觉得冷，路与昂却听着觉得身上越来越热，像是有人在他身体里点了一把火。

他喘着粗气，大喊一声："邱小雅你他妈的都干了些什么！"说完就回头往外跑。

然而他还没有走几步，几个人的脚步声就从楼上传下来，抬头正看到小周和赵漫漫跑下来，后面还跟着一个人，是在风车村和路与昂长谈过的，李生。

"哥，你们还真在这儿呢。"小周抹了一把额头上的汗。赵漫漫跑下来，仔细看了看脸上还有泪痕的惜阳，揽住她的肩膀埋怨地说："你们干嘛呢？路天王，你这大晚上的有什么话不能带惜阳回屋说吗？"

路与昂顾不上理她，直接问小周："怎么回事？"

小周指了指后面紧张地满脸通红的男人："他找你。"

李生看看旁边的人，路与昂看出了他的迟疑："都是自己人，有什么话都能说。"

"他们明天，让我一个人走。"李生从牙缝里挤出这么一句话。

路与昂抬起手，示意他别说下去。"这里不隔音，咱们回房间说吧。"

李生显然是被吓坏了，这个人生中没有经历过大事的男人，被带到几万公里外的欧洲，身边人都在策划着一个阴谋，而他被蒙在鼓里，唯一能够求助的却是萍水相逢的导游。

刚才牛望财和老黄把李生叫到房间里，说明天只有他一个人坐飞机回去。

李生糊里糊涂地问，那你们五个啥时候走啊？来的时候一趟飞机，回去的怎么没订上票？

老牛拿出一个小瓶子，和他说，我也不瞒你了。

老牛说，这一年里，他过得很难。有人组了一个局想要害他，想要把煤矿整垮，让邻县的大发煤矿再开张。被他发现了以后，就把那些人都抓起来关在一起了。他现在不能回去，公安局听到了风声，正在找人。但也没有证据，不能直接把他抓起来。

李生吓坏了，一时间不知道要问些什么，他马上想到了和他在办公室里坐对面的大学生王烈，想起一年前那个晚上他在厂房后面听到的声音，想起来那些白白净净的矿工。

"牛总……牛总你不会要杀了他们吧。"他摊在沙发上,声音都变了腔调。

"唉。"老牛盯着他看,过了半天才叹了一口气:"我就和你说实话吧,断人财路如杀父之仇,说我没想过宰了这帮王八蛋也是假的。可是,我老婆那个叔叔,村里的半仙,死之前和我说,我命带煞星,早晚要做下大事。但千万不能动了杀人的念头,一旦起心动念,不但自己全家要横死街头,还得断子绝孙。二十年前,我没有听他的话,真是遭了灾。我那老太婆是不能生养了,可是我家还有这个独苗,虽然他是个傻子,但傻子也能有不傻的儿子啊。"老牛一边说,一边冲李生的房间努努嘴,一墙之隔的是他的侄子小牛,牛家唯一的后代。

"要不是为了这个傻子,为了我老牛家传宗接代,我也不用费这么多心思,跑到这鸟不拉屎的地方,让人欺负,还让人打了一顿,这几天把我都饿瘦了。等你先回去了,避过了风头,我请全村人吃三天流水席。"老牛说着,把酒店吧台里的一小瓶洋酒,一仰脖全喝下去了。

李生掏出老牛给他的瓶子,那是一个普通的实验室玻璃瓶,里面装了三分之二的白色粉末。他们的计划是,明天送机的时候,拿到护照,趁导游不注意偷跑出去,只留李生一个人,带着药粉回国,一到国内就会有人去接他,他只需要把药粉给那些人。

李生说完这些,盯着路与昂说:"小娟儿,我老婆,在他们手里。"说这句话的时候他哽咽了。

路与昂拍拍他的肩膀,拿起那个瓶子看了看:"他们说这里面装着什么了吗?"

"会不会是毒药?"小周问。

"不会的,如果是毒药的话,他不会费尽心思来这么远带回去。而且李生刚才说了,老牛不敢杀人。"路与昂回答。

"我看看那瓶子。"惜阳突然抬起头来说。

路与昂递给她,她拿在手里看了一眼,紧紧攥住,又放开仔仔细细看了看。

"我认识这瓶子。"惜阳说着,拿着手机跑到阳台上去打电话。

路与昂跟出去，站在她旁边。

惜阳拨通了家里的电话，响了三四声母亲接起来："惜阳啊，想妈妈啦？"母亲与她平素并不亲密，说这些话一定是有外人在客厅里。

"我找，我找季教授。"生活在一起这么多年，惜阳从不肯顺着母亲，叫他爸爸。母亲也不愿意她称呼季鸿离叔叔。从来没有正式叫过一声，只想到这么个别扭的称呼。

"哟，女儿想爸爸啦，还真是父女连心呢，妈妈反而显得多余了呢。"母亲夸张地大笑，又冲外面喊："鸿离，你女儿找她爸爸说话呢。快来快来。"

脚步声小跑着走近，继父接过电话，不敢相信又温和地说："惜阳，这几天累不累啊？"

莫惜阳不回答他的问题，直接问："IST5083是不是你们实验室的编号？"

"惜阳，你问这干什么啊？"那边的声音一下子紧了。

"您不回答我，那就是了。这瓶子是严禁拿到实验室外面的对吗？我听程望说过，您是实验室负责人，里面的所有东西都由您负责。现在我拿着这瓶子里，装着白色粉末。您知道是什么吗？"惜阳一连串地问。

"惜阳，我不知道你说的白色粉末是什么。"季鸿离冷静地回答。

"季教授，我刚才看见程望了，这个瓶子应该是他拿出来的。你们实验室不是有监控吗？您能查到他从实验室里拿走过什么对吗？"惜阳坚持。

"惜阳，程望怎么会在你那里？是去接你回来的吗？"季鸿离避重就轻地问。

惜阳一只手拿着电话，另外一只手抱住另一侧肩膀，路与昂脱下自己的大衣，披在她身上。

"季教授，叔叔，程望拿走实验成果的事情，您是知道的，对吗？你们是合伙的对吗？这都是为什么？你们想要干什么呀？你们知道不知道，你们的实验成果落在一个坏人手里，他要拿去害很多人，你们知道吗？你们到底要干什么？"惜阳声音颤抖着问。

"惜阳，惜阳你别急。我……我没有和谁串通好，程望，程望他可能是拿一点儿出去做实验。他是我最好的学生，又是我未来的女婿，我信任他，从来没有怀疑过他。但是我和你说啊，这个药，只在动物身上做过实验，现在还没有在人体上用过。小白鼠的电击度和人体的电击度千差万别，说不定能让人忘记事情，也说不定就破坏中枢神经，让人不仅变傻，还要致残，计量不对也会有生命危险。你要是拿到那个瓶子，和程望说说，先不要用在人身上啊。"季鸿离压低声音小声说。

惜阳彻底失望了，她闭上眼睛："季教授，实验室里的几百种白色粉末，你怎么知道是让人失忆的这一种呢？你是真得不知道吗？"说完，她就挂断了电话。

惜阳攥着瓶子，失魂落魄地回到了房间里。

路与昂拉过她的手，用手心的热量温暖着她冰冷的手。他和房间里的人大概说了一下这个药的作用，教堂里的钟声响起，已经凌晨三点了。离出发的时间，只有五个小时了。

路与昂和小周说，给我打贾老的电话。

小周想问什么，欲言又止，还是从他的手机通讯录里找出"四海一家"贾老的电话来。

电话响了几声，先是一个女人接起来，听出来是路与昂的声音，就把电话递给老贾了。

"小路啊，见笑见笑，你嫂子这些年，对我还是不放心。"老贾含糊地开着玩笑："对了，听说咱们这个小组织一路上和你闹了点儿矛盾，我马上把那个组长骂了一顿，都还不成熟，你见笑了。"

路与昂没有时间和他客气，直接说："贾老，我有事求你。我这团里有几个人想黑下来。"

老贾一听就精神了："这可是咱们看家本领，包在我身上。明天给你派 30 个人，把机场包得严严实实，看几个孙子谁敢跑。"

"贾老，我不是这个意思。"

"那我就听不懂了，莫非你还想让他们跑了？"老贾问。

"对，我需要让他们走，和他们打个时间差，我们这里需要一天一夜的时间。他们要是一起走了，这事也办不成。我想请你派几个人，路熟的跟着他们，一天一夜以后也好找人。"路与昂沉着地说。

"小路，这，这我可帮不了你了。这是规定，接来几个送走几个。你现在还没有入会，这在会里是要受处分的。"老贾为难地说。

"贾老，事出有因，又是人命关天。"路与昂坚持。

"小路啊，接机送机的这不是行业里最基本的规则吗？咱们不能破坏了行规。"

"贾老，算了，我不为难你了。但是我得和你说几句，这行业里的道，是为了把路走通，把事办好。不是遇神杀神遇鬼杀鬼，硬劈出一条路来。"路与昂说。

"小路，唉，我最后给你一句话。你这个团，组织上都盯着呢。你要是明天自己打别的主意，送机场的时候，走小路，地下停车场都有人，你停外面，带人走进去。"路与昂想了想，挂了电话。

他抬头看看一屋子在等着他说话的人，笑了一下说："现在咱们就得靠自己了。"

他拿出一张白纸，闭上眼睛，慢慢地描出一张地图来。记忆在他脑子里慢慢回温，父亲临走前，用尽全力画下的线条，他童年时候和伙伴们捉迷藏时候躲过的弯弯绕绕的巷道。

他好像画了很久，又好像只用了几秒钟。就好像时间的纬度，时而清晰时而模糊。

他睁开眼睛，把这张纸拿给李生。

"这是我家，我老家煤道的地图。我爸临终前画下这张图，可能你说得对，那帮被老牛藏起来的人，之前来过我家。我爸临终前给我画下这张，我本来也不知道是什么意思。何况，与我不相干的事情，我干嘛要管呢？我这一次来欧洲，该做的事情都做完了，想见的人也在这儿了。"他说到这儿，握一握惜阳的手，把她拉进怀里。

"路导，那你干嘛要帮我。"李生问他。

"咳，是那叫程望的小子偷了这药想害人吧，他抢了我女人，我不能让他得逞。我这是报私仇，等你找着人上了电视可别提我名字。"路与昂大笑着把地图递给李生。

"你看，这是村口，这是从前的小卖铺，现在估计也不在了，但是旁边有口井你能找着。从这儿往里走二十米，接下来拐过这个弯，按着图上的走就行了。暗道里有个避难室，以前就挨着我爸的操作室。门不大，关起来的时候从上面有个搭扣，翻起来就能进去。我估计，人藏在那里面。"李生仔细看着，赵漫漫找了根笔塞在他手里："人命关天的事，你能记住路吗？还不写下来？"李生看也不看，推开她手里的笔："我老本行是邮递员，路还能记得住。"

"漫漫，别捣乱了，给我查今天早上 AF580 的航班。"路与昂挥挥手，继续说："明天我们一早就送爷爷奶奶团，你们跟着一起出发，本来是下午的飞机。你们买了转机的机票，在北京要等八个小时。我现在给你买从北京联程两个小时转机的票。你一共有十个小时的时间，十个小时后，要是你能把人救出来，就马上报警。别找平旺县的警察，直接打给国际警察，说有人偷渡。我能控制住他们十个小时，后面就看你的了。"

李生听完他的话，沉重地点了点头："希望他们别为难小娟儿。"

"去接机的人叫什么？到了北京，我找人接你。你把这些信息都告诉他，他是我信得过的人，他会跟你一起回平旺镇，就在机场等着。只要十个小时之内找到人，警察就能把接机的那家伙带走，到时候不怕他不供出来你老婆在哪里。"

天蒙蒙亮了，大家都很疲惫，只有路与昂眼睛发亮，惜阳从侧面看着他，却觉得他那么消瘦，脸上的棱角愈发分明。她听着他一字一句地说话，深深浅浅的呼吸。他们已经很久没有这样牵着手度过一个夜晚了，她看看窗外，好像身边的人都不存在，世界上还是只有她与他，他们在清晨一起醒来，在彼此眼中看到浅蓝色的自己。

"哥，这十个小时，咱们怎么控制住那几个人？"小周问。

"不是咱们，是我自己。你看着吧，哥说过的事都有把握。"路与昂微笑着说。

"不行，你一个人，他们五个，就只有那三个男人吧，也是一对三。你又……不行，我跟着你。"小周急得站了起来。

"你放心，你还得帮哥其他的忙呢。"路与昂用眼神示意他坐下。

这注定是一个不眠的夜晚，程望绕着酒店转了几圈，又喊了几声。没有惜阳的踪影，他打不通她的电话，拨通了丁薄言家里的电话，响了一声又挂断了。

他想去喝点儿酒，走到酒吧门口，刚有个满身纹身的西班牙女孩儿过来问他要喝什么。他警惕地摸摸口袋里的支票，摆摆手站起来走了。

他住在离市中心不远的一个小酒店里，天色很晚了，他拿了一瓶啤酒登上天台。坐在地上喝酒。他人生中好像从来没有过这样的时刻，不是说在天台上喝酒，而是说没有过这样松弛的时刻。

记忆中的自己都是紧张的，紧张学习，紧张考试，紧张老师叫家长，紧张同学问起父母的情况。后来出了国，就紧张学费、生活费、水电费，紧张升级，紧张论文，紧张毕业。

他时常早上醒来，牙床酸痛，那是在梦里使劲咬着牙和自己较劲的结果。

今天，对于他这样重要。

他见到了母亲，把研究成果交给了素昧平生的两个男人，他弄丢了惜阳，但是，他拿到了一大笔钱，十五万欧元，这够他办个及其体面的婚礼，他会给惜阳买她所有想要的东西。

她总会回家，她总得嫁给他。全家移民到加拿大去，还有什么比嫁给他这样有学识、体贴英俊、现在又有钱的男人更好的选择呢？

这样想着，他摸摸口袋里的支票，冷笑了几声，又喝了一口酒。

他的未婚妻，她跑到哪儿去又有什么关系呢，反正她总得回来。

程望想了想，反而觉得这样更好，这么一个松弛的夜晚，他巴不得一个人度过。

地

图

出　鞘

清晨如期而至。

不知这城市，有多少人一夜未眠。

赵漫漫却睡得挺熟，她得今天第一个起来，负责把邱小雅送到机场。

前天晚上，小周就在酒店要了一个套间，把不停骂着脏话的邱小雅塞进里间，安排漫漫睡外边。

能摔的东西早就都被拿走了，她只能在里面嘶吼，大骂。在谩骂的过程中，她把路与昂一家都问候了个遍，包括他去世的父亲、早逝的爷爷奶奶，还在世的母亲。更多的是谩骂路与昂和惜阳，甚至把之前她交往过的十几个男人，一个一个指名道姓地骂了一遍。

赵漫漫和她多年前共事，只知道她从前话很少，做事却果断。真是做梦也想不到，还有这样一面。

听她骂了一天一夜，和小周说，路天王这几年算是瞎了眼了，家里放了个这么个阎王。

前一天一行人出去游览，赵漫漫给她买好了饭菜，小心把她的房门打开一个缝，塞进去赶紧关上，上锁。

小周看她那样子笑得止不住："这里面又不是有老虎。"

"你看她那样子，比老虎还吓人。"赵漫漫拍拍胸口，松了一口气。

今天凌晨时分，路与昂来到他们房间。

"门打开，我进去。"他已经很疲惫了，示意小周去开门。

"哥，你不知道，在里面骂了一整天，什么难听的话都说。"小周迟疑。

"你觉得，我对她不够了解吗？打开吧。"路与昂苦笑了两声。

"哥，算了，明天咱们都走了，让漫漫把她送到机场，塞进安检完事儿，你们见面也说不出什么好话来。"

"我就几句话，说完算了。"路与昂坚持。

小周看了看，还是把门打开了。

房间里一片漆黑，借着外面的灯光能够看到，邱小雅坐在地上，披散着头发，侧面对着他们。

她听到有人进来了，过了一会儿才回过头来。她张张嘴，却吐不出什么声音。地上的饭菜都没有动过，她一只手撑着地，想站起来，因为体力不支，挣扎了两下还是坐在地上。

路与昂站在门口，并没有往前走。

"有些你做的事，我知道了，有些还不知道。你让我离开了惜阳，间接让我们失去了孩子。她痛苦了这么多年，你知道我也是。"路与昂深深吸一口气，继续说："几次，你拔了我爸的输氧管，你其实一直盼着他死吧。但是，你也违心地，照顾了我父母这些年。"

"你恨我吧？"邱小雅用只有他们两个人能听到的声音嘶哑地说。

"因为你，我失去的都是最宝贵的东西。我说不上恨你，但是邱小雅，我也不想再看见你了。"

"路与昂，你是个懦夫，你是个骗子。你说我拆散了你和那个贱货，其实根本不是。是你自己，早就觉得配不上她了，五年了，你中间不是没有机会能回来，但是你都害怕，你怕她已经结婚了，你怕别人嘴里的路天王在她面前就是个被抛弃的垃圾，你怕失败。你把这些脏水都泼在我身上，但我不过是正好倒霉让你当了借口。你就是个垃圾。"邱小雅突然喊出了声音，喊出一种小兽濒死般粗哑的嗓音。

小周想冲进去阻止，漫漫一把拉住他，冲他摇摇头。

路与昂高大的身影微微动了一下，又站稳，看着眼前破败不堪的女人，他觉得时间的荒谬，是怎么和这样一个人一起生活了那许多年。

过了一会儿，他拿出一个信封："这是一张信用卡，里面是我前几年在欧洲赚的钱，前几天才解冻。这里面有不少是你给我发的团。这卡给你，密码是我的生日。"

他说完这句话，转身就走了。

"路与昂，你从来，都不记得我的生日，是哪一天，对吗？"邱小雅哭喊着。

路与昂脚步没有停，转身关上门走了。

里面的哭泣声夹杂着谩骂，赵漫漫把头埋在枕头里，不知不觉睡熟了。

清晨 6 点，闹钟响起来。她极不情愿地爬起来，昨天路与昂给邱小雅买了今天回国的机票，是最早的航班，他要在一切开始之前先把邱小雅送走。

"起来啦。"赵漫漫大喊一声，是让自己清醒一点儿，也是说给里屋的邱小雅听的。

里面静悄悄的，没有一点儿声音。

赵漫漫把手机音乐放得很响，里面还是没有动静。这时候，小周也迷迷糊糊地坐起来："你要走就走，我还能多睡一会儿呢，快把音乐关了关了。"

"周磊，别睡了，你快进去看看，邱小雅怎么还没醒？"赵漫漫过来拉他。

"你去敲门，昨天折腾了半宿，肯定睡死了。"小周又倒在床上。

赵漫漫试着敲了几下门，里面依旧没有任何声音。

"周磊，我害怕。她别是自杀了吧。"赵漫漫声音也变了调。

"能自杀的东西早就都拿出来了，你是小说看多了。你进去看看。"小周继续躺在床上。

"我不敢，你快起来你进去。"她过来拉床上的男人。

"我一个大男人，不好进去。你进去，我在门口等着。"他终于不情愿地起了床。

两个人在门口迟疑了一下，赵漫漫一推门，发现门没有上锁，是昨天路与昂走了以后，大家都太累了，忘记了把门锁上。

赵漫漫赶紧走进去，啪地打开灯。

房间里空无一人。邱小雅走了。

桌子上有一张纸，上面写了几行字。

"我走了，你们别报警。我不回国，我要重回巴黎，从头再来。后会有期，再见面的时候就当从来不认识我吧。"

赵漫漫赶紧回头来找自己的背包，果然被人翻过了，里面邱小雅的护照不见了。

惜阳也睡得很好，本来以为这样跌宕起伏的一天下来，应该像之前的很多夜晚一样，睁着眼到天亮。

人都走了以后，路与昂坐在沙发上，还保持着刚才的姿势，握着她的手。

"小惜。"他轻声叫她。"你睡吧，我能呆在这儿看着你吗？"

她点点头，洗完澡以后站在浴室门口，她看着昏黄灯光下，目不转睛看着她的男人。时间空间都不再一样，然而他们似乎还在蔷薇园，他们自己的家里。墙上是蔷薇色的壁纸，窗外有殷红的盛开的花。那时候她只有他，他也只有她。他们在无数个这样静谧的夜晚，彼此凝视，再相拥睡去。

他每夜都这样在房间里凝视她，怎样都看不够。

"睡吧，你累了。"他沙哑着声音，替她抹平床铺，掀开被子一角。惜阳慢慢躺下，欲言又止地看着他。

"我不走，我看着你睡。"路与昂坐在床头，轻轻吻她的额头。

惜阳闭上眼睛，一瞬间就进入了梦乡。像沉入了温柔的海底，被托付、被照料、被妥帖地爱着、关怀着、凝视着、保护着。她已经有五年，没有这样深沉的睡眠了。

半个夜晚，仿佛只有一秒钟。

清晨醒来的时候，路与昂还保持着一个姿势，轻轻摩挲着她额间的碎发。

"醒了。"

"嗯。"

"该出发了。"

"好。"千言万语，也只有这简单的一问一答。她不知道要经历什么，有很多事情她都不问，她只是相信他。

这时候，突然有人敲门。

路与昂挡住惜阳，自己去开门。他瞬间想到了，门口站着的可能是惜阳的未婚夫，如果他看到这小子就先给他一拳再说。没想到，门口站着的，是小艾，他攥紧的拳头松开了。

"你怎么来了？"惜阳在后面问。

小艾站着不说话，本来就瘦弱的身体更加弱不禁风，好像只是站着都会突然倒下一样。凹下去的脸颊上，是泛青的黑眼圈。

"进来坐吧。"昨天的事情之后，惜阳看到她总是有些尴尬，不知道是为她还是为自己。

"不了，我就和你说一句话。"她终于出了声："昨天，你都看见了。程望，他，他其实是我哥，我从来没有奢望过能嫁给他，他也从来没有喜欢过我。我妈，我带回去，不会再麻烦你们。"她使劲绞着手指，一字一句都是用了极大地力气。

"小艾，我……"惜阳一时语塞。

"我想说，他是个好人，你跟他结婚，我再也不会出现了，你千万别介意，等你们办了婚礼，能给我妈寄张照片吗？她上次拿到哥的照片，都是十年前的了，都被她摸得看不清楚了。"她说着话，泪水在眼眶里打转，就是不落下来。

"小艾，我不结婚，我不和程望结婚了。"惜阳静静地说。

"别，他喜欢你，你和他结婚好好过一辈子吧。"小艾弯下身子，过来拉惜阳的手。

"小艾，你是个好姑娘，你值得更好的人。我也是。"惜阳说完，伸手抱住了小艾。她愣了一下，再没有说什么，眼泪落在惜阳肩膀上。

大巴车行驶在高速路上，惜阳拿着话筒，叮嘱大家检查好随身行李，回程的注意事项。没有人听得出这个声音清甜的女孩，昨天晚上经历了什么。

老人们都互相检查，路上要吃的药，要带的东西都在不在身上。

坐在前面的老牛一伙人，在座位上不住地动来动去。小牛渴了，回头和老牛说："叔，给我水。"老牛站起来用帽子狠狠抽了他一下："这么大人了喝水还问我要，我还得给你找个奶瓶装进去呀。丢人的东西。"

小牛被打蒙了，嘟囔着缩在座位里。

巴拉哈斯机场像一架巨大的展翅腾飞的雄鹰，阳光正好，波浪形的屋顶折射出金色的光芒。

老人们眯着眼睛，纷纷用相机拍下欧洲之旅最后的美景。

路与昂蹙着眉头，专心开着车。在路过最后一个收费站的时候，一辆黑色的九坐奔驰车跟上来了。他冷笑了一声，加大油门开向进站口，在车流中他靠向左边超车道，黑车在右边行车道上慢慢开着，正想也换道跟上来，他突然向左拐弯，没有开入航站楼。奔驰被车流推着，不得已下了地下停车场。

路与昂的手机响了，他按了免提，那边是一个他曾经熟悉的声音："路与昂，这么多年了，你这个狗脾气还是没改。"

是"四海一家"的实际控股人，他曾经的手下败将，尚大志的声音。

他冷笑一声："我今天送机，没空和你聊天。"

"路与昂，你该为我高兴吧。当年我被你害得没吃没穿，在公园里睡了个冬天差点儿被冻死。我当年就算是做事不地道，但你的团，你的人，你的钱，我一分一毫都没有动过。当年我是带着小弟，拿着刀枪收保护费。可是现在，咱们是用法律条文。不用动一个指头，钱照样都给我收上来了。"

你难道不该给我鼓鼓掌吗？"那边的声音时高时低。

"尚大志，我不管以前你是个什么人，现在你有个什么组织。在我眼里，你都是个孬种。"路与昂慢悠悠地说。

"路与昂，我那俩股东老贾和那陈祥巍都给你求情，说你是什么欧洲旅游界的风骨。我对你真算是仁至义尽了，还答应要是你签字，我就给你股份，旅游市场越来越好，我这事业就能越做越大，以后我上了市，保你到老都吃穿不愁。我就不明白，你他妈的还有什么不满意的。"

"你不是刚才说了吗？什么上市公司，还不就是要收保护费，要把人干的事变成机器干的事吗？我不是什么风骨，我就是个导游，但我不是你这样的流氓。"他说完正要挂电话，听到尚大志在那边嘶吼："路与昂等会儿咱们见了面，看我不弄死你。我就在这巴拉哈斯等着你，我派两百个人把这儿围起来，今天你车上的人，就要一个不剩给我送走！"

路与昂挂了电话，车停在一条小路上。路与昂看了一眼，有三辆白色客车等在路边。旁边等着三个年轻人，路与昂冲他们挥挥手。这是他昨天联系到的，在马德里的兄弟。

"爷爷奶奶们，小路就送您到这里了。希望这趟旅程您满意我的服务，祝您归途一切平安。"路与昂走出驾驶座，转过身，对着车里鞠了一躬，然后示意漫漫带他们下去。

老人们齐声鼓掌，掌声持续了很久。

路与昂也弯着身久久没有直起来。这可能是他最后一次送机，这可能是他最后一次得到客人的掌声。

老人们慢慢走下大巴车，每个人都与路与昂和惜阳分别握手。老人们的手很暖很粗，惜阳微笑着落了泪。

在路上病了几天的黄爷爷走过来，他拎了一个袋子，"姑娘，一路多亏你照顾我，我没有啥能送给你的。这是我从家乡带来的一点儿特产，本来是在路上吃的，你要是不嫌弃就送给你。"惜阳拿过来，看了看说："谢谢您，我爱吃这些。"

一路穿着灰色呢大衣的乔爷爷最后一个下车，他紧紧握着路与昂的手："我父亲来法国，当华工的时候，也就是你这个年纪。他留下最后一封信说，虽然没有读过什么书，只会写几个字，但是也知道，干一行就要把一行干好。就算是清扫战场，扛炮弹，捡柴生火，那也要都做到位。小伙子，你做到了。谢谢你。"

路与昂笑着点点头。

赵漫漫已经等在一辆车旁边了，她默默清点了人数，最后回头看了一眼大巴车上的几个人，一甩头发，走上最后一辆车。

原本拥挤的 55 座大巴车里，现在只剩下九个人。

"我下去抽根烟。"路与昂挥挥手，下了车。"你别下来了，我就在门口。"他和惜阳说，却不看她。

小周跟着他下了车。

"拿着。"路与昂吐出一个烟圈，从口袋里掏出一个长方形的盒子，给了小周。

他一眼就看出来，还是那把钥匙，路与昂倾尽所有积蓄买下来送给惜阳的，蔷薇园的钥匙。

他在船上推辞了一次，这次又使劲推回去。

"我不要，你自己给她。"

"听话，拿着。这钥匙不能配，我这次来欧洲，是为了什么？别人不知道，你难道不知道吗？"路与昂塞到小周手里。

"我不要。"小周低声喊着，一把猛塞回去。"哥，你自己给她。"

男人抬手看看手表，又看看太阳。"天气真好。好久没看过这么好的太阳了。"

这时候，车上又下来两个人，是老黄和李生。

"导游，把行李给我们拿出来。"老黄粗声说。

小周打开大巴下面的行李舱，把他们的箱子拖出来。

"我拿几件东西放你箱子里。"老黄说。

"我箱子装不下了。"李生警惕地回答。

"这次回去不知道是生是死，没用的东西都别带了。咱俩就拿一个箱子，别托运，出去的快一点儿。"老黄低头在箱子里翻着。

"咱俩？不是就我一个人走吗？"李生声音稍微提高一点儿，用眼神看着路与昂和小周，夸张地做着口型，希望他们能听到。

"你小声点儿，疯了？现在我们改变主意了，我和你一起回去，路上有个照应。"老黄抬起头疑惑地看着李生。

李生浑身的血液突然凝结了。

他本可以按照导游安排好的，坐早上的班机回去，在北京迅速转机，带着路与昂的朋友回平旺镇，一回去就根据地图上的指示找到老煤矿里藏着的人，然后报警。

他像一个从没练过杂技，但马上要走钢索的人。这一切，昨天一晚上，他在脑海里演练了千百次。现在却都用不上了。老黄要跟着他回去，他就不能露出任何破绽，回去之后，他就要像被安排的一样，乖乖地把药交给来接机的人，由他们用在失踪的矿工身上，使他们失去记忆，致残甚至致命。

他贴身的衣兜里放着路与昂给画的地图，而另外一边放着玻璃试管里的白色粉末。

他感觉到心脏快要跳出来了，砸在玻璃试管上砰砰作响。

"他说什么？"路与昂问小周。

"他好像说，有人要和他一起走。"小周假装看向远处，其实墨镜下的眼睛盯着不远处的两个男人。

"坏了，那昨天的安排用不上了。"

"哥，咱们仁至义尽了。这事咱们管不了了吧。"小周劝他。"咱们迎来送往多少人，送到机场就算完了。何况，你这身体，禁不起折腾了。咱送完机，就回巴黎，惜阳不是还等着你吗。"

"唉，白跟了我这么多年了。我昨天说，管这事儿就是为了报私仇，报复惜阳那个未婚夫。你以为我不是在开玩笑吗？这事不是别人的事儿，是我家乡的事，是我爸临走前和我交代的最后一件事。"路与昂说着，掐灭烟："你听清楚了？他们是要和李生一起走吗？"

小周点点头。

"嗯，那咱们也没有别的选择了。卡扎列路后面那个洞，还在吗？"

"在。"小周从牙缝里挤出这个字。

卡扎列路是巴拉哈斯机场后面的一条小路，旁边有一个轮胎店。后面有个垃圾处理中心。轮胎店的人为了省事，就拔掉了一个路障，在铁丝网上开了一个洞。这个洞是一个轮胎大小，一面连着路上的加油站，穿过洞就是森林里的垃圾处理中心，森林茂密，只要一钻进去，马上就失去踪影。

但这片森林连着巴拉哈斯机场后面一个极小的门，认路的人能从这里走到机场里。

不知道哪一天，这条路被人知道了，从此这个加油站就有很多竖着大拇指拦车的人，他们大多只有单程机票，拿旅游签证，是想要在这里黑下来，找一条生路。

路与昂对欧洲大大小小的街道了如指掌，每次开到这里，难免会有几个不想回国的人要在加油站上厕所，偷了这个空子钻进森林。所以他从不在这里停车，都是加大油门开过去。

没有想到，有一天，他能用得上这个洞。

"上车，上车。出发了。"路与昂喊了一声，自己先走进大巴车里。

李生和老黄，把行李带上车。

"安全带都系好，你，你刚才不是说晕车吗？那你坐到前面来。"路与昂指着李生，眼神不容拒绝。

李生不说话，走到最前面的位置，和小周坐在一起。

路与昂发动了车，开了几分钟以后，突然回头对惜阳说："刚才那个阿姨说要上厕所，这儿有卫生间，你带她去，现在就去。"

惜阳看了他一眼，回头对小艾说："我也正好想要去，你带着你妈，咱们三个人去吧。"她盯着小艾,一字一句地说。

小艾愣了一下:"什么?"

老太太突然说:"对,我想上厕所,我要上厕所。"

"哦,哦,妈咱们走。"小艾赶紧搀扶起老太太,跟着惜阳下了车。

路与昂看着他们走远了:"我也去买包烟。"老牛突然在座位上动起来,他一边说着一边想要解开安全带。

"你去不了,太晚了。"路与昂说着,一脚踩下刹车,银色的大巴车像一道闪电,像前冲去。

"这是要干啥,她们……她们还没有上来。你要去哪儿,停车停车。"车上三个男人大喊着。

路与昂咬着牙,把油门踩到底,在老牛解开安全带之前,猛地向右拐弯,他又摔在座位上。

"兄弟,看你的了。"路与昂目不转睛盯着前方。

小周马上拉起李生,路与昂又拐了一个弯,一个急刹车,同时打开车门。小周拉着李生,跳下车,一下没有站稳,向前扑了几步倒在路上。

在他们正前方,有一个轮胎店。

路与昂又把油门踩到底,向前开去。

"你疯了,你给我退回去。"老牛终于站起来,喘着粗气跟跟跄跄地冲上去要抢方向盘。

"叔,叔你会开车吗?我害怕叔,我不想死。"他正要扑向路与昂,突然被自己的侄子小牛紧紧抱住。

"你这个没用的东西,你给我松开,松开。"谁能想到小牛力气很大,两只手钳子一样箍住老牛。"老黄,让他停车。"老牛大喊着。

"上高速了,咱们谁抢方向盘一车人都得死。导游,你要把我们带到哪儿去啊。"老黄反而不动弹,被小牛堵在座位里。

路与昂不说话,大巴车开过高速路,拐进一条山路,又冲上半山腰。老牛摊在座位上,掏出手机来:"你这是绑架,你要啥?是不是要钱?我有钱,我给你,你把我们送回机场吧?"

"别费心思了，这山上早就没信号了。"路与昂说。

老牛把手机举高，使劲摇了几下，最终还是扔到地上。"你说，你要干啥吧。"老牛又摇摇晃晃地站起来。

正说话的时候，车正开在一条崎岖的路上，两边都是悬崖："你别动，你动一下咱们都得摔下去，骨头都找不着。"路与昂目不转睛地看着前方，声音不大。

车终于拐了一个弯，开进一个空旷的山洞里。山洞的入口处，只有大巴车头尺寸，只容一辆车，开进去之后却很深，两边茂密的苍天古树，枝叶盖过来，洞口一下就消失不见了。

"咱们到了。"路与昂踩住刹车，回过头，用平旺镇方言对三个男人说。

永　远

　　赵漫漫送完老人们，接到惜阳的电话已经是一个多小时以后了。她带着一辆车赶到加油站，老太太坐在小艾的包上，靠在一根柱子上，闭着眼睛前后摇晃，不知道嘴里在哼着什么歌。

　　两个女孩坐在路边，惜阳把头深深地埋在臂弯里，正是寒冷天气，她却没有穿羽绒服，只有一件灰色的薄毛衣，瘦削的肩胛骨像蝴蝶的翅膀。

　　小艾坐在旁边，轻声劝着她什么。

　　"惜阳。"赵漫漫跑过来，站在她前面轻声喊。

　　面前的女孩使劲把头在衣服上蹭了两下，抬起头来，呆呆地看着她。"与昂走了。"

　　"怎么回事啊？昨天不是说好了，你们不是在一起吗？不是说你们一起去送机，然后跟着那几个人吗？他是一个人走了啊？"赵漫漫一连串地问话，顾不上小艾疑惑地看着他们。

　　"他刚才让我们三个下车，然后就开走了。"惜阳回答。

　　赵漫漫赶紧掏出电话来打给小周，听出他在机场舒了一口气，又听说只有他和李生两个人去了机场，路与昂开着车走了，一颗心又提起来了。

　　"那我叫个车去接你，咱们一起来了想办法。"惜阳看着漫漫，一声不吭。她答应了几句，就把电话挂了。

　　"周磊说，说他被'四海一家'的人给盯上了，动不了。"漫漫抱歉地说。

　　"与昂在哪儿呢？他带着那几个人去了哪儿？"惜阳猛地站起来，声嘶力竭地问。

"周磊说……他说……他说他们应该是去了鹰巢。"

"鹰巢"叫"冰洞"又叫"布兰卡"洞穴，是马德里一个极少有人知道的天然岩洞。它位居荒芜的山脉之间，前有森林遮掩，后有无人之境的荒地，极其隐蔽，车辆也不好通过。1936 年西班牙内战的时候，这里曾经被纳粹占领成了"长枪党"关押俘虏的地方。这之后才有资深的背包客陆陆续续来过，但还是人迹罕至。

惜阳打开关了一天一夜的手机，程望的短信疯了一样涌进来，她看也不看全部删除。

最后面，是路与昂发的一条短信："小惜，别找我。三个小时以后，李生的飞机才起飞。"

她拿给赵漫漫看："他是不是傻呀？咱们当然得去找他，李生那边有小周看着，他一个人怎么对付那三个人啊。"

正说着，惜阳的手机突然响起了音乐，她看了看按掉。又响起来，是家里的电话。

她接起来："我不一定今天回去。程望？我不知道他在哪儿。哦，我现在没空听你说，以后再说吧。"

丁薄言冷笑着，假装温柔地说："以后说也行，原本我是想和你说说莫长风的事情呢。"

惜阳本来要挂电话的手，停住了："我爸怎么了？"

"呵呵，莫长风的厂子倒闭了。我就说么，这些暴发户能在世间横行多少年啊。现在他成了个穷光蛋，对了，我在使馆这么多年的申诉终于有了结果了，兰迪大使证明我结束和莫长风的事实婚姻。给我开了单身证明了，妈妈呀，马上就要和你爸爸举行婚礼了。等咱们去了加拿大，和你们小两口一起办婚礼，好事成双。"丁薄言脸上浮现出得意的笑容，这一切在对面的程望都看在眼里。

惜阳浑身的血液凝结住了，她一闭上眼睛就是小时候和爸爸在空旷的厂房里捉迷藏的情景。

她挂断了电话，又想了一下从包里掏出护照来，再次拨通视频通话。

丁薄言画着精致妆容的脸就出现在屏幕里了，她还没有说话，就被惜阳眼中的杀气震慑住了。

"漫漫，你帮我拿着手机。"赵漫漫迟疑了一下，拿过手机，翻转了镜头对着惜阳。

惜阳拿着护照，翻到贴着加拿大签证的那一页。

她唰地把那张红边泛黄的纸撕下来。

"惜阳你要干什么？"丁薄言惊叫到。

惜阳看着眼前的女人，一点儿一点儿把手里的纸撕成碎片。

"我是个亚塘镇的姑娘，我爸爸以前是个穷光蛋，后来变成了暴发户，现在我就还是那个穷光蛋的女儿。我不去加拿大了，我也不会和程望结婚的。我家里，再没有什么人在国外了。"她说这话的时候，丁薄言的身体动了一下，程望马上来扶住她。在手机屏幕上，惜阳看到了程望，程望也看到了她眼中的霜，那是结了冰再也化不开的颜色。

"惜阳。"程望还想要说什么。惜阳挂断了电话。

这时候，突然下起了暴雪。手掌大的雪花夹杂着冰雹落下来，小艾赶紧跑过去搀扶还坐在地上的老妇人，她们躲进了加油站。

惜阳站在风雪里，不到一分钟，就是满身满头的洁白。风吹来，彻骨的寒冷。

赵漫漫陪她站在雪里，没有说话也没有动。

"咱们报警，让警察去把路天王找出来。"赵漫漫说着就向远处使劲招手，停车场上一个男人走下车，那是刚才送她来的人。

"漫漫姐。"那个男孩年纪也不大，看起来入行不久。

"你会不会说西班牙语？"赵漫漫问他。

"我……我说不好，但是也会说。"男孩挠挠头。

"那行，你现在打电话，就说有人在鹰巢附近失踪了。让警察赶紧去找。"赵漫漫把电话塞给他。

男孩拨通了电话，结结巴巴地和对方沟通。说了几句，抬头说："他们说警署没人，今天总统府有活动，都派去开道了。"

惜阳突然抢过电话，用英语大声对那边喊着："你们快派人来，会出人命的。求你们，派人来吧。"那边用英语劝她冷静，说了几句以后草草又说了几句西班牙语就挂断了。

惜阳颤抖着手，又拨通了同一个号码。递到男孩面前说："你再打，你和他说，说有人藏毒，藏了好多，让他们赶紧来抓人。"

男孩被这个一脸苍白，浑身冰霜的美丽女孩吓住了，接过电话结结巴巴地重复了一次她的话。

雪越下越大，已经看不出停车场和高速路的界限了。

"警察说马上就来，但是鹰巢那个山开不上去，要等雪停了才能来。"男孩小心翼翼地翻译。

惜阳双手捂着脸，蹲下去，跪在雪地里。

"惜阳，你别急，他们不来，咱们自己去。"赵漫漫也蹲下来，安慰她说："你认识路吗？"她问男孩。

"漫漫姐，我认识。但是……"男孩欲言又止。

"但是什么？快说。"

"我这辆车是租的，没有防滑轮，怕上不去。"男孩为难地回答。

"说那么多干嘛，先给我开过来。"赵漫漫一边说着，一边拉起惜阳。"惜阳你等着啊。"她又跑向加油站，把身上的钱都掏出来给小艾，又拿出一张纸，写了一个电话号码。

"姑娘，你带着你妈在这儿等，我们要去办点儿事。等一会儿我男朋友，就是那个大高个司机，我让他来接你们，你就在这儿等着，别走远了。这是他电话。"她说完这句话，就又打着滑冲过来，拉起惜阳上了车。

布兰卡洞穴是个天然溶洞，经过千百年无人打扰的进化，大自然的鬼斧神工雕琢出水墨画一样的质感，比图画更立体，比雕塑更壮观。

层峦叠嶂的冰柱渐次布满了洞顶，点着百盏水晶灯。洞内有一点光源，投射在石头上再反射回去，金色的光芒浅浅地铺在黑暗中。

牛望财喘着粗气瘫倒在大巴车的座位上，车里越来越冷，他身上也结了冰。他盯着眼前这个跟了他一路的导游，他曾经暴打过他，他也曾经怀疑过他。

没想到事情那么巧，他的怀疑居然成了真。这个一口京腔的小子，是平旺镇爆破工，路大庆的儿子。

"路大庆，你活着的时候就已经不人不鬼，现在做了鬼还不放过我。你害了我大半辈子提心吊胆，现在全完了。我和你拼了，让你儿子也去做鬼。"他说着话，站起来冲向驾驶座。用尽全身力气一拳打过去，路与昂躲开了，牛望财发了狠，平时没有那么灵活的身体，居然又一个左勾拳打回来。

路与昂虽然年轻，但一路耗尽了心血。现在只有抵挡躲闪的力气，他驾驶座下面都放着铁棍，他想用脚勾上来，却在此刻眼前一黑，脚底打滑，反而跌出了驾驶座。

他胃部传来一阵刺痛，他已经分不清是病痛还是被老牛打中。猛地跪倒，被老牛趁机抓着领子，扔出大巴车。

"老黄，过来，咱俩想杀了路大庆多少年了。今天就把他儿子打死。"牛望财发出非人的喊叫声。他双眼渗血，像一只被红布蒙了眼的斗牛。

"老牛，你这是要打死他啊？你不记得你老婆那算命的叔叔说的话了？你要是杀人，你家世世代代都要绝后。"老黄站在车门口不下去。

"今天这小子把李生给放走，咱们困在这儿，我出去也是死，打死他我有个人陪葬，路大庆我拿你儿子陪葬了。"老黄说着，从地上捡起来一块石头，路与昂咬紧牙关，用尽浑身力气站起来，他想躲在岩石后面喘口气，却被老牛一把掐住脖子，对面男人粗浊的气息离他很近。他平静地闭上眼睛，耳边响过风呼啸的声音。

可是等待中的疼痛，久久都没有到来。

他睁开眼睛，发现牛望财的侄子，正从后面抱着他。"叔，你别打了，他是昂子。"这个从小弱智，被全村孩子看不起的人。在路与昂和牛望财厮打在一起的时候，突然想起了小时候，八岁的路与昂对九岁的他说，我们要玩打仗的游戏，少一个人，你来不来？

那是他第一次有一个朋友，他使劲点点头，高兴得不知道该怎么办。

他永远也忘不了，这个叫昂子的男孩，是村里的大英雄。他打仗的时候总是皱着眉头，瞪着眼睛。小牛从来没有在其他人脸上看过这种表情，只有这个人愿意带他玩。

他今天，又看见了。他想起了这是谁，叔要打的，是他唯一的朋友。

老牛气坏了，伸脚使劲踹侄子，小牛劲大，是用了狠劲抱住他。他硬是没有挣扎开，转身用石头对准侄子："滚不滚，不滚我连你也打死。反正我死了也没人养活你。好赖都得死。"

小牛还没有反应过来，就被一股巨大的力量推开。身后，老黄背着光，像一个黑影般靠近。

外面的雪越下越大，惜阳看着车窗外一言不发，赵漫漫安慰她："路天王是什么样的人，你比谁都清楚。他没有把握的事情不会做的，肯定他是有个好主意才带那几个人走，你放心吧。"

惜阳没有看她，声音颤抖着说："就因为我了解他，才知道这次不一样。漫漫，我总觉得他这次来，就没有打算……"她说不下去了，眼泪顺着她苍白的脸颊滑到下巴上，又一滴一滴落下来。

突然，车不受控制地向旁边滑去。开车的男孩赶紧猛踩刹车，车胎在地上划出粗黑的印子，刹车尖利地响着，车才好不容易停下来。

"姐，我是真的上不去了，这才有一点儿上坡，咱们就差点儿滑下来。"男孩额头上布满冷汗，回头抱歉地说。

这时候，赵漫漫看到不远的前方有一辆车掉进了路边的田地，也是因为车胎打滑没有刹住。车里走下来一个男人，赵漫漫推开车门大喊："周磊，我们在这儿呢。"

小周也满头是汗，迎着狂风跑过来。

"你不是被盯上了吗？"赵漫漫问。

"唉，哥真没说错，'四海一家'那帮混蛋，说是每个出境的人都登记了，差点儿不让李生改机票先走。我和他们打了一架，叫来了警察，李生才趁乱进了安检。我后来把大巴停那儿了，又租了辆新车赶紧开过来。小艾和我说你们在这儿，我把她们安排给马德里当地的兄弟就来了。"这时候，两个女孩才注意到他眼角青了一块，额头上也渗出了血。

赵漫漫正想给他擦擦，他却扭过身懊恼地说："这可怎么办，雪太大了，车都上不去。"

惜阳抬头，看到被白雪覆盖着的山丘，天和地连成了一片，路与昂就在那上边吧，就好像他随时能走出来，对她挥挥手说："小惜你别动，我下来接你。"好像就近在咫尺，其实却那么远，远得寸步难行，远得像在天边。

惜阳突然一个人向前奔跑，地上太滑，她跑了几步就摔一跤，她手脚并用地站起来，继续向前跑。她要一个人跑上山，她多跑一步，就离他近一点儿。她还有好多话没有告诉他，她没有告诉他这些年的想念，她没有告诉他，她从来都没有哪怕一丁点儿爱过别的人。她没有告诉他，那年他问的问题，她愿意，她愿意一生一世和他在一起。

漫漫和小周在后面喊她，她都不停下来，直到又一次摔倒，再一次摔倒。再也没有力气爬起来，赵漫漫跑过来，一把抱住她："惜阳你别急，咱们想办法。你这是干什么？你爬不上去的。"

小周也跟过来："惜阳，你看，那边有几辆四驱车，是冰雪轮，我去问他们，他们能上去。"

这时候，会说西班牙语的年轻男孩，已经走过去和几辆四驱车司机说话了。他说完打开钱包看了看，又掏出信用卡来比划，对方摇摇头。

他走过来说："他们是专门带着游人上山的，但是几个人趁火打劫，说是冰雪天气要翻倍价格，还只能给现金，你们谁身上有钱？"

赵漫漫身上的钱都给了小艾，小周和惜阳身上的现金也只凑了不到一百欧。

"要多少？"惜阳问。

"他们每辆车只能坐 2 个人，你们三个都上去就要一千欧。"

几个人不约而同地环顾四周，一片苍茫，离市区已经很远，没有一栋建筑物，更没有提款机。

"漫漫，你放开我，我一步一步走上去，总有走到上面的一天，与昂在等我。"惜阳哭喊着，想要挣脱开。

突然，他们看到一辆九座车缓缓开过来，也滑了一下停在山脚下。车上下来几个大腹便便的男人，背着手皱着眉头抱怨："导游，导游，不是说带我们看什么世界奇观吗？就给我们看这鸟不拉屎的地方啊？"驾驶座上走下来一个男人："嗨，几位领导，俗话说天降瑞雪，娘要嫁人。谁能管得住呢？对不起对不起，咱们这就往市区开吧。"

小周看看这人有些眼熟，突然在他拿出一个鸭舌帽戴上的时候，想起来，这是他们接机时候遇到的，油头滑脑的叫小隆的新导游。

他冲过去一把抓住这人，拉到旁边。

"干嘛干嘛？"

"身上有钱没有？"小周问。

"大白天的打劫啊？"小隆一边说着，一边还是把钱包打开看了看。里面一共只有两张 50 欧元："我这明天也送机了，钱都垫了团款了。路天王多有钱啊，他人呢？怎么还让你借钱来了？"

"我哥，被困在山上了，现在下不来，而且和他几个仇人一起在车里。咱们的车都上不去，要上山就得给一千欧。"小周失望地放开他。

"唷，集合集合，我宣布个事。"叫小隆的导游也没理他，转身冲着他的客人说。

正在四处溜达的几个人聚集在他身边："现在收费，一人收 100 欧。马上交，不能欠款。"小隆一边说，一边伸出手，伸到一个人鼻子下面。

"这又是什么钱啊？"其中一个人问。

"这是……这是我的小费，今天最后一天，必须给，在欧洲给小费是强制性的。每天我当导游和司机各 5 欧，十天就是一百欧。"他仰着头，伸出的手指勾了勾。

"没钱了，都花完了，回酒店给你吧。"其中一个人说。

"不行，必须给，不给我今天走不了。"

"得了得了，给你。"其中一个最胖的男人，掏出一摞100欧递到他手里。

"还是团长爽快。"小隆手上沾了点儿口水，刷刷数了一下。

"好了，你们现在上车。"趁着客人们上车的时候，他走到小周面前，把手里的钱递给他。

"你……谢谢你。"小周不自然地说。

"客气什么，都是那个有，有职业道德人。其实小费在团费里都包了，我今天收了他们这钱，晚上吃饭得再掏腰包刷卡给他们加瓶红酒。你们上去替我给路天王带个好。"他回头走了几步，又扭头说："别忘了回巴黎还我钱，你在免税店附近打听打听，巴黎旅游小王子。"

路与昂觉得身边一片静谧，他已经很久没有过这样的时刻。胃部火一般的灼热，被一滴一滴清凉的水抚平。他好像也听到一些声音，有人喊他的名字，有人在他身边厮打。有人用西班牙语劝架，有警车鸣着笛，有人说着家乡话被警察带走。

这些他都听到了，但又好像很远很远。

他脑中都是那一年的画面，他在路上捡了一个女孩，她像玫瑰花朵一样美丽，他不知道她的名字，要送她回家，在路上他犯了胃病，晕倒在车里。那女孩就握着他的手，轻声呼唤他。

他虽然很疼，但是握了她的手，觉得这是他人生最好的一天。

就好像现在一样，他动了动手指，那只手还在这里，一直没有松开，他就放心地叹了一口气，彻底失去了意识。

一周后，病房的中文频道，新闻里都在播放，平旺镇破获跨时代惊天大案。警方根据线索找到了二十个被藏匿在废弃矿道里的人，他们不是矿工，是一个学新闻的大学生和来寻找他的家人。大学生掌握了望财有限公司巨大犯罪证明，又有犯罪嫌疑人牛望财亲口录音。望财有限公司被查封，公司法人将被判处无期徒刑。

警方将查处的化学物品交给国家化学实验室，被测试出是一种还未成型，严禁对外发布使用的药物。国际生化联盟义愤填膺，向勒内·迪卡尔学院研究室提出严厉警告，并保留追究刑事责任的权利。季鸿离作为实验室管理人员，被取缔博士生导师资格，涉事研究员程望取消博士学位。蒙特利尔大学收回对两个人的邀请。

路与昂昏迷了整整一周，马德里医院宣布无法治疗。在惜阳的坚持下，又辗转到了柏林肿瘤研究医院。惜阳日日夜夜守在他床前，天亮的时候打开窗帘，给他读新闻。晚上就轻轻哼着歌，躺在他旁边，看着他的侧脸。

一个阳光很好的清晨，惜阳醒来，发现他睁开了眼睛，正在看着她。

惜阳心里一动，眼泪涌上来。

她坐起来，温柔地问："你醒了？"

他很轻很轻地点点头。

"你睡了好久，我去叫护士吧。"惜阳脸上满是泪水，赶紧擦了一下，笑起来。

"你别走，小惜，我的包呢？"惜阳赶紧拿过来。

"你自己打开前面的袋子看看，里面有个东西送你。"路与昂冲她笑。

惜阳颤抖着手，打开他背包的第一个口袋，里面有一个长方形的雕花木盒子，她还没有打开就知道里面是什么了。她扭头冲他笑笑，打开盒子，里面果然是蔷薇形状的古老钥匙。

"你还是买了。"她忍不住眼泪。

"小惜，以后你说去波多黎各，咱们就去波多黎各。"路与昂的声音越来越轻，他握着她的手，依依不舍地闭上了眼睛。

窗外，是柏林墙倒塌的地方，一个新世界就要开始了。

四月，一个晴好的天气。"四海一家"融资会，可以容纳两千人的会场空空荡荡，尚大志、贾老和陈祥巍面面相觑，被邀请的近千位导游都没有来，他们都去参加了路与昂的葬礼。

惜阳在人群散去之后，在他墓前坐了好久。告诉他李生写信来，说他继续做邮递员，他老婆怀孕了。小艾终于愿意走出平旺镇，和邻村的人相亲，会把程望妈一起带过去。

她自己买了机票，要回国一个月陪爸爸。

这时候，墓碑前面放着的竹子被风吹动摇了几下。

"你怕我不回来吗？我会回来的，你在这儿，我怎么能走呢？"

惜阳继续在欧洲做着导游，她随身带着一只棕色箱子，一把雕花的钥匙。脖子上依旧是磨得更亮的，一小块矿石做的项链。她越来越美，迎来送往的客人都忍不住问她，有没有男朋友。

她都仰天看看，笑得更美了。

她喜欢跑长途路，坐在副驾驶的座位上，汽车飞驰，身后的客人们都纷纷睡去。她靠在车窗上，看城市的灯光忽明忽暗，这个时候，她就会觉得离路与昂近一点。

这些，都是你走过的路。

窗外。

夕阳正好。

而你曾走的路，我一一来过。